D1550296

NO

翟若適(Carl Djerassi)／著
邱紫穎／譯
吳嘉麗／審定

聯合譯叢 026

本書作者翟若適 Carl Djerassi 網址：
http://www.djerassi.com

目次

（序）我所認識的翟若適教授和他的四部曲小說

吳嘉麗

十年前經由當時在淡江客座的印度卡普爾（Kapoor）教授之介紹，我們非常高興在國科會的贊助下，得以邀請在化學界，尤其是有機化學界，無人不曉的翟若適教授來訪。在此之前，專業為有機天然物化學的我，只知道在質譜和旋光的應用方面，常常用到翟教授的書和理論。看了他的簡介，才知道原來今天很多婦女仍然在服用的避孕藥，就是他當年合成的，也因此獲得美國國家科學獎（一九七三年），並選入美國國家發明人榮譽廳的榮譽榜（一九七八年）。他的科學成就與獲獎無數，身為美國國家科學院的院士，以及美國藝術與科學院的院士，大約已可簡明代表。

一九八九年翟教授來訪時，我有幸接待。更詫異地發現，他竟然也在史丹福大學的婦女研究中心開課，諸如「生育控制的生物社會觀」之類。他從避孕藥的合成，而自然的關心到節育問題、人口問題、蟲害問題、第三世界的問題，乃至婦女問題。身爲婦女新知基金會創始至今的義工，我與翟教授之間當然又多了一個議題可談。翟教授的夫人，米德布魯克（Middlebrook, Diane）教授，任教於史丹福大學英文系，一向關心女性議題，也曾擔任該校婦女研究中心主任。

翟教授喜歡現代藝術，他自己就是一位收藏家。爲了紀念過世的藝術家女兒，一九七九年成立了一個基金會（Djerassi Foundation），在舊金山近郊有一個廣大的莊園，接待世界各地年輕的藝術家在那兒免費居住數週至數月，以便提供一個最佳的創作環境（Resident Artists Program at SMIP Ranch）。

翟教授興趣廣泛，科學研究從不會只停留在一個領域。他常說他不是純科學家，年輕時因緣際會，加入墨西哥的墨合（Syntex）製藥公司而參與了避孕藥的合成與上市，後來他雖然走入學術界，也從來沒有完全離開過工業界。先後創立過數個新公司或擔任公司顧問。翟教授還喜歡文學，他常常寫詩，往往利用會議中無聊的時刻一心二用，完成詩作，已有一本詩集出版。他寫自己的傳記，寫短篇小説，仍然意猶未盡，終於完成了這一套四本的長篇小説，他稱爲四部曲，因爲書中的幾位主角在四個故事中穿插出現。

四本小説都以科學界爲背景，探討科學界的人、事、物。第一本《康特的難題》（*Cantor's Dilemma*）原文本於一九八九年出版。這個故事以名教授康特爲主角，他在腫瘤研究方面有傑出的成就與創新的理論，因此與他的博士後研究員，也是他當年的博士生共同榮獲諾貝爾獎。但是他最受矚目、且因而被提名的那篇論文實驗，卻被同行的另一競爭對手發現無法重複驗證。翟教授藉著這個虛構的故事，探討科學界的倫理關係、師生關係、同行競爭、人文與科學界論文發表的習慣差異，甚至女性科學家的窘境，也略有觸及。也許爲了故事情節的發展，也爲了反應當今美國社會的某些現象，同居、同性戀、師生約會等情節都在小說中出現。

第二本《布巴奇計謀》（*The Bourbaki Gambit*）原文本於一九九四年出版。這個故事以幾位退休教授爲主軸，他們不甘心承認自己已無科學創造力，爲了證明自己的能力，遂隱姓埋名，藉著一個捏造的人名和一位年輕的女博士研究生之參與。發表了一系列的論文。沒想到他們的一項發現——PCR（聚合酶連鎖反應）——竟是一項生物化學界的突破，如何接受頒獎，誰去領獎引起爭議之外，也開始檢驗人性。從事科學研究眞的不想求名嗎？

「PCR」是眞有其事，一九九三年的諾貝爾化學獎即頒給此項發現。簡單說，這項生物技術是去氧核糖核酸（DNA）的複印機，已成爲今日各項DNA檢驗不可或缺的技術。在這本小說裡，作者還塑造了一位年近八十多歲的傑出前衛女性，她研究十八世紀的法國婦女史，在她寡居的歲月，主動追求愛情。反之，故事中較年輕的男主角教授則被動、羞怯、保守。

第三本小說《曼那欽的種》（*Menachem's Seed*）英文本於一九九七年出版。這個故事雖然也是以科學家爲主角，卻幾乎未談及科學理論。背景是以有名的「布格瓦科學與國際事務研討會」（Pugwash Conference on Science and World Affairs）爲藍本，虛擬爲「克齊堡研討會」。在這個會議中來自美國、研究生殖技術的女主角與來自以色列某大學已婚的副校長有一段大膽的激情。年近不惑的女主角利用她所熟悉的體外受精先進生物技術，偷了自認爲早年因受核輻射已不可能生育的男主角的精子，而產下一子，成爲單親媽媽。

故事中較嚴肅的部分則穿插了中東政治問題，以色列對核武的立場，以及轟炸伊拉克等討論。「布格瓦研討會」一向邀請世界頂尖的科學家，討論科學與全世界相關的各種議題，如核子武器、人口節育、環保、臭氧層等問題。一九九五年的諾貝爾和平獎即頒給了主張並推動限制核武的這個會議。

《曼那欽的種》故事的續集出現在作者的第四部曲《NO》這部小說中。《NO》的英文本於一九九八年出版。《NO》的字面翻譯是「不」或「否定」，但這個化學符號代表的卻是一氧化氮。這個小小的氣體分子近年來可是風雲角色，一九九五年的諾貝爾化學獎和一九九八年的諾貝爾醫學獎的頒發均與它有關。一九九八年治療男性陽痿的藥「威而剛」上市，造成全球轟動。而《NO》這個故事的主角雖然不是威而剛，卻有異曲同工之妙。本書除了介紹不少眞實的生物醫學理論外，更談及科技工業化的問題。美國科技界的「外國人」愈來愈多，尤其是亞洲人。所以作者以一個自大學起即在美國讀書的印度女科學家爲主角，企圖帶入種族文化，女科學家的事業與家庭，產品上市的集資與行銷，避免不了的法律訴訟，單親家庭，男性管家等等議題。

從翟教授的這四本小說中，處處可見他本人的風采與理念。他將科學的生硬知識、科學社群的生態及眞人眞事，以淺易生動的小說形式介紹；小說中的女性都具有聰明、睿智、獨立、自信而且開放的特色；某些科學家的音樂、藝術修養似乎就是作者本人的化身。如果說翟教授的小說不似一般言情小說般的令人感動，實在是因爲他企圖在小說故事中負載太多的使命。

翟教授於一九九二年再度獲頒美國化學會的最高榮譽普利斯萊獎，以表彰他過去幾十年來在科學與社會方面的貢獻。一九九七年美國化學會七十五週年，由會員票選七十五位百年來傑出貢獻的化學家。這些高票獲選者中，三十五位爲諾貝爾獎得主，二十八位爲美國化學會的普利斯萊獎得主，在世者有三十二位，翟教授即爲其中之一。在小說《布巴奇計謀》中，即將或已退休的教授仍努力從事科學研究，以期證明他們的創新能力，而現實世界中，已退休的翟教授則是從小說寫作中開創他的另一片天空。

本文作者爲美國西雅圖華盛頓大學化學博士，現任淡江大學化學系教授。

前言

乍看之下，一般讀者會以爲本書書名爲英語中之否定回答（NO），其實NO兩個字也是由兩個原子結合成的分子一氧化氮（nitric oxide）的簡稱，一九九二年《科學》（*Science*）期刊介紹年度風雲分子時，即以「只要說NO」（Just Say NO）爲封面標題。讀完本書，讀者當能明瞭「不」和「一氧化氮」於科學小說四部曲最後一部曲的關聯。

科學小說異於科幻小說，既少見又以眞實——至少可信——的經驗爲根據。除了少數次要的年代日期外（爲了配合情節發展），新發現的生化特質的重要層面絕非杜撰，書中科學家、企業家，和律師之行爲也確有其事。人物或爲虛構，其舉止卻十分眞實。

化學恐懼症猖狂之今日，忝爲化學家的筆者不禁想探討一氧化氮的傑出發現——一氧化氮爲工業用氣體，也是汙染環境的物質（發現此一事實者榮獲一九九五年諾貝爾化學獎）——其實一氧化氮滿足了人體奇妙且複雜的功能，是一生物傳訊者，也是諸多驚人過程中不可或缺之因子，包括陰莖勃起過程在內。因此，筆者藉性功能障礙之療法爲工具，闡述生化科技公司在當代生化醫學研究領域所扮演的角色。

近代性功能障礙研究多以「繆思」爲主（MUSE 全名爲「Medicated Urethral System for Erection，陽痿尿道用藥醫療法），此乃一九九〇年代一加州公司「維渥斯」（VIVUS）所產。「繆思」創造者兼「維渥斯」創始者和董事長費吉爾・普雷士博士（Dr. Virgil Place）慷慨提供未經公開的男性性功能障礙療法方面的技術資訊，容我編入情節之中。但請注意：我虛構的「繆沙」系統（MUSA 全名爲 Medicated Unit for Sexual Arousal，Musa 一字恰爲香蕉的屬名），尤其與NONO衍生物（NONO ates）（美國國家癌症研究所近日發表之報告曾描述一氧化氮釋放者）之合併使用，絕不可替代任何性功能障礙療法。

筆者在生殖生物學的科學貢獻以女性爲主要研究對象，因此特地引介第二項涉及排卵預測的生化科技發展——也是筆者目前在史丹福大學教授的科目。筆者給這項利用電化學的方法一個虛構名稱「測卵魔法師」（Wizard of Ov），此法部分依據位於科羅拉多州福特考林斯之「概念科技」公司（Conception Technology, Inc.），最新發展寫成。但筆者仍要警告讀者，使用本書「測卵魔法師」來判定孩童之父親爲誰或性別預測失敗，筆者概不負責。

研究科學者之文化與習俗帶有部族色彩。科學部族主義和其他類似的行爲一樣；乃是經由有樣學樣、老師帶學生的學徒制度，以及知識滲透性產生，而非經由教科書或演講來傳遞。該科學部族之成員難得講述其文化理論，並不是因爲他們簽了什麼保密條約，也不是因爲很難用言語清晰地表達其文化，而是因爲這些學者懶得和外行的大衆對談。就科學界而言，專業進步和認可僅仰賴同行稱許，與科學門外漢的肯定或溝通無涉。

筆者久居此部族，試圖以科學小説爲橋樑，拉近科學界與當代社會其他次文化間日益擴大的鴻溝，如藝術、人文、社會科學，和最令人訝異的——文化整體等等。之前的小説都以學術界爲背景，此本小説再跨入生化醫學領域，在此領域同樣發生不少令人興奮的科學理論和特立獨行的事蹟。筆者於本書探討另一個和當代科學相處時顯得尷尬的次文化：工業——説得更具體一些，就是那些以研究爲導向的小型企業，有時通稱爲生化科技。

身爲創始人、前任職員、研究計畫負責人、偶爾擔任這類公司之顧問——還有大學教授——筆者相當熟稔這個背景。不但如此，相對於「大型」工業，八〇和九〇年代的生化科技公司是學術界產生的獨特美國現象（大多發生在我家後院——舊金山灣區），生化科技源自教育機構，因此，牟利的企業、不牟利的研究機構、和（理想上）漠不關心的科學家互動間，引發一連串招致爭議的問題，進而造成法律、哲學，和道德方面的爭議，這些爭議將持續影響校園內之科學行爲，以及科學傳播至經濟和文化的方式。

筆者強調的另一個重點是書中半虛構主角間的派系之爭。本書不斷回歸兩個性別議題：男性獨掌大權的科學界如何排擠女性，以及現代女性——加上某些男性——如何突破重圍。難怪書中女性角色大都「獨立自主」——有些人認爲此詞含貶損意味，但在筆者眼中，乃是終極讚美之詞。

當代科學界另一驚人現象是美國學術研究實驗室之亞洲化：如今亞洲人代表某些學科，例如化學或工程學，而且占美國大學研究生大多數。這類研究機構當中，過半數的博士後研究生（最受剝削但產量也最豐）在亞洲受大學教育，起初多爲印度人和日本人，自七〇年代起，中國學生人數急起直追，偶見韓國客座科學家和移民。

筆者格外鍾情於印度女性面臨的挑戰，本書女主角雷妞．庫里希南（Renu Krishnan）即爲此類女性原型。由於印度女性自幼即習英語，故無中國人或日本人之語言問題。然而印度學者和當代美國科學界所有亞洲女學者一樣，印度女性更遭受三倍排擠：置身長久受男性宰制的領域，身爲有色人種兼外國人士（即使已歸化爲美國籍），以及文化背景使然：印度文化將女性角色界定得極爲明確，但這些女性在美國社會中逐漸喪失自身文化，卻仍未獲得能爲人接受的新角色。雷妞．庫里希南即代表這類面對複雜衝突的女性。她嘗試與傳統印度家庭要求協商，同時得周旋在徹底現代化的美國研究環境，和立場曖昧不明的以色列研究計畫之間。雷妞必須塡補次文化間的鴻溝，這也是書中所有角色的共同挑戰——尤其是筆者：歸化美籍的科學家轉行改以非母語寫小說。

No

第一章

「你在布蘭岱大學（Brandeis）做些什麼研究讓那話兒變硬？」菲力・弗蘭肯塔勒（Felix Frankenthaler）捏著嗓音問道。「今天眞夠不爽！」他低八度地嘆了一口氣，疲憊地跌坐入他心愛的椅內。「我沒料到我的工作還包括搖尾乞憐。美其名曰『籌募經費』，根本就是巴結那些粗俗愚蠢的夫人。當初接受布蘭岱大學專任教授一職，一心以爲他們想借重我的研究才華、欣賞我見解精闢的授課內容、還有周延的求學精神——」

「快別說了，菲力。」雪莉打斷他的話頭，用手掩唇，忍俊不禁。「我們都知道你優點很多。你有什麼心事？晚宴時發生什麼事？你在說誰呀？」她溫柔地引導話題。

「她竟然用『讓那話兒變硬』這種字眼！我正打算向鄰座賓客說明我們最近的研究——你知道的，就是一氧化氮。研發部門老闆亞特，就是繫針織領帶那個胖子，事前就通知大夥兒要『營造活潑、熱鬧的氣氛』，結果你看看！誰叫他把份內的工作推給研究員做。他叫我們『大明星』吔。他以爲那三個字就能買通我們的心？接著這女人又來參一腳！」弗蘭肯塔勒氣得住了嘴，喘一口大氣。

「你最好換上睡衣，」他的妻子邊走進廚房邊說：「再好好講給我聽。」

「啊！」菲力吐了一口氣，慢慢啜著溫熱的牛奶，裡頭的肉桂份量恰到好處，還有三滴香草精，不多不少——雪莉憑多年經驗得知，這種調法最易使丈夫入眠。可是丈夫抬起臉來，搖著頭，依然一臉惱怒。「我還是不明白那裡出了岔，起碼沒犯明顯的錯誤。我大可告訴他們一氧化氮（NO）是全球性工業汙染物質。」他的語氣轉趨刻薄，從自負的演說家搖身一變爲過度激動的推銷員。「但近來一氧化氮可熱門了。布蘭岱大學羅聖提爾基礎醫學研究中心（Rosenstiel Basic Medical Sciences Research Center）發現人體細胞藉著特定時刻產生的微量一氧化氮彼此溝通。我應該告訴他們，NO可以三種氧化還原的狀態存在——帶正電、帶負電，或不帶電——。」

「那麼你會倒足大家的胃口。」雪莉溫柔地向夫婿微笑道。

「沒錯，所以我說得很簡明，只告訴他們不要把一氧化氮和氧化亞氮混爲一談，氧化亞氮是笑氣。但我不能話只說一半，是吧？」

雪莉同情地搖搖頭。

「我大概就在此處失誤。好爲人師的毛病又犯了。我說一氧化氮特質極多，從摧毀腫瘤細胞到……」他慢慢停住口，慘然一笑。「我應該說『控制血壓』，然後打住。可是我卻說『使陰莖勃起』。老闆不是敎我們營造熱鬧氣氛嗎？陰莖勃起肯定炒熱氣氛。不過請注意：我專業的雙唇可沒說過『使那話兒變硬』這種話！」菲力往後一靠，噱了好幾口牛奶。「我正要補充說明，這份研究正由一位博士後女研究員進行，她還是個印度人哩，可是那個賤人——」

「菲力！」

「對不起。」他將杯中牛奶一飲而盡，掩飾他的懊悔：「可是那個笨女人眞把我惹毛了，所以我住口不講。那是亞特辦的宴會，他理應收拾殘局。我爲什麼要告訴他們雷妞・庫里希南（Renu Krishnan）的事？說我打算送她到耶路撒冷的哈達撒（Hadasah），和戴維森一同工作幾個月？」他瞇起雙眼。「老婆大人眼中是否透露一絲不以爲然？」

他口吻雖戲謔，背後卻夾刀帶棍，但仍逃不過妻子法眼。「不以爲然？當然不是。但你大可略施外交手腕，別現什麼陰莖勃起的寶——。」

「雪莉！拜託。」

她舉起一隻手。「你今晚很沒耐性，聽我把話說完嘛。我的意思是說，你應該先給聽衆心理準備，別突然沒頭沒腦談起陰莖勃起的研究工作。」

「說得妙。」弗蘭肯塔勒無意隱藏他的譏諷：「那你會怎麼說呢？」

「喔，」她優雅地搖著手道：「我會先提公牛陰莖的收縮肌，坦白講，『收縮』一詞侵略性較低——不過比你在宴會中使用的字眼沉悶。」她傾身輕拍丈夫的手臂：「我會講述吉勒司比（Gillespie）研究 nanc 神經的研究大略，和他對神經傳導的興趣，再提及他選擇牛鞭只有一個理由——神經來源非常豐富。」

「我是自作孽，不可活。」菲力一嘆。他是誠心恭維，雪莉深諳丈夫習性，立即明白他是在讚美她。菲力激賞妻子聰慧過人，她並非科學家，卻牢記著他當初為何對一氧化氮產生興趣。緣起他讀到一篇關於 nanc 神經的報導，並解釋給她聽，但那已是幾百年前的事了，她竟然記得！吉勒司比在蘇格蘭研究非腎上腺素功能性神經和非膽素功能性神經中，某種不明神經傳導物質——稱為 nanc 訊號——結果證明和佛契高（Furchgott）（＊佛契高因此項發現而獲得一九九八年的諾貝爾生物醫學獎。）在紐約研究血管內皮細胞中某種神祕的不穩定物質是同一種。佛契高稱這種使內皮細胞鬆弛的因子為 EDRF，由於此物質乃是控制血壓之重要介體，但迄今尚未測得。最後發現兩個現象的成因僅為一個由雙原子組成的簡單分子：一氧化氮。菲力即是此時介入研究：陰莖勃起需要血流，而一氧化氮恰恰是關鍵所在。研究人體如何產生一氧化氮，如何傳遞，成為那位印度博士後研究員雷妞的工作，她負責為一氧化氮的臨床應用鋪路。

「當然囉，」他以妻子為豪，怒氣因此解消不少。「如果我用你那套委婉、迂迴的手法，還沒講到陰莖勃起，那個惡女和大夥兒就不耐煩了。何況，親愛的，我是為布蘭岱籌款，又不是為在格斯拉哥或紐約的學者募集經費。好啦，明天還有得忙呢！我們倆都該睡了。」

第二章

我坐著思考，通常也就代表自言自語，自言自語當然沒啥不對勁，某知名俄國人士說多數人都是如此。「思想不過是內心的演說或腦中進行的社交對話。」我在衛斯理女子學院的室友最喜歡高談米凱爾·巴赫汀（譯按：文學批評家），曾引述這麼一句話。

我雖受過通才教育，仍自覺像個白癡。芳華二十六的我在布蘭岱大學擔任博士後化學研究員，堪稱成熟女性，但當弗教授問我願不願在耶路撒冷待幾個月，我仍禁不住想笑。

該如何解釋？「弗教授，幾天前我接到亞秀克來的信。」眼神茫然。他可能以爲亞秀克是印度某個小鎮。需要解釋的事太多了：「亞秀克是我哥哥，班格羅爾的電腦科學家。」我想我該補充說明，班格羅爾是印度的矽谷。全仗亞秀克說服媽媽讓我到美國唸大學，當時他是麻省理工學院（ＭＩＴ）的研究生。「雷妞還不滿十七歲！」母親嚷嚷著，但亞秀克早料到我們那位了不起但非常印度的母親會這麼說。「你知道，換作爸爸一定會贊成。」他反駁的口氣好像已經和爸爸商量過似的。「她要念衛斯理女校。」（他當然不會用女子學院這種字眼）「差不多就在麻省理工學院隔壁，我好看著她。」他說道。他沒說他已將申請表交給我，我已塡妥寄回衛斯理，而且托福考得高分。托福高分不會令母親意外，早在父親過世前，她已認定一流英語能力是女兒出嫁的必備條件。

如果要跟弗教授說這一番話，還沒講到媒妁之言就會被他打斷：「雷妞，講重點。」他向來彬彬有禮，因此他的語氣十分有禮，但我會就此打住，其餘不表。並不是因爲弗教授無法理解，其實他以其「種族敏感度」自詡，這是在布蘭岱培養出來的。但我會備感尷尬，不是因爲我身爲印度人，而是因爲我已待在此地九年，不再自覺爲印度女性，身爲印度人的感覺已然模糊。還得向弗教授解釋多少，他才能了解耶路撒冷之旅令我開懷。

就算六〇年代末期就讀於衛斯理未曾改變我，七〇年代早期就讀史丹福研究所也會改造我。我在帕洛奧圖的第一位室友助我走上改造之路。她叫梅格・李德，一位時髦的企管系學生。她到酒吧點基爾酒（Kir），到餐館點酸橘汁醃魚片，裹薄麵皮的手指食物和芝麻菜——絕不點萵苣。她服裝考究（她的怪癖之一是偏好長統絲襪甚於褲襪），拜倒她石榴裙下者如過江之鯽，我在旁邊順道揀了不少便宜。幸好亞秀克當時已回到印度。他摩登卻開明得不夠徹底，如果他見到我在史丹福的博士指導教授以改裝的哈雷機車代步，一定看不順眼。

亞秀克每兩三週來一封信，信上滿是消息，剪報和照片。他將《印度快報》（Indian Express）「徵婚」版一整版寄來時，我不禁失笑。昔日在印度時，該版是我每日必讀，當時仍爲青少年的我也覺得有趣。徵婚版和從前差不多，有位「英俊、虔誠、頭腦清楚、單純、無辜的離婚男子，誠徵志趣相投的馬來亞姑娘。不願再生育者可。」版面下方，一位「胸襟豁達的男性夥伴」誠徵「有志研究宇宙論、玄學、哲學、瑜伽，深信善與美德，熱心宇宙及人生奧祕者。」

直到此刻我才發現某一欄用黃筆劃線標記：「於美受教育的理科博士、芳齡二十六歲，身高一五二公分，貌美，魅力十足，誠徵安身立命的布來明專業男孩，限二十八至三十三歲，一八〇公分以上者，持綠卡或在美有關係者優。意者請連同星座運勢分析洽馬德拉斯省印度快報-**2，150-1 1501-C**信箱。」

我的確身高一百五十二，芳齡二十六，而且「貌美」——意指「皮膚白皙」——但許多印度「女孩」一定也都長這個樣子。（我討厭「女孩」這兩個字，還有「男孩」？我想嫁給男人，可不想嫁男孩。）美國理科博士學位？印度是個大國，但一五二公分高的馬德拉斯「女孩」，有這項資格者可說極罕見。讀著哥哥的來信，我才發覺機率太低了。

亞秀克的信解釋、找藉口、和贖罪的成分摻雜其中。他並未直接詢問：「你打算何時結婚？」反而拿我的終身大事當做生意，和我那孀居的母親一手決定。哥哥信上說母親爲我已年近三十而緊張不已（年近？還差足足四年呢！）。我敢說爸爸在世的話絕不致如此。我未滿十五歲他即第一次和我進行「男人間的對談」，他總這麼稱呼。如今我身爲堂堂史丹福博士，他倆卻當我是小女孩。姆媽當然想找傳統媒婆，這全是受了亞秀克聰明（他自己這麼說）的引導。根據他的說法，開列的「準新郎」條件可網羅較多的合適人選——由於篩選過程並未排除媒婆參與，因此顯然打動母親的心。

接下來是亞秀克找的藉口。徵婚（亞秀克貴爲麻省理工電腦碩士，竟仍沿用英式用語？）不但製造更多機會，還能拖時間：給我更多時間（做什麼？我眞想奚落他）。而且加上綠卡那一項，可符合我迫切的需要（他的用字再度惹惱我），以便在美國親自和某些人選見面。星座部分全是母親的主意。（他竟敢說「反正無傷大雅」。）他隻字未提爲何使用「男孩」和「女孩」兩個詞，這個感覺卻最令人不快。我的敏感顯示我已變得不像印度人。亞秀克和姆媽不過沿用印度快報的文字風格，凡三十歲以下的女性皆以女孩稱之，三十歲以上未婚女性則以老處女或老姑婆稱之。

信末是贖罪部分，和前兩部分一樣簡短：「母親無意告訴你徵婚的事，」亞秀克寫道：「你也許認爲她古板，但我覺得該告訴你，你必須承認，和別人的母親相比，老媽相當新潮且實際。」新潮？我想問亞秀克，談星座叫新潮？結尾他寫下：「拜託你，」並劃上底線，「別向人透露你已得知此事。」

我費了一兩日工夫才體會其中幽默之處，反正他們無法逼我和任何應徵者會面，也休想叫我接受他們選妥的對象。弗教授要派我到耶路撒冷時，我禁不住想笑。想想馬德拉斯的家人接到我寄自耶路撒冷的信將是什麼景象。母親完全不知道布蘭岱是所猶太大學。（校內非猶太人極多，包括印度研究生和博士後研究員。化學系到處是非猶太人，在羅聖提爾醫學中心我們就有兩位分別叫生嘉普塔（Sengupta）和叫巴卡拉史（Pakrashi）的印度人。）可是到耶路撒冷的哈達撒醫學中心？持綠卡的新郎候選人怎麼和我相親？所以弗教授問我願不願意到耶路撒冷時，我就笑了。

「雷妞，」數日後弗教授說：「耶路撒冷的耶胡達・戴維森打電話給我，他竭誠歡迎你到他實驗室工作。現在我只消籌點錢——兩萬五千美元應該足夠。」

「我不想找國家衛生研究院（NIH），」他自桌子另一面傾身向前，像在透露商業機密似的。「他們動作太慢，而且我不想讓競爭對手得知我們的底牌，起碼目前還不行。區區兩萬五千元可買不到我們的秘密……」他揚著眉，話沒說完。

「我給瑞普康基金會（REPCON Foundation）打了一個電話，他們的執行董事米蘭妮・連德蘿是我老友。」

「這樣不會害她被取消資格？」雷妞問道：「我是說，她會不會失去資格？」她迅速注意到弗教授皺起雙眉，馬上改口。

他不屑地搖著手。「我們要的只是九牛一毛——兩萬五千元。一不要投影機，二不要設備，只要一點研究基金，支持耶路撒冷一間診所研究男性生殖力而已。何況是資助女性！瑞普康不會平白支持生殖和避孕，而且經常埋怨研究這方面的女性過於稀少。女會長怎麼能拒絕贊助女研究人員，尤其——」他向她慧黠一笑。「像你這麼聰明的研究人員。」

他站起身表示會談結束。「對了，我尚未聯絡上米蘭妮，她目前在歐洲參加什麼克齊堡科學與世界事務學術會議，我連克齊堡在那裡都不知道，但我們不久就會有她的消息。反正最快要到明年三月你才能發表一氧化氮報告，是吧？」

第三章

耶路撒冷，四月八日，一九七八年

敬愛的弗教授：

平安！我早該寫信，但初至耶路撒冷的第一週手忙腳亂的。語言溝通不成問題，哈達撒醫學院的人幾乎全能操英語。他們將我安置在衣索匹亞街一所名字很氣派的建築「哈達撒集體住宅中心」6A房。它和這裡的一切一樣，歷史悠久：原爲亞美尼亞人私人住所，獨立戰爭結束後成爲學校，繼之成爲肺結核病院，再成爲哈達撒暑期學生宿舍。醫生們一度也住在這裡，因爲房租低廉。（據說他們運用「維他命P」才得以入住。P是Protektzia簡稱，意即「勢力」，講好聽點叫「交情」。）如今6A是哈達撒女性工作人員的宿舍。

衣索匹亞街很窄，僅容一線，兩側高牆聳立，以隔鄰之衣索匹亞教堂爲名。我們宿舍斜對著瑞典使館，街尾與米里謝里姆（Me'a She'arim）邊緣交疊，整條街諸教色彩雜陳：衣索匹亞基督一性論教徒、斯堪第那維亞新教徒、和哈西德派正教徒。我身爲本區唯一的印度人，使得這個世界縮影更加完整，因此前幾天參加純女性聚會時，我特地穿著印度傳統服裝「紗麗」出席。二十七號公車直達司高柏山上的哈達撒醫院，站牌離醫院僅有數分鐘腳程，途經米里謝里姆，我最愛看那兒的眾生相。猶太正教男性不願正眼瞧女性，意即我可以用男性審視女性的眼光來看男人——毫不掩飾滿懷的好奇，就像透過單向鏡看人似的。

通勤花時間，購買我忘了事先備齊的用品也要花時間，例如適用二百二十伏特電壓的吹風機。此地化妝品和女性用品種類極少，絕不能生活在一九七八年。但我抵達後，大致上已盡快安頓妥當。我沒料到涵蓋醫學院和大醫院的主要校區位於艾恩卡林（Ein Keren）這兒西面數公里，遠在市郊，經過位於耶德瓦什（Yad Vashem）的大屠殺紀念館。

抵達以色列第二日即有人帶我參觀大屠殺紀念館，現在我明白原因何在了：外來者立即能體會以色列對求生的執著。我以前從未想過這些——如今我曉得身爲布蘭岱的學生，我實在相當無知。耶路撒冷待了幾天，我已明瞭「猶太人」和「猶太」在此地的意涵遠比在美國廣。感謝您給我這個機會了解。

戴教授仍在艾恩卡林任教，故仍有辦公室，但他的研究單位和病患現位於司高柏山哈達撒醫院原址，「六日戰爭」後已收復回來，目前正進行重建工程，並計畫擴建——但我剛剛才明白，司高柏山並沒有目前我需要的設備。

醫院雖欠缺科學設備，景觀卻是一流。從我那小小實驗室（位於艾瑞克・曼德爾森設計的大樓）窗外望出去，東沿著耶路撒冷分水界以外，可見鄰近阿拉伯村莊和光禿禿的朱丁丘陵（Judean Hills），一直望見波光粼粼的死海。還有石頭，到處都是岩石和石塊，好像蓋房子取走一些石塊（全市到處都在施工），大地馬上又生出一些來。印象最深刻的莫過於本市缺乏綠色，連樹木也佈滿灰塵，卻和環境十分調和。橄欖山（Mount of Olives）上的猶太墓園也是如此：無花無草，自遠處觀之，連墓碑看起來都像散落山上各處的石頭。我搬動書桌使之面向窗户，坐在桌前，感受到基督教的良好氣氛（對印度人而言頗爲新奇！）。

派我跟著戴教授做研究是個明智的決定。您寄給他的有關一氧化氮傳導功能的資料，他不但詳加閱讀還融會貫通，他不知道的部分則不重要。這倒提醒了我：他認爲經由尿道黏膜比直接將一氧化氮合成物注入陰莖海綿體更能有效吸收。我們始終突破不了的瓶頸或許可藉此一舉突破。戴教授說我該和約夫德・柯恩博士連絡，他在貝爾旭巴（Beersheba）一所新醫學院主攻生化工程，研究物質的傳遞方式。戴教授終於和柯博士的朋友曼那欽・狄維爾（Menachem Dvir）——班裘力恩大學的副校長——連絡上，詢問他願不願意贊助我們的計畫。後續消息待稟。

迄今情況大抵如此。明天星期一在克涅斯特（Knesset）頒發第一屆伍爾夫科學獎（Wolf Prizes in Science）得主。我從沒聽過這些獎，但《耶路撒冷郵報》（Jerusalem

Post）大肆報導（渲染）成以色列的諾貝爾獎。獎項包括數學和農業——諾貝爾獎沒有包含的項目——伍爾夫基金會似乎想和瑞典人一較長短。伍爾夫獎顯然一直受到以色列科學界撻伐，因爲每位得主可獨獲十萬美元獎金。當地認爲這筆錢大可用來資助以色列國內的研究，不必再爲國外的大人物錦上添花，他們已經夠富裕了。當地科學界的棟樑們決定不計一切抵制頒獎典禮，戴教授也同聲一氣，還邀我參加，說我可以順便欣賞猶太畫家夏加爾的織錦壁氈，因爲典禮即在壁氈展示處舉行。但我衷心期盼瞻仰到那些外國大人物的風采——可能比在斯德哥爾摩看得更眞切呢。

致上最眞誠的問候

雷妞上

「雷妞，」門外傳來一聲喊和幾下敲門聲，「你的電話，美國長途。」

衣索匹亞街上的哈達撒宿舍簡陋但舒適，宜人之處不少：天花板挑高，綠色百葉窗和耶路撒冷乳白的石屋成鮮明對比，走廊的東方式瓦簷，前門上親切的手寫標示和老式門栓：進出屋舍敬請用力將門甩上！然而宿舍也有原始的一面：如公共澡堂和公用電話最不討雷妞喜歡，該宿舍並不強調隱私之重要。

「我打電話問你安頓得如何。」弗教授似乎頗爲擔心：「打從你離開波士頓就沒有你或耶胡達的消息。」

雷妞把昨天寄出的信簡要敘述一遍，加上伍爾夫頒獎典禮實況，以及當地科學界反應。

「只有印度這個國家會讓生化學家當總裁，而伊夫瑞・凱策（Ephraim Katzir）拚命不想露面。」雷妞十分清楚弗教授喜歡這類小道消息。「首相曼那欽・比京（Menachem Begin）只得取而代之。沒想到此地反彈聲浪如此高漲，不過哈達撒一位年輕同事解釋給我聽，她指稱伍爾夫基金會犯下一個錯誤，第一屆他們起碼該讓一個以色列科學家得獎。她預測一有以色列科學家獲伍爾夫獎，當地科學家馬上會湧現，他們認為自己有機會領十萬美元的獎金。你眞該看看——」

「你剛說十萬美金？」弗教授打斷她話頭。「伍爾夫獎？沒聽過。」換作平日的弗教授絕不會承認自己不知道，但六位數字的獎金吸引了他。「有那些獎項？誰負責提名？誰得獎？」

「農業獎由兩位中西部人士獲得——一位好像是從威斯康辛州來的，另一位從伊利諾州來。數學獎由一位俄國人和德國人領取，我忘了他們的大名。醫學獎的三位因研究抗原組織適應性獲獎。」

「是巴爾哈柏（Bar Harbour）的斯涅耳嗎？」弗教授插嘴。

「是的，他用老鼠做實驗。巴黎的多塞特（Dausset）和尼德蘭的范・儒德（Van Rood）則是因研究人體而共同分享榮譽。」

「還有誰？」

「啊，」雷妞嘆道：「物理獎最令我雀躍：由哥倫比亞的吳（健雄）獲得。大家都說憑她證明宇稱不守恆的貢獻，應和李政道、楊振寧共獲諾貝爾獎。見到女性單獨獲獎眞好。」她強調道。

「就這樣？竟然沒有化學獎！」

「我差點忘了，」雷妞嚷著：「化學獎得主的姓氏怪怪的……翟若適，就是他。」

「你是說研究以胺基甲基葉酸治療白血病的艾塞克・翟若適？去年我在賓州遇見過他，以色列人士應該高興他得獎——他是保加利亞裔猶太人，在希伯來大學受完敎育才遷至美國。但我以爲他會得醫學獎，不是化學獎。」

「不是艾塞克，是卡爾・翟若適，史丹福大學的。他研究的是合成口服避孕藥。不知道我剛才爲何沒有先提到他。我聽過他演講，避孕的未來，據他的講法，這是門沉悶的學問——當時我是史丹福生化研究生。他講得很精采，但有些倨慢。」

「我們還不是一樣？」弗敎授在電話那頭笑起來。「現在快告訴我，你在實驗室搞什麼，我們也好得個伍爾夫獎。」他笑得更響了。我們兩個字擊中雷妞心坎，像雷達上出現訊號一般，此時笑聲停止了，敎授正等著她回話。

耶路撒冷，一九七八年四月二十八日

親愛的亞秀克：

寄信人地址已告訴你我在耶路撒冷。我已待在此地近一個月，還沒摸清在此地工作的情況前，我不想告訴你或姆媽，以免你們操心，等到我確定確實值得你們擔心再說。

大體而言，來到這兒很高興。我在哈達撒醫學中心做研究，是本中心絕無僅有的印度人，但以色列境內有些交趾（Cochin）印度移民；在此地不像在美國般老有人挑剔或受歧視。

亞秀克，我可以看見你皺眉，前額出現了皺紋。「我不想聽什麼美國的事，我要知道你爲什麼跑到以色列？」你大概這樣嘟囔著。弗蘭肯塔勒教授認爲機會難得，所以派我來。來此和最熱門的一氧化氮研究計畫有關，之前曾向你提及，目前進行得相當順利，多謝關心。但我到以色列也是爲了遠離印度快報上的徵婚啓事。印度與以色列沒有邦交，亦無飛航往來，想東飛與應徵啓事者見面，必須先向西飛。

我不想承認，但徵婚啓事相當困擾我。我開始感到自己是一項商品，而且，是二十六歲的滯銷品，但我已不介意。這才是我遲遲未寫信的原因。面對陌生環境，工作耗時，生活有如印度（例如，宿舍附近連眞正的超市也付之闕如），實在沒空傷懷或思考戰略。

缺少美式超市極爲不便，但目前我很享受上市場的經驗。我住在哈達撒女子宿舍，相當美麗的建築，住有護士及單身女性醫院員工，宿舍鄰近衣索匹亞教堂，打開我房間窗户即可望見。窗外景觀以教堂深色圓頂和繁複的埃及十字架爲主，常見的松柏點綴其間，到處可見屋頂上設有圓柱形熱水器，臍帶般地連著南向的太陽能集熱板（印度也該多多裝設）。

第一週，我和一位護士一起去採買，學習當地採買訣竅。在某蔬果攤上見店家和家庭主婦似乎在吵架。我問同行朋友他們在吵嚷些什麼，她解釋道：「主婦問他有沒有賣小黃瓜，店主吼道：『我看起來像不賣小黃瓜的人嗎？我看來像沒吃早餐嗎？』主婦不甘示弱：『我又沒問你吃不吃早餐！』」我不禁笑出來，得意自己聽懂其中典故。有那個國家像以色列天天早餐都吃小黃瓜？我們宿舍供應的小黃瓜，配上軟白乾酪、番茄、白麵包，和一些不知名的白乳酪，我通常不吃。但把我在渥爾森慣吃的麥片和低脂牛奶換成番茄和小黃瓜也挺清新可口。

地方報導到此。目前我正忙於推動研究，手頭經費容許我待三個月，所以你和姆媽不需擔憂。除非有意外，否則我八周內將回布蘭岱。我不知道吔，也不是在暗示，但目前千頭萬緒（值得研究的方向太多了），理也理不清，容後再稟。

最愛你和姆媽的雷妞上

附記：數天前我遇見一位有趣人士，他教我：想了解初相識的人，不妨多多發問。我們相遇於貝爾旭巴（Beersheba），不是耶路撒冷，下封信再詳述。

我待在這兒好久，已開始直呼朋友的名字，和以色列人習慣一樣。

「平安！」他向我打招呼：「我叫約夫德。」

「平安！」我也回禮：「我叫雷妞。」

「我知道，」他說：「曼那欽・狄維爾說過你的事，你是一位美國女性，到以色列來解決天下男性的問題。」

「我是印度人。」我糾正他，但他搖手不理：「那又怎樣？反正你打美國來。」

這便是我倆第一次邂逅，沒想到就此改變我的人生。

我心想，姓名這一套眞有意思，可辨識一個人的血統。在以色列，我叫「雷妞」，在美國叫「雷妞・庫里希南」。在法國或德國叫「庫里希南」。也許我過度簡化了，但這點和多數概念一樣，往往是對的。

「平安！」他又說了一次，和我握手。我不想思索握手的曖昧含意，握手就像連字號，同時代表連結和分離，到最後，握手的意義僅能以手勁大小決定，誠如以連字號連結的字，僅能綜合兩字個別意義來了解，其意義不存在於個別字元中。手還沒握完，他便語出驚人：「你的手和腕……非常自在。」語氣透著驚異。

你常聽到沒聽過的恭維話嗎？聽到時，你便會忽略對方一切小小錯誤——尤其是以色列式的愚蠢錯誤。相聚一整天後，我發現他的唐突其實是掩飾他怯於親近女性，尤其是外籍專業人士，這點令我著迷。

他問：「你到過馬沙達？艾拉特？死海？到過——」

約夫德想以熱情洋溢彌補其羞怯。我笑了。「除了耶路撒冷我哪兒也沒去過。我是來這兒工作的，空閒有限。」

「你一定得四處看看，」他堅持道：「在下約夫德．柯恩當你的導遊。」

他道出姓名時帶著虛假的驕傲，和羞怯很相稱。「約夫德，」我打趣道：「我第一次聽到這個名字，什麼意思？」

「『他會開啓。』父母常給長子取這個名。柯恩是柯漢恩簡化，後者是神父之意。」

當時沒多想，等我回耶路撒冷，翻查記事本，才發現自己在想他的名字。他的姓（cohn）可能取自週期元素表：碳（carbon）、氧（oxygen）、氫（hydrogen）、氮（nitrogen），也是生命四要素。約夫德．柯恩，我心想：「他會開啓我的生命。」

可笑的想法，卻令我不寒而慄。

第四章

雷妞在以色列不需操心服裝問題，她上實驗室穿牛仔褲，偶爾換穿運動服或褲裙加上衣——她的上衣極多——著及踝或及膝的襪子，足蹬西班牙涼鞋或一般涼鞋，畢竟她是去工作的。她身段窈窕，穿什麼都好看，連穿實驗室白外套都出色。她的雙眸深褐——「深不可測」，曾有位美國仰慕者如是說；長長秀髮黑又亮，閃閃動人。以色列化妝品有限，所以她在秀髮上玩花樣，遠比在痲省時花稍，時而挽髻，時而打條粗辮子，時而採法式編法，或讓長髮風情萬種地斜滑過右肩，甚至用各色緞帶紮成馬尾。

回到美國之後，雷妞加倍在臉上下功夫，遠甚於到以色列之前。每當她梳理頭髮或凝視鏡中映像，就想起那則徵婚啓事：「二十六歲，身高一五二，貌美，魅力十足。」除了年齡身高外，啓事還告訴讀者什麼？她的雙眉是彎如新月，還是直如刀鋒？她的秀髮是長是短，皮膚如白玉無瑕……還有自在的手和腕呢？雙唇又如何？最近她特別費心勾勒下唇豐滿的輪廓，抹上最愛的玫瑰色。約夫德說不抹口紅，唇部線條便不眞實，因爲下唇下半部直接與皮膚顏色相融。「去問那一個肖像畫家都好，」他用小指輕輕滑下她的鼻樑；「你知道畫家畫臉時總先自鼻子開始？你的鼻子就很有古典美。」

今天回到麻省的雷妞十分注意她的衣櫥和臉龐。她和弗教授從洛根（Logan）出發，搭八點的飛機前往紐約。氣象預告今天是個燠熱多霧的八月天，通常雷妞會穿透氣的洋裝，涼鞋，不穿襪。但他倆今天要造訪瑞普康基金會，不用知會，雷妞也曉得此番會面有多重要。

「雷妞，」弗教授從她自以色列返美後曾說：「你說動了我，的確値得研究，但ＮＩＨ不可能資助你立即回以色列，那樣大筆的款項不會那麼快撥下來。私人基金會也免不了規矩和官僚。你申請的是一大筆款子：停留一年——」

「可能不只一年，」她插嘴道：「最好是兩年。」

弗教授揚起一邊眉毛。「這麼久？那經費就需要提高了。但就算第一年，你、哈達撒、和班裘力恩那邊的人，起碼要十萬美元，扣掉布蘭岱羅聖提爾這裡和旅費開銷……將近要十五萬。」

「你有何建議？」

「你跟我跑一趟紐約，」教授提議道：「米蘭妮・連德蘿應該見見你，聽你親口談一氧化氮研究，而且說明爲什麼非在以色列進行不可。她想鼓勵女性積極從事生殖生物學，我們就向她證明她的錢沒有白花。如果她肯給十五萬……」他抬眼向上望，像在對司生殖的神祈求似的。「人有做夢的權利嘛。」他笑道。

雷妞身著上窄下寬的洋裝最後一次注視電梯門上的映像。母親相信占星術，雷妞想，所以我有幸運色。洋裝無袖但款式保守，一如膚色褲襪配黑色低跟鞋一般。雷妞討厭洋裝，總將之與英國婦女聯想在一起。連在美國，雷妞不穿紗麗或洋裝，就不知該如何做正式打扮。她恨自己爲什麼向殖民風格投降，而不穿自然一點的服裝，如印度上衣和長褲。但是雷妞今天臣服了，她想與瑞普康主管的辦公室相配合，不搶科學的鋒頭。她的長髮緊緊紮成一個髻。

弗教授天眞地讚美：「雷妞，你的裝扮好優雅！」她勉強擠出一個微笑，把裝著論文的書袋抓得更緊。她盛裝出席卻不願教授注意到，她疑心自己打扮過於豔麗。

教授警告雷妞別看輕連德蘿——莫將任何事簡化。「切記，她不但有生化博士頭銜，瑞普康大部分申請案也需她過目，表示她閱過許多我們聽都沒聽過的未發表的文章。她不懂即會發問，所以放輕鬆吧。『梅索托夫』（Mazeltov「祝好運」）。」

雷妞忍俊不禁，弗教授第一次對她講猶太話，是不是認可她暫時的以色列身分？

連博士和雷妞握手時，從頭到尾將她打量一番，令雷妞心頭一驚。她正要認定連博士的眼光既如男性，更如軍官，連博士的微笑立即解除她的武裝：「看到女性研究男性生殖器病學眞好。告訴我你要拿這筆補助金做何用途，更要說明你爲什麼要到以色列？」

「若您不介意，」雷妞說：「我待會兒再解釋。」連德蘿一聽，雙眼微瞇起來，但雷妞現在收回話已來不及了。「我有多長時間可以解釋？」

連德蘿蹙起的眉頭立解。「兩位自波士頓遠道而來，非常感謝。別擔心時間問題。」「多謝。」雷妞傾身將一疊紙頭與連德蘿同方向地擺在咖啡桌上。弗教授曾教過她：「如果要拿筆記給你對面的人看，你一定要學會倒著看，表示你相當熟悉內容——尤其是有化學式的時候。」向弗教授報告研究進度時，偶爾會做這樣的練習，但今天的表現攸關重大。

「想必您熟悉最近對一氧化氮的細胞作用所作的研究？」雷妞見連德蘿輕輕點頭，便繼續往下說：「那麼且讓我摘要敘述幾個計畫的背景。」她指著面前倒著放的文件首頁。「先簡略說明體內如何產生一氧化氮。它的來源當然不是氣體的一氧化氮。在哺乳動物體內細胞中，主要的前驅物是精氨酸（arginine），」雷妞指著左上角氨基酸的化學結構，「它再氧化成氫氧基精氨酸。」這回雷妞的筆尖指著精氨酸結構末端的氮原子，點出氧與氮的新連接處。「進一步氧化而產生瓜氨酸（citrulline）和一氧化氮，」她的筆移至第二個結構，「就我們目的而言，瓜氨酸是廢物。」她的提案上，用紅色大寫字母寫著ＮＯ兩個大字。

「紙上看來簡單，但細胞生物合成之細節相當複雜。研究這個主題的學術小組很多，如密西根大學的邁可・馬勒塔。」

她飛快瞄一眼弗教授，他似乎正在搖頭，是她眼花了，還是教授在暗示她專注於事實即可？他知道馬勒塔的研究引起雷妞鑽研一氧化氮的興趣。當時馬勒塔尚爲麻省理工學院年輕助理教授，是雷妞第一位良師。她仍爲衛斯理女子學院學生時，曾在馬勒塔的實驗室工作。他那時剛著手一條看似無用的研究方向——人體內硝酸鹽和亞硝酸鹽之產生，麻省理工學院升遷委員會認爲這項研究很無聊，因而拒絕給他終身教職。雷妞畢業那年，他遷至密西根大學，如今成爲一氧化氮研究領域之明星。雷妞並未在馬勒塔實驗室草創時期加入，反而選擇到史丹福攻讀博士。後來她很後悔當初的決定，倒不是史丹福名聲不夠響亮，而是因爲她錯過機會，未成爲馬勒塔小組成員，研究她此刻向連德蘿說明的主題。但何必提陳年舊事？只要說她自一開始即參與就好了。

「其他研究小組也很活躍，如霍普金斯大學的施耐德，克利夫蘭診所的史都華，以及諸多製藥研究小組如葛蘭素藥廠的保羅・費得曼，阿寶特藥廠的穆拉德和柯文，尤其是英國衛爾康藥廠的馬卡達。」她繼續道。

「生物合成一氧化氮的關鍵在於一種酶，稱之爲一氧化氮合成酶（ＮＯＳ），」雷妞的筆尖移至紅筆寫的ＮＯＳ上，「但光有酶不夠，ＮＯＳ需要先與一種結合鈣的蛋白質攜鈣素結合。」筆尖移至那個被圈起來的化合物符號。

「先說明這些細節，才能解釋我到那一階段才現身。」

她指指弗教授，他一直靠著沙發一角，默默傾聽。「活化ＮＯＳ的步驟需要五個電子的氧化過程——很炫的氧化還原生物化學。這一部分，尤其是生物電子轉移，即是我博士論文之主題。於是我一有機會便跟著弗教授做博士後研究，了解一氧化氮的生物性功能，機會難得，因為每一步反應皆涉及電子轉移。」

「我們倆都很幸運。」弗教授微笑道。

「提到功能前，先回到一氧化氮的生物合成，也就是我在以色列的研究。我不用花很長時間……」

她望連德蘿一眼，連德蘿示意她繼續：「慢慢來，不趕時間。」

「合成一氧化氮要三種酶——不只一種。」雷妞翻至第二頁。筆尖指著「內皮的」三個字：「第一種NOS與控制血壓有關，您馬上就會明白。」雷妞抬眼看對方，加強語氣：「這是我目前的研究重點。」

「另一種NOS，」雷妞指著頁底「神經元」幾個字：「涉及神經訊號傳導。此二種酶是基本要素——永遠存在於細胞中，製造出小團氣體，此乃細胞內一氧化氮的驚人特質之一。一氧化氮不同於其他化學訊號傳導者；必須利用非常繁複的生化機制來傳遞，一氧化氮就像典型的氣體……就以此房間為例，它能迅速自細胞內向外擴散得很遠，一秒鐘約達四十微米（即二十五萬分之一公尺），亦即可涵蓋毗連的數個細胞，弗教授稱之為『一氧化氮的隨意性質』（promiscuous nature），但我們尚未得知這種擴散如何決定其方向。」

「你如何測量這種微量的隨意氣體？」

連德蘿的問題嚇了雷妞一跳。她在試探我，還是眞心想知道？雷妞翻過數頁，找到相關的那頁，文件依然保持著原來方向。

「目前使用的測量方法條列在此。」她的筆沿著順序點著，簡要說明了前三個方法：化學冷光法，電子自旋共振，和光譜分析法。「第四種，」她指向該頁底部，「是將一氧化氮利用電化學法氧化成硝酸鹽，此時所產生的電流量和一氧化氮的量成比例。我採用第四種方法，因爲第四法可測得任何個例中任何時刻的一氧化氮，其他方法則比較耗時，也因此有所侷限。」

「這樣說明可以嗎？」

「可以。」連德蘿回答：「我提問題之前，你正講到NOS的幾種不同形式。」

雷妞花了點時間才回到提案原來的順序。「這是最後一種NOS，是這種酵素的另一種可誘發形式，藉著細胞外的刺激才會發生作用，基本上這是一種爲了化學福祉而產生的防衛機制。」雷妞臨時想到這個比方，但雷妞很滿意，同時聽到弗教授在她背後小聲地笑著。「這種氣體可直接殺死入侵細胞，或抑制入侵細胞之代謝過程，間接加以消滅。」

她翻至下一頁。「提到一氧化氮的功能，我們需要另一種酵素——鳥嘌呤核苷環化酶。」雷妞急著強調這種酶的角色，把文件方向轉朝著自己。鉛筆在字上方劃線，但雷妞立即更正錯誤，改把兩個字圈起來。「這種酶是一氧化氮的極佳感應器，只要它一『看見』一氧化氮，」雷妞以兩手的食指與中指比劃出引號的符號，「就立即製造環化GMP。」她甚至懶得說出GMP這種細胞信差分子的全名——環鳥嘌呤核苷單磷酸。「進而使血管擴張，增加血液流量。但磷酸二酯酶這種酶會逐步消滅環化GMP，因此若想保持血管擴張，必須提供更多一氧化氮，或找到抑制磷酸二酯酶的物質。」這一部分雷妞所知不多，跳到下一主題即可安全地避免出糗。這一招果然奏效。

「近來大家急於解答兩個熱門問題：㈠一氧化氮如何使這種酶活化——這點我們已略有所知；㈡鳥嘌呤核苷環化酶如何失去作用？這點我們尚未找到解釋。」

「現在我跳到功能和用途。」雷妞翻頁的速度相當於演說者說：「下張幻燈片」的速度，這段短暫的間隔提供幾秒鐘反省思索的時間，彌足珍貴。

「這種可誘發的NOS所產生的一氧化氮有其潛在的重要性——如免疫學，或可對付其他一些討人厭的東西，如細胞內寄生蟲。在神經細胞方面，一氧化氮到底是在神經突觸之前或之後作用，能否作為『播送』突觸訊息的新方法，目前仍多有臆測。」雷妞的手指又做出引號，「最有意思的是，它究竟是否就是一般人所假定的，攸關記憶的反信使？」

「這一方面尚需協助。」弗教授第一次插話，說的內容不痛不癢，無意間擾亂雷妞精心組織的順序。

「說的是……」她說道，一時之間想起教授的叮嚀：「報告時如果思緒受阻，不妨提出一些可能的用途——理論上可行但完全未經證實。對方無法抗辯，也就是說你再度掌握全盤局勢。」

「一氧化氮尚有其他潛力，」雷妞說得很慢，邊說邊想。「假說認爲ＮＯＳ的刺激和一氧化氮的產生與生物時鐘的每日重新設定有關。誰知道呢，說不定我們可以——」

「別被時差打敗！」連德蘿一喊。「對不起，」但隨即致歉：「我憋不住要說。說眞的，我不懂一氧化氮怎麼也和每日生理節律扯上關係。」

「有這個可能，」雷妞馬上回應：「起碼根據伊利諾大學最近的研究是如此，但在布蘭岱我們只專心研究ＮＯＳ在細胞內皮的形式——ＮＯＳ作用於血壓，這就和我的研究有關。」雷妞向後一靠，得意自己扳回劣勢。「一氧化氮在細胞內的半衰期很短，需要不斷製造。有些化學物質可釋出一氧化氮，硝基甘油爲其中之一，它之所以能有效治療心血管疾病，就是因爲它能釋出一氧化氮。但是目前其他已知能釋出一氧化氮者仍極少：不外是硝基普魯士鹽和亞硝基乙醯青黴胺等數種。我打算合成一系列新的化合物，以便找到更多能釋放一氧化氮者，但是這些化合物的結構和一氧化氮在人體內的前驅物結構完全無關，」雷妞迅速翻回第一頁，用筆圈出相關分子。「至少利用分離出的兔子主動脈測試，我的化合物看來前途無量。這些物質應可使不同器官的平滑肌鬆弛——」

連德蘿打岔道：「再帶領你進行海綿體和陰莖勃起之研究。」

「正是。」雷妞略帶狡猾地答道。她不想急著討論性無能，但她也明白此處不容延宕。「陽痿——說得更合於我們的目的，就是男性勃起障礙療法衆多，除了借重手術之外，」雷妞對手術植入或陰莖補缺術、眞空壓縮法等毫無所知，但約夫德給她惡補過——「有些方法則直接將罌粟鹼或前列腺素注射入陰莖海綿體。但現在，」她豎起手掌阻止連德蘿打岔，「我們已知一氧化氮可擴張陰莖重要部分之血管，當然包括海綿體，我們在想，」雷妞轉頭朝向弗教授，表示她口中的我們也包括他在內，「臨床可不可能應用合成的一氧化氮釋放劑。」

「多謝你的說明。」連德蘿的語氣暗示會談即將結束。「你的提案很好，委員會若通過你們的申請案，我一點也不會訝異。」她說的你們包含弗教授在內，而他正站起身來。「可是你爲什麼不在美國研究，而要千里迢迢跑到以色列？」

究竟爲什麼？約夫德誇讚她的手和腕很「自在」之後，也曾問她：「你爲何來到以色列？何時抵達的？在哪兒——」

「慢著！」我笑道。我才剛下公車。我問道：「你是這麼招待陌生人的呀？」邊和他在烈日下一同走向他的車子，一輛灰塵滿佈的富豪一二一，車內高溫足以熔化玻璃器皿。

「且慢，」他發號施令，然後將毛巾鋪在乘客座位上。「你可別燙傷了。」車子開動，乾燥炙熱的沙漠空氣自敞開的車窗湧入，不但難受而且噪音極大，此時他才回話：「如果你想了解素未謀面的人，先從疑問句開始：爲什麼，何處，何時……」

接下來直到晚上我們都在一起，交換彼此的研究工作心得，回答彼此提出的疑問句。我不禁感染約夫德對這所新大學的熱情。他講的校園即興故事精彩絕倫！

約夫德說，一九六七年發生戰爭前，和西岸無法交通，貝爾旭巴當時有多家旅館，因爲欲前往馬沙達和死海的觀光客必須在此過夜。六日戰爭後一切改觀，貝爾旭巴成爲一個昏昏欲睡的小鎮，只剩一個觀光景點（每週四的貝都因遊牧市集）和一家旅館（沙漠客棧）。新大學尚未動工，教室由店面改裝，系辦公室則是找遺跡暫時安置。有些化學家住在破產的旅館，所以才會變成有的教授研究室有床和水槽，因爲他使用的是客房，而系主任辦公室是浴室改裝的。他們最寶貝的設備X光繞射儀需要穩定的水量供應，故安置在廚房，那裡的水管老舊，有人沖馬桶，廚房的水壓立即降低，儀器當場失效。「但是該系熬過來了，如今成爲本古里昂首屈一指的系。」約夫德臉上展現與有榮焉的笑容。

當晚星斗滿天，他領我到附近的奧默屯墾區、俯視貝爾旭巴的山丘、出自以色列雕塑家達尼・卡拉梵手筆，紀念獨立戰爭那吉夫・帕馬克軍旅的巨大混凝土紀念碑。那一夜只有星光和富豪汽車的車頭燈，爲值得紀念的一日劃下美麗句點。高塔、混凝土外觀——有如沙海中將沉的船——模擬的彈孔、以陌生語言銘刻的清晰碑文、以及我踏入的洞穴般的隧道，加上遠處貝爾旭巴閃爍的燈火……

在那兒約夫德又提出一個疑問句：「你會不會再回來？」「肯不肯讓我帶你參觀那吉夫？」「肯不肯——」

「爲什麼不肯？」我脫口而出，兩人都笑了。我自僅懂的幾句希伯來話中挑出一句，因爲在耶路撒冷，他們都用「爲什麼不」回答我的問題。

科學研究者一般用三個時刻不同的鐘：實驗室外生活用的滴答作響的節拍器；等候研究補助金通過時用的遊手好閒的慢郎中，走的是慢板；還有研究學者的最愛——有怪癖的鐘，可走得極快，但經常停掉，甚至倒著走。

這一次菲力．弗蘭肯塔勒過的是第二種時間。親自駕臨紐約報告後，他希望儘快知曉結果。數月光陰虛度，他先是不快，繼之懊惱，最後因瑞普康基金會的牛步化作業而大動肝火，他原以爲關節已打通。一年過去了卻仍無眉目。「老天，」他對雷妞嘟囔：「早知道不如找國家衛生院還比較快。」

菲力把朋友搞得心浮氣躁，卻不願去勞煩連德蘿。唯一的進展是一通她主動打來的電話，「審閱者覺得奇怪，爲什麼非到以色列研究不可，但我想應可通過。」最後終於在感恩節前撥下款項。

弗蘭肯塔勒到劇院聽歌劇「阿伊達」，中場休息時接到連德蘿的消息，就在舞台上演勝利遊行之後——整夜他腦中都迴盪著銅管樂器的花式吹奏。

懷著得勝的心情，他次晨發了兩封簡單扼要的電報給耶路撒冷的耶胡達．戴維森和貝爾旭巴的曼那欽．狄維爾：「陰莖勃起獲得補助。」

到了一九七九年時，一般人早已認爲國際電報不但效率不彰，也不夠時髦。弗蘭肯塔勒也不急著打電報，他想用幾個具體字眼表達他的快樂。他選擇用口頭溝通方式連絡他的手下。他從紐約打電話給她。

「雷妞，」他的聲音炸向她的耳膜，「『梅索托夫』（好運到）。」弗蘭肯塔勒連氣也不喘！「申請案終於通過了——而且一毛未刪。你可以獲得兩年補助。」他咯咯笑著。「你大可買棟公寓，不必住哈達撒青年旅社了。」

「那不盡然是青年旅社。」雷妞覺得應該爲宿舍辯護，「我們恐怕忘了把買公寓的錢列入經費……我大概會租個較有隱私的房子——既然我可以擬長期計畫的話。你還可以說：『柏克霍泰』——恭喜。」她高興得沖昏了頭，那句希伯來話是一句歡呼。

「天哪！」他嚷道：「印度姑娘竟爲美國猶太人翻譯希伯來文！」其實他無意責備雷妞。「雷妞，既然我們有交通經費，我應該可以在畢業典禮後飛過去，待一週左右。距現在尚有半年——你應該有充分的時間報告哈達撒的進展，我也想見見你的同事柯恩。」

第五章

「雷妞！雷妞！」她費了點時間才找到聲音來自特拉維夫的班袞力恩機場海關出口外。擁擠混亂的人群令她想起印度德里機場入境大廳。每位乘客似乎都有至少三代同堂的一家人來接機。約夫德在人牆外猛揮手。「我在這兒，我來拿行李。」他喘著氣，拿起行李殺出重圍。「你氣色很好，」他上氣不接下氣：「我正擔心沒接到你。」

他把兩口手提箱放下，「讓我看看你，」他伸直雙臂抓著她，「平安，雷妞，」他喃喃地說，朝她走近一步，「快一年半不見，好長一段的時間哪。」

「平安，約夫德，」她摟著他的頸項，也在他耳畔小聲地打招呼。

上了車，雷妞開始打顫，她從未造訪過十二月的以色列。「你們這些土生土長的以色列人不用暖氣的呀？」

「我用，」約夫德摩挲她的雙臂刺激血液循環，「但我的車不用。」他露齒而笑，潔白的貝齒在過往車燈下閃耀。

開了一段路，那部富豪老爺車在黑夜中發出刺耳的咆哮。對面來車車燈不時穿透黑暗，兩人熱烈交談，雷妞一時忘了看路。忽然間高聳的路燈照亮某段公路，她看見一個大型綠色路標，希伯來文、英文、阿拉伯文並列。向右的箭頭指著「亞希克隆」（Ashgelon），直行箭頭指著「貝爾旭巴」。

「這不是往耶路撒冷的路。你要帶我去哪？」

「那吉夫市中心，」他咯咯笑著。「是約夫德・柯恩私人旅行社的特別服務。」

「可是——」

「我知道你要說：『戴教授在耶路撒冷等著見我。』其實他沒有。我提議由我到機場接機，並且先帶你到貝爾旭巴給你一個驚喜。這和我們的研究計畫有關。」他立即補充說明。

雷妞又喜又怒，她通常不喜歡驚喜。

爲了平息雷妞的怒氣，他解釋道：「今天已是週五，你至少需要一天來調整時差，反正在耶路撒冷做不了什麼事，何不和我一起到貝爾旭巴？」

「和你一起……？」

約夫德沒理會她那含有暗示的問題。「我告訴曼那欽・狄維爾你要到以色列，他一點也不意外，似乎早在我收到你的信之前，已得知你獲得瑞普康的補助。」

約夫德開得快而謹慎，講話時視線並未離開路面，但此刻她感覺到他很快地看了她一眼。

「他問你是否見過連德蘿博士。」

輪到她轉頭看他，他語中似有玄機，但表情和平常沒什麼兩樣。「去年和她見過面，」她冷靜地說：「弗敎授和我到紐約瑞普康基金會去促銷我們的研究計畫。上個月還見過一次，她要我出發到以色列前在紐約小停，向我致歉補助延遲通過的事，她說費了一番工夫才說服董事們同意贊助以色列的研究。」

她又感覺他的眼光掃射過來，於是略側身去檢視約夫德的側臉。透過儀表板黯淡的光，她看見約夫德挺直的猶太鼻樑和及肩的鬈髮——去年夏天她第一次公開表示感情時曾擰他鼻子一把，說它是希臘鼻。

「順便告訴你，她剛喜獲麟兒。像她這樣年紀的女性不必爲孩子放棄事業，眞好。不知她怎麼忙得過來。」雷妍說。

「說不定她嫁了個好丈夫。連德蘿先生做那一行？」

「我不認識她丈夫，但賈斯廷．連德蘿可是哥倫比亞大學的生化學家，不幸數年前過世。你剛提到狄維爾讓我想起一件怪事。」

「什麼事？」

「當時沒多想，不過她曾問我最近是否和狄維爾連絡過。」

約夫德似乎不驚訝。「你有和他連絡嗎？」

「當然沒有，行政事務由弗教授全權負責。但你不覺得連博士和狄博士互相問起對方很奇怪嗎？」

他思索兩秒鐘後趕快說：「我很高興連博士通過你的補助案。」

雷妞在黑暗中微笑。「不也得感謝狄維爾嗎?他們會不會也在談論我們？」

耶路撒冷，十二月二十八日，一九七九年

親愛的亞秀克：

讓我開頭先聲明，我一點也不後悔用發自以色列的信嚇你一跳。從你最近洋溢手足之情的信函判斷，你期待收到發自麻省的回音，談論婚姻大事。我有千萬個理由回到以色列，但你上一封信更加堅定我的決心。我想信中所附的應徵者照片是主要原因，還有你那未來妹婿的名單。

然而將以色列之行全歸咎給遠在馬德拉斯為我安排相親的家人，未免貶低了此行動機。到以色列主要目的有二，一為工作需要，二為私人理由。

你曉得（姆媽可能不曉得）我的研究工作因針對勃起障礙——一稱陽痿——變得興味十足而且極具實用性。（我可以想像那些應徵啓事者聽見我的專長時，產生什麼反應！）我和班裘力恩大學（位於貝爾旭巴）的約夫德・柯恩博士共同研究，過去一年當中，他已研究出一個相當簡單的方法，患者可自行將必要神經傳導物質注入陰莖。

約夫德（希伯來文的意思是「他會開啓」）也是我以色列之行的私人理由。兩週前初抵以色列時，我待在他公寓兩夜。由於他未婚（比我大兩歲），所以我想和他獨處足以使我在諸應徵者中除名，如庫烏馬拉斯瓦米、克爾塔，和其他我不復記憶的名字。我並不因此傷懷。在你急於說教之前，親愛的大哥，讓我告訴你，我們終於在凌晨三點抵達他那兩房的小公寓（資淺的教師僅能得此待遇），我睡他的床，他睡客廳沙發。思及沙發的狀況和約夫德的身高（一九五公分），你可看出他是位君子。

你會喜歡約夫德的，他很英俊——以色列式的英俊——非常聰明、實際、冷靜、健談、從不一個人滔滔不絕，但不修邊幅（此地年輕人大多如此）。他也和當地人一樣，兩三天才刮一次鬍子，我很快就發現，這樣的鬍子會扎人。（我正努力說服他，鬍子刮淨不損其男子氣概。）差點忘了提他最迷人的特質，他雖謙稱希伯來語不精，但他說英語時妙語如珠。有一天他形容某以色列教授的嗓子聽起來「像提洛爾人在結腸鏡檢查時唱岳得爾調」。也許這段話無法翻譯成希伯來語。

期待你能來探望我，等你接受我無意走（印度）傳統婚姻的路子的時候。你妹妹不是反對婚姻，而是要依我的條件。

且容我以童話故事開頭做結：「以色列奧默郊區鄰近一個叫貝爾旭巴的小鎮。奧默有個小公寓，公寓內有間小臥房，臥房內有張雙人床，床上有一對裸體男女，女的還沒睡，正在寫信。」

請將此視爲你心愛的妹妹在熱情地宣示獨立。

雷妞上

耶路撒冷，二月二十五日，一九八〇年

敬愛的教授：

修納托瓦！我已開始在學校學希伯來語，而且已經脫離只會說「平安！」的階段。你瞧，我已能用希伯來語給你拜晚年：「新年快樂」。我學希伯來語是因爲待在貝爾旭巴的時間相當多，此地社交生活侷限於大學裡的人和他們的家屬等，他們能操數種語言，以色列人即是如此，可是他們一湊在一起，全迅速改講希伯來語，我受夠了老是問大家在笑什麼或嚷什麼。老實說，我等不及想不藉柯恩博士之助就聽得懂他們的笑話。

就是爲了柯恩博士才花那麼多時間在貝爾旭巴。我們打算用在第一階段臨床試驗的傳送功能系統原型即出自他手，令每一個人驚異，包括戴教授在內。只等戴教授決定用那一個α，神經傳導阻斷劑做爲第一次試驗，即可著手。他認爲先用一個已知可降低血壓的藥劑來測試柯恩博士的傳送裝置，再檢視我自布蘭岱帶來的一氧化氮釋放劑，比較安全。戴教授正檢測已在臨床使用的標準抗高血壓療法中的α阻斷劑，尤其專注於那些對陰莖海綿體特別有效因而可能可使陰莖勃起的物質。他的研究小組已研究了一段時間，且奠妥不少基礎。四分之一以上的男性糖尿病患者都有性功能障礙，戴教授認爲他們恰好可以充當第一批試驗者。

柯恩博士打一開頭即反對以皮下注射器自我施打藥劑入陰莖，但這是他本能地主觀意見，而戴維森實驗室卻認爲尿道吸收藥劑的效果較佳，仍決定用此法。柯恩博士（和我）馬上注意到一個矛盾現像——尿道原本爲排泄之用，怎可能成爲有效吸收管道。

他的原型是個塑膠模型，有一個管柄，直徑約一點五公分，連接一個四公分長，不易破的管子，直徑數毫米左右——較標準導尿管還窄。管柄插入一個硬塑膠套，整組模型看來像根短胖的調酒棒。欲使用這個裝置，這位男性須先小解，甩動陰莖以排除殘餘尿滴，再拿下硬塑膠套，將有開口的管子插入尿道，慢慢將整根管子推入，再推柱塞，釋出小丸中的有效成分，再抽出裝置，予以丟棄。希望有效成分能溶於尿道中的少量尿液，經由吸收再輸送到陰莖的海綿體，至少計畫是如此。我們當然都贊成改成口服藥較佳，但目前我們沒一個人想出如何將一氧化氮釋放劑與口服配方結合。根據最新八卦消息，輝瑞（Pfizer）一些研究人員正在研究一種內含磷酸二酯酶抑制劑的口服藥，他們大概會命名爲「威而鋼」（Viagra），到時即知道誰先研發成功。

貝爾旭巴小組已新創一個名字：「繆沙」（MUSA），這是個字頭語，不代表「美國製造」（Made in USA），而是「陰莖勃起之醫療用具」（medicated unit for sexual arousal）。柯恩博士已製造了十二套。我們也已郵寄了一份「繆沙」供你檢驗，另外包裝並標上適當名稱以便海關申報。

你會發現這份進度報告很短，須等戴教授選妥有效成分並裝入管子，眞正行動才算開始。但我曾目睹空包的「繆沙」注入人體，過程似乎相當簡易，也肯定無痛。稍加練習，整個過程應可在二十秒內完成。

午夜已過，在此衷心祝你晚安！

雷妞上

母親、大哥，甚至幾週前的我哪想得到我竟然寫信和弗教授大談陰莖勃起和插尿管呢？教授得知我參與首次將空「繆沙」插入眞人的陰莖，不知作何感想？其實眞正的醫學英雄是第一位志願者兼先驅——約夫德・柯恩博士本人。

研究進行順利的話，我必須鍛鍊自己能臉不紅氣不喘的當衆說出具體的字彙如陰莖、勃起、射精……我已經發現以色列式的幽默可有效溶解印度女性的沉默。起初還靠勉強，後來迅速成爲習慣，如果不算上癮的話。

與指導教授或老闆上床——換句話說，越級的不倫關係——充斥著危險、併發症、不妥，甚至更嚴重的後果。我在史丹福的經驗教會我這點道理。和同事呢？尤其是在陰莖勃起領域共事的同僚？這種關係提供了性事方面表達、行爲、和取笑的自由，我想都沒想過，更遑論親身經驗。

在貝爾旭巴的第一夜，我太疲憊，沒注意到約夫德躍躍欲試，而他體恤我舟車勞頓，所以沒表現出來。但他第二天就等不及了。早餐時他拿「繆沙」的原型給我看。如今回想起來，我中了他的圈套，使他的狡計得逞。

他展示原型時用拍賣式口吻說：「偶一爲之的性無能療法——以十二毫米寬，三十毫米長的皮下注射針注射罌粟鹼入陰莖——以個人淺見，不適合初次使用。起碼我終於目睹了這個產品的使用……糖尿病患當然知道怎麼給自己注射，但男人一見針筒打在命根子附近總會緊張。」據他的說法，給命根子扎針有礙勃起和射精。我指著早餐桌上的「繆沙」原型問他，用鈍的一端插入尿道，怎能無礙勃起和射精。

若有人自鑰匙孔偷聽我倆談話，至目前爲止會判定談話內容夠專業，但有點瘋狂。「繆沙」正好躺在幾根香蕉和小黃瓜旁。我在以色列吃早餐常有香蕉小黃瓜相伴，後來我那狡猾的約夫德才說那天早晨他是故意擺上那些，取其象徵意義。無論如何，他承認我說得有理，男人不願把任何東西塞入尿道。他一開始便顧慮到這點，所以才新創「繆沙」一辭。他認爲這個名稱中「陰莖勃起」四個字是使用後的直接結果——他打算上市後，包裝內註明由女性伴侶負責將裝置插入。

他邊說明邊切下一段剝了皮的香蕉（動作純熟，似乎事先練習過）當做陰莖，我剛好想起香蕉這種最像生殖器的水果，它的植物屬名恰巧就是英文字發音「繆沙」（Musa）。

「拿著，」他把香蕉和「繆沙」遞給我，「看插入有多容易。」我把香蕉尖端咬掉，不知道自己為何這樣做，這不太像印度人的反應。我不敢猜假使房外有人偷聽，對我們的哄笑會怎麼想。

聽說性幻想令人亢奮是因為它純屬私人而且完全量身訂做。但是我從沒聽說用直接、科學化的方式對談性的話題，能產生亢奮感。我想到一個詞正好可以形容那種感覺——喜悅（jouissance）——讀衛斯理女子學院時的流行語，當時我不肯定它的意涵，但那天早晨我有了那種感覺，我確定約夫德也有。

他敏捷地轉移話題，將男性在意的兩件事（勃起和射精）帶到女性在意的三件事，問都不問我，直接說出來：插入、受精、植入。「這三件事攸關重大，」他宣稱：「有些女性日思夜想，有些則嚇呆了。」

接下來自然談到避孕這個主題。他問我對口服避孕藥的看法，我是否服用？以前有人問過我（當然不是在印度），作為吃豆腐的前奏。可是早餐時問這個問題？我想告訴他，不關他的事，可是咬掉香蕉尖端後，我覺得該對他文明一點。於是我迴避問題，問以色列人如何避孕，尤其是軍人，因為以色列男女都得服兵役。「口服避孕藥。」他說得斬釘截鐵。那麼男性呢？我問道，他們使用保險套嗎？

「保險套？」他用希伯來語說著，搖搖頭。藥房買得到——多半是英國貨「戴銳斯」——但女性若未服避孕藥，則採用性交中斷法。性病似乎是美國人的煩惱，以色列人才不擔心。「你服過避孕藥嗎？」他又問。那些急著想成親的印度快報徵婚啓事的應徵者，決不會問這種問題。如果他們聽到我給約夫德的回答，可能會抱頭鼠竄，頭也不回。

「有，但現在沒有。」暗示他我已非處女之身，但目前性生活沉寂。約夫德頷首，我相信他已聽懂暗示，雖然痛經的女性也服避孕藥。但他就此轉換話題。天氣預測晚上會有冬季暴雨——罕見的現象。「安息日之前我們先充當觀光客，」他宣布道。於是我們坐進他的富豪，目標貝爾旭巴南方三十哩的大衛・本古里昂的斯達波克集體農場。「你是印度人，務必要參觀。」他神秘兮兮地說。

他並未走最近的路，出鎮的路上，我們經過主清眞寺、尖塔叫拜樓頂四周似手術疤痕的欄杆，對面是最能提醒戰爭文化的建物——以色列軍隊總部的瘦高傳送塔和碟形天線。越過乾河谷上的主橋到達鎮界，我又因另一強烈對比吃了一驚，這回是生態環境的對比：四周沙漠和遠山一片光禿，偶爾點綴以色列人建國初期種植的檉柳、尤加利，和新移民種植的綠油油的玉米田和棉花田。

約夫德繞遠路的原因是想經過納維庭（Nevatim）——來自交趾的印度裔猶太人集體農場，以及另一個新移民城鎮第蒙那（Dimona）。一幢幢黃褐或赭色磚砌公寓林立，窗外晾的衣物是僅有的點綴——相當於中歐高山村落窗台上的花箱。不久觸目所及又是一片荒涼，偶見貝都因人營地和遠處山腳下的磷酸鹽礦。「你看！」車子右轉時，約夫德提示我。他把車速減慢如牛散步。

景象相當驚人。金屬籬笆上架著有刺鐵絲網，圍起數平方公里的平坦沙漠，四周環有四米寬的淨沙，以偵察是否有人入侵。遠處有一個銀色大圓頂和毗連的高塔在閃閃發光，全由棕櫚樹環繞。這個綠洲是那吉夫的麥加聖地，有兵駐紮的清眞寺和尖塔叫拜樓嗎?約夫德在空蕩的高速公路上迴轉。「是核能中心。」他說著踩下了油門。

斯達波克集體農場是名副其實的綠洲。由歐洲人、受猶太教育的移民及其後裔所創的奇蹟。最令我驚訝的是綠色的田和深黃沙漠的分界線就像刀切般整齊。約夫德變成滔滔不絕的猶太復國運動者，迫不及待地向我介紹沙漠研究所——幾年前設立的，和另一個以色列集體農場——瑞維維姆：「降雨」之意，是本地歷史最悠久的農場。「但首先，」他面露尊敬之色：「我必須帶你去本古里昂的居所，他度過生命最後二十年的地方。」

一踏入本古里昂的居所，一幢白色平房，有著波浪狀錫打的屋頂，卧房小而簡樸，我當下明白約夫德爲何尊敬他。我注意到蕭然的牆上有一幀照片：聖雄甘地——在以色列的那吉夫見到這幅照片，不禁令我熱淚盈眶。房間看起來像本古里昂剛剛離開的樣子，床頭几上堆著一落書，窄行軍床旁擺著黑色拖鞋，鞋尖朝外，好像主人剛脫下拖鞋去穿衣似的。隔壁的書房，書直堆到天花板，連會議桌也堆滿書，牆上一樣只有一幀照片!不是他的妻子、家人，或朋友，而是他服役時的侍衛官，後來自戕而亡。

就在聖經記載的大洪水氾濫前，我們回到貝爾旭巴。約夫德停在一家藥房前面。「要趁他們安息日打烊前添購些什麼嗎？」他問道。我搖搖頭：這一回我已囤夠衛生紙和化妝品了。

回到他的公寓，雨正敲打著玻璃窗，約夫德點燃安息日蠟燭。「我只能做到這種程度的虔誠。」他笑著把藥房的小包包放在桌上。

當天深夜，我們用他在藥房買的保險套第一次共赴巫山後，我首度練習將「繆沙」插入尿道——內裝安慰劑。「猶太人不可在安息日工作，但我們可以找非猶太姑娘替我們做。」他說著把「繆沙」原型交給我。

「我想你這個猶太人耳不聰，目不明。」我打趣道，其實內心裡非常興奮，不是因為我倆裸裎相見而且彼此愛慕，而是因為這也算是研究工作。過程比預計的三十秒長，因為我過於謹慎，而且我倆發笑的次數太多。

傾盆大雨突然帶回另一個印度意象。和美國保險套富男子氣概的商標名如「酋長」、「木馬屠城」等相反，印度流行的保險套叫「雨季」，因為雨季是印度夫妻待在室內共享魚水之歡的季節，我告訴約夫德。

他指著買來的日本進口保險套說：「叫這些『瑞維維姆』好了。」自從那個不敬的安息日後，代表「下雨」的希伯來文「瑞維維姆」便成為我倆求歡的暗號。

陰莖勃起功能是個令人亢奮的領域，說我不喜歡是騙人的。身為專業參與者中，也是研究小組唯一的女性，我可以公開表示亢奮之情。約夫德在場我尤其開心。解析男同事的反應成爲我倆枕邊細語的題材。我倆不可能同住在衣索匹亞街的住所，因此貝爾旭巴成爲我性幻想和性現實之所在。

然而我越來越愛耶路撒冷，該是約夫德爲愛通勤的時候了。

第六章

那是他們在霍克努斯街的公寓第一個安息日之夜，就在哈尼威姆——先知街——的南方。雷妞找了兩個月的房子，終於搬出哈達撒宿舍，從現在起，全看約夫德願不願週末通勤。

餐桌擺不下雷妞計畫中的大餐：安息日蠟燭、猶太飲食規定的酒、辮子白麵包、加上她自美國帶來的多用途混合粉調製的印度菜。

「十根蠟燭！」約夫德喊道。「會不會過火了？」

「對我爲我的猶太男人所做的安息日餐可不會。」她充滿愛意地用手指點他一下。「讀讀這本書。」她伸手拿起隨意放在桌緣的一本深紅色平裝書。「『爲了榮耀安息日，蠟燭點得越多越值得稱讚。有人點十根，有人點七根，不得少於兩根。蠟燭應夠大，能燃燒到晚餐過後，而且要買好的蠟燭。』看這些哈瓦達拉蠟燭，」她指著辮子型的蠟燭說：「這些肯定稱得上『好』蠟燭。」

「的確好。」約夫德暗笑。「但哈瓦達拉是安息日將盡時點的，不是開始時點的。別管了，品質好最重要。」他伸手拿起書來，「你在讀些什麼。」

「且慢！」她推開他。「『猶太戒律有言：安息日習於買好蠟燭者，將會產下猶太宗教經典上留名的子孫。』書拿去吧。」

他並未伸手接書。「你有祈禱嗎？」他雙手捧著她的臉，但雷妞掙開了。

「私下用印度式祈禱。」她很快把話說完並改變話題。「讀一下這本書，我把其他菜端上桌。」

「不可思議。」約夫德大笑。「《猶太戒律》，所羅門・甘茲弗來德長老著。你怎麼會買這本書？哪兒買的？」

「我不但和猶太人一起工作，還與其中一位上床。」她在爐邊對他拋媚眼。「理應學習猶太宗教和儀式。書店的女店員向我推薦這本。」

「可是這本正教意味太濃，」約夫德衝口而出。「我絕不會向你推薦這本，你要是先問過我就好了。」

「我想給你驚喜……例如點十根蠟燭。」她開始點蠟燭。「而且我們難得談及宗教……」

「你讀了多少？」他揮手打斷她的話，指著書問道。

「瀏覽過大部分，但細讀講女人、月經、和性的幾個章節——尤其是何時不該交歡。我不知道猶太人禁忌這麼多。根據猶太法典，不限制的似乎有限。」

「正教猶太律法。」他拾起書，又重重摔在桌上。「黑若丁姆！」

「放輕鬆，約夫德，坐下。」她領他坐下。「黑若丁姆是什麼意思？」

「『顫抖的人』——因畏懼上帝而顫抖——超正統派。」他埋怨道：「你看得出我在顫抖——氣得發抖。」

「放輕鬆。」她不住地說。「我不是要改信正教，但我忍不住想讀，因爲我覺得……」她遲疑一下：「它好玩，起碼具娛樂作用。不過，吃飯吧！這是我第一次準備安息日餐——雖然是猶太印度混合料理。」

約夫德笑了，他不擅記恨。「我分辨得出猶太的部分，」他指著酒和辮子麵包，「印度的部分呢？」

「馬上來，我的貝爾旭巴大人物。」她拿起盤上的蓋子。「因果報應。」她宣布道，用蓋子朝約夫德的方向搧起一陣豆蔻的味道，「用優酪乳和特別的北印度辣香料醃二十四小時，腹內塞入新鮮的豆蔻實，再與蒜末和洋蔥末同煮。是雞肉，不是豬肉，印度人和猶太人一樣不吃豬肉。」她用下巴指指甘茲弗來德長老的大書，「別碰豬肉。」她沒提自己嫌惡烹調後仍保持原狀的牛排或牛肉——改不掉的印度習性，但美味的漢堡，甚至波蘭辣味香腸，卻能穿透這位衛斯理婆羅門教徒的味覺藩籬。她也沒提在加州曾破戒吃了香腸而茹素一段期間，做爲贖罪。如今雷妞自認已從飲食律法中解放，起碼她遵守了以色列的標準。

「好吃。」約夫德說。雷妞蓋子尚未放下，他已用叉子沾了盤內湯汁。「但那本書的作者，」他頭也沒回，用大拇指向後一指那本深紅色的書，「可不肯吃這道菜。雞肉加優酪乳。」他假裝怕得發抖。「這道菜嚴重觸犯猶太飲食規定。」

「好吧，」雷妞蓋住盤子。「你沒肉可吃啦，不過還有一道薑炒扁豆和菠菜，應該合乎猶太飲食規定。還有米飯。」她開始舀些飯到他盤內。「黃顏色的是番紅花，我確定它不會陷你入罪。」

「你嚇不倒我。」約夫德笑著揭開蓋子。「我吃過豬腰子、烤火腿，醃肉和蛋——你說得出的，我都吃過。不過不是在貝爾旭巴吃的。」他補充道。

杯盤狼藉地堆在小水槽內，燭火仍在跳動，約夫德和雷妞移駕至沙發，沙發似乎容不下兩個成人和甘長老的《猶太法典》。雷妞撿起那本書。

「我想告訴你，我爲什麼覺得這些專章有趣。我沒有損它的意思，印度人胸襟寬大，能包容不同宗教。「可是這個你怎麼說？」她快速翻頁，找到第一百五十章。雷妞刻意用吹毛求疵的口吻昭示：「『行房時應持莊嚴神聖的心情和純正的思想，態度須盡可能謙卑。男在下，女在上的體位不宜。』約夫德，」她遺憾地笑道：「我們之前的行爲不宜喲。等一等。」她以手掩住約夫德的嘴。「再一章就好，第一百五十一章，和我們的研究有關。我引述裡面的話：『嚴禁勃起或近女色。男人應極力避免勃起。所以，』」雷妞吃吃地笑道：

「男人不可仰睡也不可俯睡，只能側睡，以避免勃起。』」

她呵呵大笑，轉向約夫德，他竟然不笑。「怎麼啦？你怕長老會禁止『繆沙』和一氧化氮？」她不懷好意地笑說：「幸虧一氧化氮的化學符號是NO。」

雷妞右手托住約夫德的腮，把他的臉扳過來面對自己。「怎麼啦？」她再次詢問。「我以爲你會捧腹大笑。」

「在某一層面當然好笑，但在以色列，尤其是耶路撒冷，就不好笑。若由黑若丁姆治理國家……」他搖搖頭。「他們或許管不了我們的性生活，但一定會影響我們的日常生活。讀讀講安息日規矩的那些章節，聰明人稱之爲『萬山懸於一髮』。法典條列了三十九大類安息日嚴禁的活動。」他拿起雷妞腿上的書。「看看這些規定在八〇年代怎麼可行。」他的手指在目錄上尋找。「在這兒，第八十章，安息日禁止從事的勞動。」

約夫德迅速翻著書，想瀏覽都困難。「『不可搖落黑外衣上的雪或灰塵，可用手拂去衣上的羽毛。』」他唸道，然後一頁翻過一頁。「一共九十三項，我以前都不曉得。」他重重闔上書本。「不過，把勃起，行房時心術要正，誰在誰上面忘了吧。」

「萬萬不可！」雷妞用典型以色列語調插嘴，連約夫德也被逗笑了。

「那只是黑若丁姆的做法。」他露齒而笑。「讓我講完。看看兩個重要議題婚姻和生育子女，就能看出我們的制度多麼虛僞和政治化——幾乎是神權政體。假設你想嫁給以色列猶太人，你在以色列無法如願，因爲此地只承認宗教婚姻，你必須成爲猶太人才行。」

「那又怎樣?我可以改變宗教信仰。印度人可以接受的。」

約夫德注視著她。「你願意?」他舌頭開始打結。

「有可能——理論上是如此。」

「可是……」他說。

「可是什麼?」她笑道。

「沒什麼可不可是。」他笨拙地說:「你必須遵行正教的作法。」他指著掉落地板的深紅色書本。「他們不承認信仰改變。」

雷妞順著他的手指看過去。「不要。」她搖頭。「不要正教。應該有其他選擇。」

「改信別的教?在以色列可沒有。」

「我說的是結婚。你用不著在以色列成婚。」

「啊,對了,」他點頭稱是。「你可以飛到塞浦路斯公證結婚,離此地最近。」

「結完婚偕夫婿回國後呢?」

「依猶太律法,他們不承認你倆的婚姻,子女也不是猶太人。」見她大吃一驚,他馬上說:「告訴你我爲什麼如此厭惡這一套虛僞作法。如果你的父母是猶太人——假設是交趾印度人——你從未參與任何形式的猶太教,不上猶太會堂,不守安息日戒律,我們剛做的事都不做——你依然能在以色列合法結婚。但你若是印度人,經過改變信仰的儀式——例如在美國的布蘭岱大學——徹底遵守猶太教義,你和子女仍然不是猶太人。」他嫌惡地搖著頭。

「起碼孩子不會變成私生子。」雷妞自我安慰。

約夫德抱著頭。「我告訴你猶太正教關於私生子的規定。平心而論，猶太正教對這個觀念算比較開通：未婚的猶太母親之子女或父母皆為猶太人，就不算「曼澤」（私生子），即使其婚姻理論上不合法。可是——一個很重要的但書——如果母親已婚，也就是與人私通，生下的孩子就是『曼澤』。」

「為什麼僅限母親？父親若也已婚怎麼辦？」

「他愛怎麼拈花惹草都無所謂。」約夫德語帶挖苦。「但是，」他豎起一根指頭警告，「猶太正教律法也比較殘酷。私生子決不能和猶太人結婚，亦即永遠無法在以色列合法結婚，而且私生子的烙印永遠抹不去，一直傳承給世代子孫：猶太正教規定，私生子僅能嫁取私生子。」

「或許有其歷史原因——」

「或許？當然有其歷史原因。猶太人擺脫不了歷史包袱。這個例子的歷史原因可溯自兩千年前。我尊敬歷史但用不著相信聖經歷史今日依然可行。但黑若丁姆正是持這種看法。」

「你怎麼如此了解私生子的相關律法？」雷妞一方面想平息他的怒火，一方面也很好奇。

「因為我就是私生子。」

所謂事出必有因。如果不是我想給安息日增添猶太氣氛，就不會買甘長老的書，也不會得知約夫德對黑若丁姆的反感。哦，反正遲早一定會談到那裡。可是現在猛地更加認識他，勝過幾個月的交往。

私生子的事實扯出更多解釋和更多過往。眞想見見約夫德的母親。她是維也納大屠殺的倖存者，千辛萬苦逃到以色列，她的丈夫消失於集中營。她於以色列再婚，育有兩名子女，約夫德和妹妹伊娃。數年前約夫德打贖罪日戰爭（Yom Kippur War）時，他的母親艾絲特·柯恩發現第一任丈夫還在人世，和妻子子女住在加拿大。根據猶太正教律法，艾絲特的子女成了與人私通所生的私生子女，一輩子不得翻身。伊娃——我也想見她——嫁給西雅圖一位改革派猶太人，解決了她的問題。約夫德會不會因爲他爲了國家冒險犯難後才發覺自己社會地位矮人一截，所以苦悶滿懷？母親想上猶太法庭爭取子女的合法身分，但案子尙未進入訴訟程序，她便過世。

「現在我問你，」約夫德向她挑戰：「你願意住在這樣的國家嗎？眞的安家落戶？」

雷妞聳聳肩。「看情形。」

「看什麼情形？」

「男人。」

耶路撒冷，五月十七日，一九八〇年

親愛的亞秀克：

求求你莫再扮演印度家長的角色。爸爸已經不在人間，而且我遠在異國，你鞭長莫及。做個現代大哥，幫助我使母親開懷吧。

雖然我在以色列結識的男友尚未正式求婚（我仍然保持傳統，等他先開口），我有信心他不久就會開口。等他提出結婚要求，我就接受。

姆媽和你應該很開心，因爲我預見這樁婚姻在許多方面都符合你們的條件，只有一項不符：我按照自己對未來人生伴侶的感情和了解，自個兒做了決定。

爲將來打算，我正在了解猶太教的諸層面。生活在以色列，或者該說猶太式生活，強調家庭結構和價值。印度人重視家庭，他們（我該說我們）也一樣。

我在「烏爾邦」（語言學校）學希伯來語，學得一點皮毛，如「烏爾邦」和「曼澤」。「曼澤」太複雜，信中解釋不清楚，但將來某一天，我會告訴你一名印度女子拯救「曼澤」的感人故事。

我也在學習猶太正教戒律，並非出於刻意（別擔心，我無意成爲正教徒），但在以色列你自然就學會。

你知道在踰越節日那天可以喝可口可樂嗎？不是最近而是數十年前通過的。可口可樂公司視可樂成分爲最高機密，不過他們允許托拜斯·吉芬長老——亞特蘭大前正教長老——檢驗可樂成分。他發現其中一項成分（佔可樂千分之一的比例）取自不合猶太戒律的動物。這本來不是問題，如果不合戒律的成分是偶然產生的，而且比例不超過六十分之一，仍然合乎戒律。可是可口可樂該成分是刻意添加的，所以不符六十分之一的門檻。如此精確的規定，你當可明白猶太正教的飲食戒律多麼繁瑣。

故事的結局告訴你正教的力量和智巧多厲害。你猜誰會讓步？吉芬長老可不會！他說服可口可樂公司將瀆神配方改由棉籽油提煉的成分代替。

不知怎的，我覺得我的生活也產生類似的改革。

深情祝你平安的雷妞

第七章

「今晨的貴賓席是背對美麗窗景的。」耶胡達・戴維森示意菲力・弗蘭肯塔勒坐在斯巴達風格研討室內唯一有扶手的椅子上。「百葉窗已拉下，因爲庫里希南博士要用投影設備。」

雷妞背對螢幕，正在整理投影片。戴教授喜歡在正式場合咬文嚼字，以及使用頭銜和打領帶。

所有男性皆是哈達撒的人，約夫德除外。除了系上同事，戴維森還邀請心血管及糖尿病專科醫師，他希望醫師們也能參與初次臨床試驗。沒人打領帶，連美國來的賓客也沒有。

戴維森用筆輕敲桌面。「首先，容敝人正式歡迎弗教授參加會議。他派庫里希南博士到此，你們都曉得庫博士在三人合作的關係裡扮演重要角色。」他朝約夫德點一下頭，後者正忙著用迴紋針清理指甲縫，再把迴紋針還給雷妞。「我請庫博士扼要說明目前的研究成果。

稍後，趁弗教授在此期間，希望能針對布蘭岱的生化研究與本古里昂的生物力學研究如何做臨床運用，達成共識。」

提到本古里昂時，約夫德坐在椅子上向後靠，只用兩根椅腳保持平衡。清指甲的迴紋針掉在桌上。

「雷妞，講台交給你了。」

她清了清嗓子。她緊張時總習慣如此，雖然此刻的她空前地自信。她環視桌子周圍，心想，這個組合眞有意思；情人、恩師、同事。戴教授暗示她摘要講解工作結果，雷妞感激地接受了。她想以一次簡報給十一位男性留下深刻印象，這可不是輕鬆任務，聽衆有弗教授，如慈父般疼愛她；有約夫德，數小時前剛見過她的裸裎模樣。她打算將火力集中兩位聽衆：一個是戴維森，她能否留在以色列，全看他一個人；另一個是糖尿病醫師之一。兩人對化學所知不深，雷妞認爲強調她的化學研究對臨床治療陽痿很重要，最後再說明她即將開始的研究計畫——這部分她僅和約夫德討論過——應已涵蓋大部分內容。

她以清晰、抑揚頓挫的語調娓娓道來：「陰莖不勃起，靈長類動物無法自然繁衍。不論陰莖尺寸大小，猩猩的陰莖尺寸僅有人類拇指大小，」她竭力保持輕鬆即興的態度，「相形之下，人類陰莖可謂龐大——正是陰莖勃起使得開枝散葉成爲可能。」

雷妞排練過這段開場白，看來恰恰適合她：內容大膽但與主題相關，再添上猩猩的秘密，一般女性身處全爲男性的場合，不可能會講這一段。她希望藉此建立她身爲其中一員的可信度。如果我能在清一色男性聽衆前說出這一段，她心想，之後一定一帆風順。

「估計全美有一至二千萬，也許甚至三千萬男性爲陽痿所苦。諸位比我清楚，陽痿乃是到達陰莖的血流量不足所引起。」她注視聽衆，像在搜尋陽痿患者。「原因是陰莖平滑肌無法鬆弛或陰莖留不住血液。」

她謙遜地聳聳肩。「你們當然早就知道了。現在，」她豎起一根指頭準備道出她排練已久的另一個句子：「陽痿療法的聖杯即是一種能使陰莖產生充分硬度和持久，以便滿足性愛的物質——一種不良副作用最少的藥劑。諸位比我清楚……」雷妞一頓，她發現這句話講過了。有什麼關係?這句話可逢迎聽衆，至少可突破心防，讓一群男性接受女性來主講性無能。

「前人試過所有方法想解決陽痿問題：口服阿朴嗎啡能使陰莖勃起，但導致惡心；直接施打罌粟鹼入陰莖海綿體能造成勃起過久——未止於所當止。」她低聲補充道：「這一部分，呃，馬上會再談到。」雷妞忍住不去看約夫德。她想，看一眼我就完蛋了——除非陣陣笑聲有利我這個主講人。

她整理著思緒。「我們需要的是治療陽痿的合理方法，換句話說，須對正常勃起機制有基本了解，因此我們找到一氧化氮——勃起的聖杯。」

說著，她打開投影機。

「在座各位專長各有不同，不知諸位是否知道，打呵欠和勃起可同時由多巴胺激導性作用劑引發，如阿朴嗎啡。這個現象用雄鼠做實驗已獲得證實，而扮演這個角色的正是一氧化氮。」雷妞迅速瞄一眼聽衆，發現戴敎授和一位醫生忍不住打了呵欠，心中不免覺得好笑。

「人類並未將勃起和打呵欠結合在一起，也不想這麼做。」聽衆哄堂大笑。雷妞趕緊換上另一張投影片。

「布蘭岱的研究工作特別專注在合成新的一氧化氮釋放劑。」雷妞把紐約之行對連德蘿說的內容又說了一次，強調一氧化氮在生物系統內的高度化學反應性，以及其半衰期很短。「因此我們和諸多競爭對手都致力爲一氧化氮發展出長效的來源。我在弗敎授實驗室研究出一群獨一無二的化合物。」雷妞雖然謹愼地歸功給恩師，仍刻意不用一般科學報告常用的「我們」，以強調她個人角色之重要。她指著銀幕說：「我們稱這些物質爲ＮＯＮＯ衍生物——」

「先別爲這個俗名廣爲傳播，」糖尿病專家咧嘴一笑，發言了。「免得大家潛意識地留下印象，我們都知道，」他環視在場所有人士，包括雷妞，雷妞雙眼眨也不眨。「心理是陰莖勃起的重要因素。繼續。」他祝福似地擺手示意她繼續。

「對。」她簡短地應了一句，但就此停下來。我才不放過他的男性敏感反應。「我打算暫時不談你的心理問題——」

「我的？」那位仁兄打岔。其他人忍住竊笑，摸不淸他在開玩笑還是埋怨。

「不是指你個人的問題，」雷妞面紅耳赤：「我指的是一般男性的心理問題。」

「饒過你一次，」該名醫師傲慢地說道。「但你爲什麼不談？」

「因爲男性不論是生理機能或心理障礙引起陽痿，一氧化氮皆能發揮功效。一經注入尿道，即能爲尿道四周的海綿狀組織吸收——」

「海綿體。」戴教授插進來。

「正是。」雷妞感激地點頭。「再輸送到陰莖海綿體。」雷妞發現聽衆大都已經曉得這一套，但她要在座每一位都知道她也曉得。「如果一氧化氮生效，」她快速往下講，以免再有人打岔。「我的NONO衍生物也應能產生相同功效。」她很快瞄一眼那位糖尿病醫師。「NONO衍生物因有兩個一氧化氮分子縱排而且爲一親核物——在此研究中，它是一個二級胺，我的研究成果，」她瞄一眼弗教授，他點頭鼓勵她，並未因她用「我」而惱怒。「妙就妙在NONO一方面在細胞的水溶液環境中會自動釋放一氧化氮；另一方面，連結NONO的二級胺本質將隨一氧化氮的持續釋出而調整其釋放速率。此外，影響這些分子親脂性的胺端化學組成也是可以調控的。」

「和約夫德的推送裝置結合時，這種脂溶性相當重要。」她指著約夫德一直拿在手上把玩的「繆沙」。

「在杜蘭的海爾史東的研究小組已試驗直接將一些原始的一氧化氮釋放劑，」雷妞用「原始」二字和說話時的語氣表明她的不屑。「例如硝普鈉鹽，注射入恆河猴的陰莖海綿體，勃起程度可媲美罌粟鹼的功效。」

「所以莫爾第凱，」她指的是他藥理學研究小組成員，「養了幾隻恆河猴，設計一個試驗來檢視NONO衍生物對海綿體內血壓、勃起時間長短、和耐久度的效用。他挑選了兩個有可能的化合物，代號NONO第一號和NONO第二號，可見下一張投影片。」雷妞花了幾秒鐘帶著尊嚴思考化學式，然後轉向弗教授，很有雅量地說：「如果眞的有效，你得給它們取炫一點的名字。」

「現在講到哈達撒的主要貢獻：之前已提過，戴教授實驗室觀察到，利用尿道吸收某些藥劑比直接注射入海綿體，能使勃起更持久。這點提醒了我，」她不再看著筆記。「不久前，約翰霍普金斯大學的所羅門．史奈德小組曾提出，一氧化氮合成酶——驅動體內產生一氧化氮——在尿道黏膜內濃度最高，四倍於陰莖內之濃度。」

「於是，」雷妞做出結論：「我們必須仰賴約夫德發明的裝置來輸送我的NONO衍生物。」她拿起「繆沙」，舉起來，慢慢取下保護套，「就像香水噴霧瓶！」

「說得好！」約夫德插話道：「我一直在找一個比『管子』或『針筒』更貼切的描述。就叫它『費洛蒙噴霧器』——當女性緩緩將之置入男性尿道時，應能挑起情慾。所以『繆沙』也代表『刺激性慾之醫學裝置』」。

「請不要興奮過度，」戴教授警告道：「雷妞示範時確實能挑動人心，但身爲泌尿學者，我不得不說，我們不應高估男性在『那話兒』插入任何東西的意願。最後終究仍得靠其功效而非動人的名稱才能成其事。」

「且慢，諸位。」雷妞笑著擺擺手。「不管『繆沙』是香水噴霧器或短劍，須將小藥丸放進輸送管中方能彰顯其重要性。」她拿起桶狀的柱塞頭說：「據我所知，目前眞正注入陰莖的只有『空包彈』而已。」她故意不看約夫德，反而看手錶。「我已超過預定時間，我想摘要敍述合成新一氧化氮拮抗劑的觀念——亦即具相反作用的化合物，但留待下次再說。反正我們目前的研究著重於產生一氧化氮和刺激陰莖勃起，不是打消性慾。」

「現在請戴教授講述臨床報告提綱。」她收拾好投影片走下台。

「講得很精彩。」

弗教授和雷妞站在大衛王旅店的大廳。

「精彩絕倫。」他又誇讚一遍。「不只是你發表的內容，半年來你變了很多，變得……」

「成熟？」她笑了，面露喜色。

他搖搖頭。「不只如此，你還表現出十足的自信。」

「你覺得臨床計畫如何？」

「我贊同耶胡達，將NONO衍生物裝入『繆沙』之前，須先以已知藥劑證明尿道傳遞藥物之可能。我同意罌粟鹼並不適合，作用太強了：須注射六十毫克才能發揮功效。萬一陰莖勃起十小時不軟化呢？」他笑了，但笑得頗爲尷尬。

雷妞也感染了他的尷尬，語氣顯得不自然。「那你覺得戴教授的提議如何？」

弗教授若有所思地點頭。「我也認爲先給『繆沙』裝入天然的血管擴張劑爲佳。前列腺素E1很適合，它可在陰莖內代謝，罌粟鹼則不行，而且所需劑量很小。瑞典的漢斯・何得隆已試過直接注射六微克亦即罌粟鹼劑量之一萬分之一的前列腺素，達到勃起效果。」

「何不測定『繆沙』裝置的有效劑量？他不想先在正常男人身上試驗嗎？」

「陽痿男性也是『正常』男人，雷妞，」他糾正她，「陽痿男性才不想被人當成『不正常』，你的意思是說『勃起反應正常的男性』吧。」

她心想，我忘了男性對這檔子事有多敏感。「當然。」她柔順地答道。

「就算在正常男人身上試驗了也證明不了什麼。」他口氣堅決。「我們不應把它當成色誘的工具，應該專注在陰莖功能異常，如血管疾患、糖尿病、攝護腺手術等好發於老年人的情況。別忘了，富裕國家的銀髮族人口正持續增加。製藥廠決不會忽視這一點。」

「那我們要從接受醫療的人著手囉？」

「當然。幸好耶胡達邀請了那些醫師，他們一定很注意你的報告，我肯定他們已經在盤算那些病患可供試驗。我敢打賭，我返美之前就會有志願者上門——而那些過去勃起正常，如今失去性能力的人。如果『繆沙』能成功注入，這些人在注入數分鐘內，不靠《花花公子》或《閣樓》雜誌即能勃起。」

他朝電梯走去。「對了，」他頓了一下，伸直的手指尚未觸及按鈕，「明天我會開車去貝爾旭巴。」

「哦？」她倒是不知情。

他按下按鈕。「我想見曼那欽·狄維爾一面，他今天早晨打電話給我。」

「雷妞，你眞了不起！」門一關上，約夫德就給她一個擁抱。「說到勃起——」

「我有說嗎？」

「不是現在說的。」他再度緊摟住她，緊得她能感覺到他褲檔內的那話兒硬繃繃的。「可是你講話時我一度勃起。平鋪直敘的科學言論竟能挑起情慾。」他領雷妞走到床邊。「你在那兒，身爲男人群中唯一的女性，大談如何使那話兒挺立。不知有多少人幻想著我們即將要做的事……我相信一氧化氮威力強大，但可別低估飽受刺激的大腦喲。」

「好個午後，」她喃喃自語。陽光透過百葉窗如斑馬條紋般照射著兩人的胴體。「我和同事躺在這兒，心滿意足，不用待在實驗室，因爲指導教授受時差之苦，必須小睡一會兒。」她弄亂約夫德的髮。「我以前不曉得長篇大論後享受性愛的滋味竟如此美妙。光線這麼柔和，你的睫毛一根根如此清楚，而且好長，像女人的睫毛。」

約夫德側轉身摟她入懷，但她掙脫了。「等一下，」她衝口而出：「我剛想到一件事。」她光著腳蹦跳到窗邊的書架。「在這兒，」她揮著手中的《猶太戒律》宣布道，「有一段非唸給你聽不可。」

「天哪！」他嘆道：「你有完沒完？」

「最後一條戒律！我保證！」她把書攤開，擺在他肚皮上，迅速翻書。她一手掩住約夫德的嘴，一邊唸：「不得在燈旁行房，即使以衣服罩住燈也不行。日間也不得行房，除非房間暗黑。月光明亮的夜晚亦嚴禁行房，不得——」

約夫德推開她的手。「但願今晚皓月當空，私生子已等不及再度犯下罪行。」

弗教授坐定，說道：「我們共同分享補助金，與有榮焉。」

「除非你說的『我們』意指我們各別的研究機構，你太抬舉我了。」曼那欽·狄維爾答道：「我和科學扯不上關係。」他坐在舊椅子上慢慢前後搖晃，衣袖捲至手肘上，雙手交疊於腦後，而窗型冷氣正於那吉夫的暑熱下轟隆作響。「你知道的，我不是科學家，是工程師，現在僅爲行政人員。很遺憾昨天錯過你的科學評議會。管理董事會的執行委員會這個禮拜開會，我必須聽候傳喚，否則我寧可聆聽『繆沙』計畫的進展。」他的笑容十分優雅。

「不只是『繆沙』，一氧化氮才是重頭戲。」弗教授的抗議意味僅有幾毫米深，狄維爾道歉的微笑卻有好幾公分寬。

「我知道，我知道，我只是比較熟悉約夫德·柯恩的工作。這個年輕人才華洋溢，你說是吧？」

「是啊。」弗敎授答道：「昨天才和他初次見面，他的裝置設計無疑十分靈巧。」

一時之間兩人大眼瞪小眼，無言以對。

「我帶你四處走走吧，」狄維爾提議道：「我們比不上哈達撒——目前還無法相提並論——不過新大學總是令人興奮，你應該會喜歡。畢竟布蘭岱已建校三十年了吧？」

「你知道呀？」弗敎授很驚訝。

「接待貴賓總要事先做點功課嘛。」

本古里昂大學創校十年，逛完一圈花不到一小時，但建築物頗引人入勝。可惜此刻燠熱難耐，不適合逛校園。狄維爾大半時間花在地圖前，講解建校歷史和未來藍圖。

弗敎授以爲導覽將近尾聲時，狄維爾說：「有件事想跟你商量。有位管理董事是你的同胞，正業和副業都是風險資本家——你不得不承認這是個稀奇的組合——經他建議，我們已在美國申請『繆沙』的專利。」

「什麼？」弗敎授大驚，「你們怎麼可以——」

「我們當然可以。其實正如董事所指，不趕在文章發表前申請，有虧我們職守。」

「那瑞普康呢？他們支持你們的工作吔！難道不先和他們商量嗎？而且說眞的，你非跟他們商量不可。」

狄維爾摩挲著下巴，睇著弗敎授，慢條斯理地說：「對也不對。既然他們是贊助者，當然該跟他們商量。這是『對』的部分，也是要跟你討論的地方。」

「那不對的部分呢？」

「約夫德的原始設計和最初幾個原型都是在外界金援下來前完成的。因此瑞普康不算有份。我們資源貧乏，我的工作是尋找經費來源。申請專利是其中一小步，尙需努力才能開花結果，所以需要你的同意和協助。且聽我解釋。」

狄維爾的分析簡潔有力，合情合理。本古里昂必須迅速申請「繆沙」專利，基於法律原因，布蘭岱或哈達撒無法並列爲申請者，依字面正式解釋，兩者不算「發明人」。但裝置若未裝入有效成份——布蘭岱的貢獻——而且證實有效——這屬於哈達撒臨床研究之範疇，裝置便無用武之地。就算研究結果成功，雷妞合成的NONO衍生物也要在公開發表或甚至公開討論之前即申請專利。

「我不曉得昨天的情形，但你們已近乎公開發表了。」狄維爾警告道。「你若同意我分析有理，你們布蘭岱的人手腳最好快一點。若需要跟瑞普康談，就快點進行。」

「其實我們不需要跟他們談。」弗敎授考慮之後道。「補助金撥下來之前，NONO衍生物的初步工作已完成。我一回去就和布蘭岱的人商量。」

接下來就簡單了。兩人同意本古里昂的裝置專利和布蘭岱的產品專利及使用專利權將與哈達撒的發明專利權申請共同掛名，弗敎授返美前，將在耶路撒冷舉行三頭會議。分紅之原則也立即底定，三塊大餅的尺寸比例將交由大學行政人員處理。

「謝天謝地，我們不用插手。」弗敎授做了結論。

「你不用插手，我要。」狄維爾笑嘴咧得極開。「你忘了，我是行政人員呀。」

弗教授正要離去之際，狄維爾問道：「我想你必須向瑞普康澄清未來申請專利的問題。你和負責人熟不熟？」

「米蘭妮·連德蘿？太熟了，我和她的交情……」他心裡數著：「超過六年了。當時她仍爲賈斯廷之妻。我是先認識賈斯廷的。」

「她先生是什麼樣的人？」

弗教授狐疑地瞅著他。「賈斯廷呀？是位傑出科學家。」

「就這樣？」

「我不懂你的意思。他個性也很耿直……不折不扣的好好先生。爲何有此一問？」

狄維爾搖頭。「純粹好奇而已。對了，連博士近況如何？」

「享盡爲人母的樂趣。」

第八章

耶路撒冷，十二月二十四日，一九八〇年

敬愛的弗教授：

人類適應環境的能力眞強。提筆給你寫信才發現，在這耶誕節的假日中布蘭岱實驗室裡應早已無人。但是在耶路撒冷這兒——起碼在猶太人聚集的耶路撒冷——今天只不過是又一個尋常的星期三。然而，不論假日或上班日，反正今天都值得紀念：「繆沙」奏效了！初步的劑量研究以十二個三十一歲至五十九歲的志願試驗者爲對象來進行：四位糖尿病患，四位患心血管疾病，四位動過攝護腺手術。前列腺素E1有效劑量——意即可勃起三十至六十分鐘——爲二百五十至五百微克之間（但最年輕的受試者一二五微克即產生反應）。我們依程序建立一個原始分級制度，評估勃起品質——分成一至五級；五級最佳，三級爲「足以插入」。（容我聲明，該詞是位泌尿學家發明的，不是我！）約夫德・柯恩正著手組裝新裝置，期望它能提供更具體的數據，成功了再向您報告。

我明白（我本人並不在場）男性一開始都不太情願將管子插入尿道。但手續確實簡易迅速且成效驚人（數分鐘內勃起級數達三至五級），第二次便無人有任何異議。

我們正謹愼考慮將前列腺素E_1劑量提高至一千微克，因爲一位「正常的」志願受試者（你我都明白爲何標上引號）魯莽地決定要試七百五十微克，其造成的勃起需相當時間才消褪。我因此確信決定劑量需格外小心，以免一旦從事一氧化氮釋放者臨床實驗時，做得過火。

了解NONO一號和二號的效能之前，我目前無意進一步研究其他NONO衍生物。一待亞急性毒物學完成——應在普珥節過後不久——戴教授即首肯臨床實驗之進行。LD_{50}毒物學的老鼠試驗極爲成功：牠們打呵欠和勃起毫無困難，直到注入高劑量，才如莫第凱所說：「含笑而逝」。由於NONO衍生物爲新化學物質，異於我們相當了解的前列腺素E_1，因此莫第凱將在兔子身上進行六十日的研究。「繆沙」管子太粗，不適合兔子尿道，但他利用眼科的鑷子將含藥劑的小丸子放入，解決了問題。只消讓兔子仰躺，四肢如癱瘓般張開。經過練習，連我也能操作。

一待NONO一號和二號證實對人體發生效用，一氧化氮釋放者的黎明即將「升起」（我在此刻意使用雙關語，不過，和我最近在實驗室內聽到的，算小巫見大巫）。

自我們唯一「正常」的志願受試者得知，我們需要能注入消腫成分的「繆沙」系統。裝有一氧化氮合成抑制劑的「繆沙」應該可作法用，但一氧化氮清除劑呢？可能比口服劑「速達非」（Sudafed）這種傳統血管緊縮藥更有效。我們初期可能會將苯基麻黃素（擬交感神經加壓劑）裝入「繆沙」，測試尿道注入法是否適用此類化合物。

隨信附上可能做為一氧化氮合成酶抑制劑之物質，你會發現我自保羅・費德曼研究精氨酸類似物之論文，和他近日一氧化氮合成酶活性中心的模型得到靈感。下一封信再告知我對NO清除劑的絕妙想法。我已聯絡上此地藥學院醫藥化學系拉斐爾・梅丘倫教授，以借用實驗室一些空間。我猜梅教授是希伯來大學校長候選人之一，因此在地方頗具影響力，他為人十分體恤。請告知你對我的計畫有何看法。

敬祝　平安！

雷妞上

附記：戴教授對第一階段臨床研究相當樂觀，所以授權給我們的藥理學家在齧齒類動物身上進行毒物學研究，如果兔子的六十日研究成功的話。亞急性毒物學在人體的初步研究進展順利，但勃起成分若需在臨床長期使用，必須排除其致癌性。生物系統內之亞硝基化合物相當捉摸不定。現在開始進行為期兩年的餵食研究，應可爭取到一些時間。

如果我告訴教授約夫德和他那裝得過滿的「繆沙」的眞正故事，他不知做何感想。約夫德或許算是個私生子，但在某些方面，他也是條以色列男子漢：誠如我倆初相識時他所吹噓的，他得了九十七分，我當時根本不知道他所指何物——幸而他很快就戒掉了吹噓的毛病。

每位以色列男孩一滿十七歲就要參加一項綜合測驗——生理及心理兩方面——爲即將來臨的入伍作準備。測驗成績以一個號碼代表，我猜約夫德拿了九十七分。

「成績不錯。」我說道：「可是爲什麼沒拿一百分？」

「一百分？」他很生氣：「沒有一百分。最高分就是九十七。」

據約夫德說，之所以沒有一百分，是因爲沒有一個猶太人在生理上十全十美，因爲他們全行過割禮。這麼說來，莫非割禮旨在教導男性，男性並不完美，他們應該謙沖爲懷？那以色列女性入伍前呢？有人多拿那三分嗎？

我可能永遠也不會知曉。最近我們的話題總繞著研究成果的商業用途打轉，因爲之前他和狄維爾談過幾次。狄維爾認爲我們研究的一切內容：「繆沙」裝置、NONO衍生物、自尿道打入勃起成分，甚至最後的一氧化氮合成酶抑制劑，都應該申請專利。我沒想那麼多，但狄維爾似乎言之成理，「繆沙」未來使用者的世界將如何？當我告訴狄維爾，陽痿患者計有數百萬，我感覺到他已經打算用這些利潤替班袞力恩大學興建幾棟建築物。

這番談話使約夫德相信，我們必須趕快研究正常人對此療法之反應。難道正常人不算是未來的顧客嗎？

「何謂『正常』？」我問我那差三分就完美的男人。

「二十一分以上叫正常。」他笑了，顯然這是入伍最低標準。

兩星期倏忽過去，某個安息日，約夫德堅持使用裝了前列腺素的「繆沙」——他唯一拿得到手的一個——內裝七百五十微克，是第一次劑量試驗剩下的。

他採取了一項預防措施：我們行房後半小時，他才要求我替他置入。我倆一星期未見面，所以他要確定這是化合物刺激所致的勃起，而非因爲久未見面的關係。不到數分鐘約夫德的反應已達頂點，我們很快地又開始共享魚水之歡。

起初一切正常，其實甚至更好；能以手中之「繆沙」令男人勃起，令我亢奮異常，約夫德的表現爲五分——至少五分以上。可是他隨即痛苦地呻吟，屈膝在床上翻滾，好似要藏起他堅硬的那話兒。

我不知所措，只能輕撫他的頭，柔聲向他保證痛苦和勃起一定會消褪。然而約夫德站起來來回走動起碼三十分鐘，咬著手儘量不出聲呻吟。我提議叫醫生，但約夫德猛搖頭。最後我受不了了。「約夫德，」我低聲耳語，「我要打電話給戴教授，電話一通，我就把話筒交給你，到時你最好告訴他實話，但別說是我幫你施打的。」

後續發展相當直截了當。戴教授漠不關心，更不同情。「平平仰躺在床上，減輕液體靜力壓力。絕對不要站起來或走動。千萬別側躺，冰敷鼠蹊和大腿上部。」然後開了六十毫克的「速達非」，根本連問都沒問約夫德在哪兒打的電話。「我們最好談一談。」說完就掛斷了。

我用約夫德的襪子裝滿我那小冰箱內的冰塊，外套一個塑膠袋，強壓在他蜷曲的兩腿之間。等他平靜下來，我向整棟樓我唯一敢在安息日打擾的鄰居要冰塊。幸好他們不信猶太正教。

第九章

「庫里希南博士嗎？」那個高個子美國人問道。「我叫馬丁・蓋斯樂，是管理董事會一員。可否與你一談？我可以叫你雷妞嗎？」

爲什麼不可以？她差點脫口而出，但她只點了點頭。他倆身處本古里昂大學新建大樓動土典禮的圍觀人群中，狄維爾校園地圖上又添一棟建築物了。約夫德邀請雷妞來，因爲他的實驗室也在新大樓內。陽光炫目。

「我們走到陰涼處吧，」蓋斯樂指著灰頭土臉的檉柳道：「喝點涼的。我有個提議供你參考。」

「我有個提議供你參考。」蓋斯樂如此開場白。仔細思量，提議一詞可涵蓋「性」或「商業」兩種層面。在此，提議的是極度商業的事。

約夫德和狄維爾向我提過蓋斯樂，那天他們提及專利問題。當時他們沒告訴我他的名字，只叫他「那個美國人」，其實班裘力恩大學校董會內美國人衆多。

以色列的研究機構如希伯萊大學、魏茲曼研究所，和本古里昂大學，董事會的陣容都很龐大。董事會職務多半是榮譽的，保留給主要捐贈者，不但希望他們繼續捐錢，也期待他們帶新的贊助者加入董事會——研究機構樂見此種情形。然而就在這些慈善家、社會主義者、不切實際的社會改革家、甚至一些乘機占便宜者中，依舊有人是眞正的執行者。據狄維爾說，「那個美國人」屬於最後一種人，他和此類別的人一樣，行政人員對他的評價相當高。以色列建國數十年之後，他是少數擁護以色列的美國人之一（相當希罕，因爲美國人，甚至猶太人都少有此種情操）。這種人看到別人的成功和輝煌紀錄，準備（套句他們的話）「加以效法」。他們是新興的企業家，非但沒有持浪漫情懷欣賞以色列集體農場的景觀，反而有著典型美國風險資本家掠奪的現代眼光，著眼於高科技工業和高價的輸出品，對柑橘和甘醇的蒙特卡默山酒則沒興趣。

他一開口談提議，我才明白這位馬丁．蓋斯樂就是約夫德和狄維爾口中的「那個美國人」。我不覺得他高大健壯，但他看來比實際年齡年輕十歲，俐落的短髮，鬍子刮得光滑，不像以色列人兩天刮一次，有點鷹鉤鼻，雙眸明亮。我不禁被他吸引，他也一直盯著我瞧。

他開頭先讚揚一氧化氮神經傳導功能是了不起的基礎研究。他說他出身企管碩士，並非科學家，但他在製藥工業待過很長的時間，判斷得出何謂好的科學研究。（此時我當然無從得知他多內行，事後才曉得。）他說我研究的NONO衍生物——他低頭行禮，表示對我的敬意——「能」有助於（他沒說「可能有助於」，甚得我心）勃起障礙的男性（他連行話都知道！）。他傾身向我靠近，詢問我們是否認眞想過自投資眼光來衡量，這項研究多麼有「錢途」？

「坦白說，沒有。」我說道。這是直接反應，我受過嚴格學術訓練，思想純正，未受「錢途」這種俗氣的事汙染。

「那麼，身爲此校的主管人員，我要告訴你，」他轉過頭，想以手揮走刺眼的陽光。「這所大學遇上千載難逢的機會——也是布蘭岱和哈達撒的良機，」他低聲追加後一句，似在強調後兩所大學在他眼中較次要。「可以大賺一筆純利和收入。純利得自持股，最後將轉爲捐贈；收入則來自權利金。」

說這些用意何在，我心裡納悶。

他似乎看穿我的心思。「一切關鍵在於美國市場。你們這裡的人完全沒想到，」他再度想揮走烈日。「要得到像NONO這種藥須付出多大代價——順便一提，該取個吸引人的名字（我忍不住微笑）才能獲FDA（美國食品藥物管理局）通過，這便是需要借重你之處。」

正說到興頭上，管理董事會的董事長走來打斷，他急著找蓋斯樂，兩人走進耀眼的陽光裡。

「回到美國感覺如何？」弗教授慈祥地垂問：「已經多久啦？……十五或十六個月？你想必很思念我們。」

「這個嘛……」雷妞遲疑了一下。約夫德塞了一本小書給她在機上閱讀，打發時間，書中是老子講述陰陽的部分。其中一段深烙在她腦海：「眞言不美，美言不眞。」她不懂老子講話爲何如此絕對。

「思念之情沒那麼殷切啦，」她終於開口：「沒空想念，各方面都一直在忙——」

「不過你效率驚人喔。」

弗教授的本意是恭維，但她又想到道家學說：「效率不能服人；服人並非效率。」口氣一樣絕對！她故作矜持，「有效率還不夠。成果源源不斷湧出，像用消防水管喝水似的。」她暗想，我的私生活何嘗不是如此。「不過，回到舊日實驗室眞好，雖然只有一天左右。對了，我要感謝你讓我當主講人。」

「你當之無愧。」弗教授慈藹地說道：「何況，泌尿學家聽女性演講也對他們有益。」

「聽衆多爲泌尿學家嗎？」

「極有可能。名稱是『性無能國際研究學會』，因此其他專業人士應也會到場：心理學者、精神病學者、內分泌學者……當然少不了老人病學者……，說不定連流行病學一些怪傢伙也將蒞臨。但我肯定多半是泌尿學者，意即清一色全爲男性。」

「我想問，」雷妞語帶好奇，「他們爲什麼不稱『勃起功能障礙國際研究學會』？」

弗教授聳聳肩，「也許有其歷史背景吧，不然就是泌尿學家喜歡直言不諱。」他一笑：「我們也會一樣直率吧？先預習一下你的幻燈片，我想看你三十分鐘能涵蓋多少內容。」

「我正爲術語而取決不下呢。」她打開公事包，拿出一疊幻燈片的放大拷貝，將第一張遞給弗教授。「我打算自定義『性無能』開始——一般性無能指不舉或硬度不足，無法使性交達滿意程度——但此一定義不但狹隘，貶損意味也過於濃厚。」她直接照稿子唸：「『即使勃起功能發生障礙，性慾、達到高潮和射精能力仍可能完好或僅部分受損，但導致之性功能不足感，能造成自信心喪失和抑鬱。』」

「口吻像個性治療師。你從那兒看來的？」

雷妞一時滿臉通紅，立即往下說：「本古里昂醫學院一些臨床醫生強調他們『全部的病人』對如何區分性無能之生理成因和心理成因特別感興趣。我不想老做一氧化氮的基礎研究，我還想明瞭NONO衍生物對男性的作用，戴教授允許我參與臨床討論，甚至列席第一組某些志願受試者的面談。很巧的是，受試者多爲醫師。」

「眞的？出乎我意表。」

她將主題帶回到放大的幻燈片拷貝。在我演講中，我會再提去年在耶路撒冷提過的流行話題：全美約有一千萬至兩千萬男性罹患性功能障礙，如果將部分障礙的人也算進去，數目還要再增加百分之五十。接著摘要叙述一氧化氮是勃起之關鍵，而且——」

「一定要用勃起的『聖杯』一詞！我在耶路撒冷聽見你打的這個比方，彷彿聽見歌劇『帕西弗』的序曲。」

老天！雷妞心想，那一招果然奏效。「好的。」她眼也沒抬地點點頭。「接下來進入NONO衍生物的部分，此處只用一張幻燈片，因爲不太可能有化學家在座。然後展示『繆沙』爆炸性的外觀。我要他們親眼目睹小藥丸置入管內，如何施打入尿道。但主要強調最新的臨床數據，涵蓋於最後三張幻燈片。」

「三張幻燈片都講數據可能嫌太多——起碼我個人不喜歡如此。」

「我向戴教授請教過，他覺得我該多花時間在數據上，因爲數據最具說服力，尤其聽衆都是醫生的情況下。但別擔心：我有法寶能吸引他們的注意力。用這個打前鋒。」她將一張幻燈片滑過去給弗教授。「勃起效能的評分標準。」

弗教授迅速瀏覽一遍。最低分爲一分，代表不舉；兩分代表充血，三分代表完全勃起。適度潤滑的話，三分的勃起即可進入陰道，因此泌尿學者稱之爲「足以進入」。四分和五分當然表示可正常性交。

「你尚未見過下一張幻燈片：這是約夫德的點子。」她將幻燈片遞給他，靜候反應。

「這是什麼？」弗教授滿腹狐疑。「我指的是魯比．戈德堡的怪玩意兒，不是說陰莖。」

全盤解釋給教授聽時，我無法保持一本正經。都是約夫德的主意，他認爲一至五分的評分標準太粗糙。

「太偏定性測量，」他邊說邊把紙頭扔掉，「我試試能否想出較理想的辦法。」他眞的想出來了。

我們固定聚首的某個週五晚間——現在他不戴保險套，因爲我又開始服避孕藥了——約夫德以四點五分以上的勃起陰莖對著我。他說：「用左手握住他。」私下只有我倆時，約夫德總以「他」來稱呼那話兒。「現在用杯子壓住他尖端。」他拿出一個自製小玩意兒，有個橡膠凹杯，經由一根彈簧桿連結一個可測量施壓力的轉盤。我輕輕用橡膠杯壓住他的命根子。「用力一點！」他說道。我開玩笑說壓力可能會達一千，但他不耐地揮手要我住嘴。「一直壓到他彎曲爲止。」他說道：「這才是重點所在。」我再用力施壓，約夫德注視著壓力計。「六百二十克。」他的命根子開始彎曲時他嚷道。他得意洋洋地瞧著我。「看到沒？這就是堅硬度的定量測量法！」

我瞇眼瞧著表，「六百二十克？」我語帶失望。

「給我。」他一把把測量計搶了去。

約夫德稱之爲「彎曲重量」。他找一批「正常」的志願受試者，也就是他已退伍的朋友，他們把試驗當成比賽，忘了這是科學研究。結果顯示四百五十克以上的彎曲重量進行性交已綽綽有餘。戴教授感到好笑，同時也興致勃勃。最後他要我在紐約演講時採用五分評分法，但告訴我說，我可以暗示說未來更廣泛的研究將沿用約夫德的「陰莖彎曲計壓器」做資料分析。

雷妞最後一張幻燈片呈現的成果雖仍初步，卻引起很大的迴響。共計三十七位男士參加藥物對照試驗，以安慰劑做控制組，實驗組使用不同劑量的NONO一號和二號。一號和二號皆使八成男性達到三至五分的勃起狀態——思及這些志願受試者勃起障礙的病史和病因各個相異，能有這種成果著實了不起。由於NONO二號使用者勃起可達四分以上，故而選定二號做進一步研究以決定是否有勃起過久和其他副作用。勃起過久在此項研究裡定義為勃起超過三小時。引起的痛苦自然是另一個研究問題，但目前尚未遭遇這種困擾。

弗教授很高興，其實是相當熱心，所以雷妞告知他們與哈達撒的「研究評議委員會」有衝突時，弗教授相當生氣。

「研究評議委員會主掌一切臨床研究之通過權，反而阻礙研究進展。」雷妞告訴弗教授：「他們同意初期研究用兔子做毒物學研究已足夠。如今我們想增加劑量和長期研究，他們即提出疑問。我承認NONO衍生物是新化合物，必須謹慎，但我們處理的量極小——如你所知，有效劑量相當低，平均一週僅需施打數次。」

「研評會意下如何？」弗教授的語氣顯示他和雷妞一樣，只對NONO二號有興趣。

「首先，他們擔心是否具致癌性，因爲我們想讓某些受試者長期且反覆使用。」

「擔心得不無道理。」弗教授同意他們的看法。「這是亞硝基的化合物嘛。」

「我們已開始爲期兩年的老鼠餵食計畫，再過兩三個月即將屆滿一年。他們要求一旦滿一年，必須犧牲一些服用劑量最高的老鼠供病理檢驗。幸好莫第凱實驗的白老鼠夠多。」

「還有其他的問題嗎？」

「尙有兩項要求。第一項我已著手進行，亦即詳細研究NONO二號，找出所有可能的代謝產物，第二項卻是我始料未及；考慮NONO衍生物對女性的作用。」

「我不懂，」弗教授淡淡地說道：「沒人給女性施打過這些化合物。我也不記得首度試用『繆沙』施打前列腺素E1時，有誰提過這個問題。」

雷妞很開心教授和她一樣。「就某一方面而言，我們等於將有效成分施打入女性體內，亦即男性射精的時候。之前未引起反對乃是因爲前列腺素爲精液天然成分之一。」

弗教授猛拍一下額頭。「我竟然忘記！女性每天自精液攝取大量前列腺素——呃，當然不是每天，可是……」他的聲音越來越小。

「沒錯。」雷妞正色道。「所以研評會質疑的是NONO衍生物能經由精液傳遞。『萬一你用的成分半衰期爲三十分鐘呢？』研評會一位醫生會員曾如是問道。」

「呃，我們確實朝此目標進行，對吧？」

「如果受試者早洩，精液量豐呢？」

「陽萎患者多半有此問題。」弗教授嘀咕著。「患者大多五十歲以上，但他們不得不回答這個問題。」

「那當然囉。」雷妞說道：「戴教授說我們根本不該懷疑。如今他正組織一項研究，以年輕、健康、『正常』自願受試者爲對象，」雷妞在空中畫了個問號。「多數爲醫學院學生。我們要求他們自慰。施打一劑NONO二號後，分別於三分鐘、五分鐘、八分鐘、十二分鐘、十五分鐘、二十分鐘內射精。他們在泌尿科診所人員持馬錶計時下，應不會出錯。我會研究新鮮樣本內的NONO成分。」

「就這樣？」弗教授鬆了一口氣問道。

「暫時如此。」雷妞頷首。「研評會將讓我們進行第二階段臨床研究，一百五十名性功能障礙各異的自願者——手術後陽萎、神經障礙性陽萎、藥物治療所導致的陽萎。他們想要藥劑廣泛使用後的數據，並希望使用『繆沙』後至少間隔二十四小時，避免藥劑代謝不完全而殘留。但第三階段臨床試驗必須等到老鼠兩年餵食試驗結束，拿到完整病理報告才行，也就是一九八二年下半年。」她傾身向前，雙眸閃著光芒：「我沒想到參與治療藥物之發展竟如此刺激。我想了解一路做下去還需要什麼……」

「一路做下去？」

「通過食品藥物管理局檢驗啊，目前研究工作全在以色列進行，但NONO二號若想上市，美國將是最大市場。」

「你野心不小啊。」

「是呀，」她語氣堅定：「而且好奇滿腹，所以演講後，回以色列前，我要南下加州幾天。」

「目的何在？」

「和馬丁．蓋斯樂見面。他曾爲薩拉公司的執行長（CEO），該公司位於帕洛奧圖的史丹福工業園區。我已四年沒回史丹福，但我還在唸研究所時即聽過薩拉公司，它的前身叫薩發諾利實驗室，取亞爾費多．薩發諾利之名，他是藥物傳遞新法之一代宗師。據蓋斯樂說，薩拉透過食品藥物管理局得知所有藥物傳遞的新工具，如『繆沙』。再舉一個小例子：蓋斯樂建議我們不要用「裝置」二字。」

「那他建議用什麼字？『噱頭』、『不知名』、或『某物』？」弗教授覺得蓋斯樂的建議愚蠢至極。

雷妞大笑。「其實他是認眞的。他說『裝置』一詞在食品藥物管理局可能會涉及調節器類的規定，如心律調整器者、子宮內避孕裝置等，諸如此類的。此二字猶如一面示警的紅旗。他建議我們稱『繆沙』爲傳遞藥物的新『輸送器』，如此一來，他們便會專注在藥物方面，亦即NONO二號的安全性和效能。」她又大笑：「我們還有充分時間決定叫它『輸送器』或『避孕器』，但蓋斯樂已爲我安排引見薩拉公司熟悉規定的職員，告訴我們有關食品藥物管理局的事項。更重要的是我想知道完成這些研究約需籌募多少經費。瑞普康的補助金不敷臨床研究之用，而在美國做進一步研究，需要的經費更龐大。」

弗教授開始來回踱步，他想改變話題便會有這種舉動。此刻他停下來看著雷妞。

「你說，」他一字一句慢慢吐出：「瑞普康補助金用罄之後，你做何打算？我們當然可以再度申請，但恐怕很難獲准。你前途看好，不該再仰賴外界金援，何不在美國謀個終身教職？可曾想過這件事？」

「其實，我有想過。」

約夫德也想過。

「你能否考慮長住在這樣一個國家？」

「他問過我好幾次，我從未答說：『不能。』但也從未肯定表示過：『可以。』我總以『視情況而定』搪塞。

其實問題背後眞正問的是我們會不會白首偕老。

經過相當時日，我才體會到他深受私生子身分所擾。別人可能以爲像他這樣一個一般的猶太人，遵守的戒律僅限於點點安息日蠟燭和贖罪日持齋戒，應該多少對此身分麻痹。但我看得出，約夫德自視爲以色列國民，是打過贖罪日戰爭的退伍軍人，他以以色列擁護者自詡，和大多數以色列人一樣，對宗教不熱中。他的父母奉公守法，爲人正直，卻被判定爲非法同居幾十年，他的存在等於雙親深深的恥辱。我甚至懷疑他到三十依然單身——在他的以色列同儕當中頗不尋常——乃是擔心一旦在以色列成婚，他私生子的身分將公諸於世。

最後，根本搞不清誰向誰求婚，誰先對「我們結婚好嗎？」這個問題答以：「為什麼不。」正式來說，是約夫德先提的，但實際上呢？該說的說了，該做的也做了之後，到底是誰提的？問的人或答的人？又是一個道家的謎團。

「私生子或合乎猶太戒律，管他的。」我說道，完全不曉得這兩個字是否意義相反。

「如果你娶的是印度人，根本沒有差別。」

「我本以為你想改變宗教信仰。」他提醒我。

那時我才明瞭約夫德想娶個猶太老婆。「理論上是如此，」我說道：「但絕對不信猶太正教。」我沒告訴他，我偷偷造訪過猶太會所——執行宗教戒律之處。約夫德在貝爾旭巴的朋友帶我去的——自英國軍事時期起便有的一個舊半圓形活動營房。一進門，彷彿走進十九世紀的猶太村莊，幾千卷的卷宗以線捆綁在一起，自地板堆到天花板，一些戴黑帽穿土耳其式長袍的男人正站在梯子上，拉下卷宗，吹走上面的灰塵。我趕緊逃之夭夭。

「即使你改信猶太教，子女仍為私生子。」約夫德提醒我。我請求他頭腦清楚一點。我倆的子女二十多歲結婚時，已是西元二〇一〇年，到時很多觀念都改變了，中東甚至可能和平降臨呢。他被我逗笑了。「也許我的夢想會成眞：另一大批移民自未開發的蘇聯擁入以色列，充斥著不守戒律的猶太人，屆時私生子便接掌大局。」

我一體會到他認為子女私生子的身分無法更改，是最大的屈辱時，便決定私下研究私生子身分這一套——研究雖簡單，成果卻極豐碩。答案就在猶太百科全書中：「猶太人和異教徒成婚，所生子女從母之身分，私生子與異教徒母親所生之子女，將爲異教徒而非私生子；因此經過適當的程序改信猶太教，子嗣可成爲合法改宗者，與父親私生子身分無涉。」

自那時起我倆開始計畫。這是不是一場白日夢？如果「繆沙」結合NONO的計畫大舉成功，在美國成爲廣爲接受的勃起障礙療法會如何？兩人都在美國工作，又會如何？

「我們什麼時候結婚？」約夫德自第十層天堂（如果但丁的天堂有九層，再加一層又何妨？）回到地面後問道。

「等我自加州回來再談正事。」我採拖延戰術，我還沒把蓋斯樂的提議告訴他。沒想到「正事」一詞用得如此貼切。

弗教授再度落座。「你的答覆呢？」

「一言難盡。」她說：「首先我打算結婚。」

「梅索托夫（恭喜）！」他以希伯來語笑著道喜。「那個幸運傢伙能娶你爲妻呀？」

「約夫德・柯恩。」

「哦，」他的聲音低了四度。「他準備遷至美國居住嗎？」

「我還沒問呢。」

「還沒問？」弗教授不解。

「眞正的問題是我願不願遷回美國。」她眉頭一蹙。「我爲什麼說回美國？我是印度人吔。」

「因爲你已經美國化了。」

「你眞這樣想？」她若有所思地瞧著弗教授。「是我非印度化了。」

帕洛奧圖，加州，六月三日，一九八一年。

最親愛的亞秀克：

樂於自上封信得知，你和姆媽爲我即將成婚而高興，雖然這不是樁印度式婚姻。至於結婚的時間和地點呢？一言難盡，且聽我道來。

你可以看出此封信寄自我舊日常流連之所。此行非常愉快，或可提供你答案。你是第一個得知我計畫的人，約夫德都還蒙在鼓裡呢。

馬丁·蓋斯樂安排並補助部分旅費，促成我帕洛奧圖之行。他曾任職薩拉公司高階主管，現居耶路撒冷；（衣索匹亞街，但沒住過青年旅館！）公司創始人兼董事長薩發諾利博士，是發展藥物傳遞新方法的先驅。他對約夫德的尿道施打裝置和我研發的NONO衍生物十分有興趣，我造訪薩拉本爲了取得一些免費忠告——了解食品藥物管理局的規定。但與薩發諾利一見，他風度翩翩（衣著品味高尚），當下令我神魂顚倒。

我聽說薩拉有幾個博士後研究員的獎助名額，便問他們能否邀請約夫德到此一年，研究由尿道施打藥物的新方法（這是薩拉未開發的新領域），同時聘我於規範事務部門兼差實習。若採兼差方式，我就可到聖塔克拉爾大學修幾門企管碩士的課。我當然需要一些收入來補貼——這主意我打算請蓋斯樂幫忙。

爲什麼要修企管碩士？我覺得自己出生得太早。未來十或二十年間，情況或會大幅改觀，但放眼全美化學系，擁有終身教職的女性有如鳳毛麟角。印度女性，即使已歸化者呢？用斷去手掌的指頭就數完了。你可明白我爲何不朝學術界發展了？對了，可惜你不克參加上週性無能國際研究學會兩年一次的會議，我的演講相當轟動：唯一的女性主講人，講演性無能療法新發現。NONO萬歲！

轉朝更吸引我的主題發展並不代表我排斥學術研究。兩年來我全力發展新藥，研讀相關資料和方法，以取得實用性。攻讀企管肯定有幫助，公司若要行銷「繆沙」和NONO，企管尤其有用。

這和我何時何地結婚有什麼關係？回以色列後，我會建議約夫德在美國西雅圖舉行婚禮，他的父親和妹妹都住在那兒。你和姆媽從馬德拉斯，不管向東或向西飛到西雅圖都好，反正都是繞過半個地球。迫不及待想見久違的你們。如果爸爸在世該有多好。

祝平安

深愛你們的雷妞

第十章

我雖年近六十，卻從未有注意力渙散的毛病。可是我——菲力．弗蘭肯塔勒，堂堂布蘭岱大學終身聘任教授，站在司高柏山頂，聽著同事們侃侃而談如何使千萬抑鬱的美國男性勃起，我卻無法集中精神。只有我一個人無法專心嗎？看看蓋斯樂：看他口沫橫飛，描述讓NONO二號上市的驚人工作量和利潤的樣子，你會認爲這個人這輩子沒休過一天假。

有他襄助當然是我們的福氣，他不但不收費，還可能會是第一個籌措到一千萬的人，讓研究起步。我本以爲自己善於籌款，如今我才明白，和西岸大企業家相比，學術界的人全是吝嗇鬼。他讓我自覺年邁，還有……嫉妒滿腹。我個性並不善妒，從不豔羨他人的錢財或地位。唯一一次忌妒是某人論文比我早發表，不過那叫野心，不叫忌妒。那我究竟在煩什麼？

我該感謝他將雷妞和約夫德收入麾下。他自掏腰包資助他倆明年待在美國。但現在重點已非科學——至少雷妞這麼想。重點成了食品藥物管理局（FDA）的要求，美國臨床試驗、製造、行銷……！我在乎這些嗎？雷妞和約夫德似乎很在乎。蓋斯樂安排他們在薩拉受訓之效率，以及兩位年輕人接受安排之爽快，使我在瑞普康之運作成了慢郎中。

雷妞似乎深受蓋斯樂影響，我一想到她手中那麼多計畫，頭就發暈：在薩拉研究FDA的規定，在聖塔克拉爾夜間部攻讀企管，又要於光明節最後一天舉行婚禮。是不是蓋斯樂叫她別爭取終身教職？如果是，他怎能和她見面一兩次就說動她？我敢說她在帕洛奧圖待一年就會改變心意。

馬丁·蓋斯樂，薩拉前執行長——我猜不透這個人。他最多不超過五十歲，看來每天早晨都做幾兆個伏地挺身。他為什麼放棄全美最創新公司的高位，致力開發藥物傳遞方法？我問狄維爾——他似乎是蓋斯樂的好友——蓋斯樂是否遭解雇，但狄維爾搖搖頭。「你開什麼玩笑！」他說：「蓋斯樂不愁沒工作，何況他仍任職董事會。幸好我們早一步請他兼職我們的董事會，搶在哈達撒和魏茲曼那些肥貓前面。」我想知道他有什麼地方獨特，狄維爾一聽，忽然浪漫起來。「他認為金錢不是一切，至少人生不光為了賺錢，除非為了有用——有用指的是對以色列有用。」他大笑。

「他住在那兒？」我問道，但狄維爾聳聳肩。「那麼好奇，何不自己去問他？」於是我問了。

「我亞瑟頓的房子還在——亦即史丹福附近的黃金海岸，因為不管世局如何，房地產總不斷水漲船高。但最近我將耶路撒冷一間可愛的老房子重新整修，就在衣索匹亞教堂對面的小街。我住哪？」他咧嘴一笑，聳聳肩，「我經常做空中飛人，我只能說：『我在耶路撒冷買機票。』」

蓋斯樂說我們必須研究兩千名以上的志願者，分別在五十個醫學中心以不同劑量試驗。他警告說，要通過FDA的要求，還有很多他從未提起的工作，代表要到八〇年代中期，甚至晚期，才能通過FDA。可是他一點也不顯得煩。他稱之爲「意料中事」。

狄維爾對他言聽計從，他此行目的已達到：大家都同意他的要求——製造廠設在貝爾旭巴，至少「繆沙」輸送器如此。達到目的後，他又爭取製造NONO二號的化學廠設在左近，依符合FDA標準來規畫。貝爾旭巴市長杜威耶胡已允諾免費提供土地，這是極佳籌碼。

我一直看著桌對面的狄維爾，他不知道我今晚會卯上他，我滿腦子只想到他會怎麼說。房內每個人都在談NONO，我懇求他：「答應吧。」

「平安！」曼那欽．狄維爾向弗蘭肯塔勒致意。「今天是充實的一天，有蓋斯樂參與是我們的福氣。」他身子大幅向後一靠，摩挲著下頦。「去年你到貝爾旭巴找我後發生好多事。眞要謝謝你派雷妞到以色列，雷妞的瑞普康補助金正是一切的起點。如果臨床研究成功，蓋斯勒將向風險資本家籌募一千萬。」他的眼珠骨碌碌地轉。

弗敎授有聽沒有進。他想改變話題，不談一氧化氮。「去年發生的事不只這一件……。」

「你是說奧西拉克事件？」

弗教授一時腦筋一片空白。「奧西拉克？噢，當然，以色列爆破伊拉克核子反應爐事件。」

「全世界媒體對我們口誅筆伐。」曼那欽說：「拔掉哈珊（Saddam Hussein）的毒牙已經兩個月了，媒體還在攻訐。下週我將前往加拿大，參加露意絲湖畔的克齊堡學術會議，不知還有什麼官方責備或酷刑等著我呢。」他犀利地望弗教授一眼，幽默盡散，由憤怒取而代之。「虛僞！連頭腦清晰的科學家也一樣假道學。然而責難和無意義的措辭之下，仍有人慶幸我們爲所當爲，就算此刻不慶幸，包他們將來一定會慶幸。」

「你還參加這種學術會議呀？」弗教授問：「你想達到什麼目的？奧西拉克事件和會議有何關連？」

狄維爾身子往後一靠，臉色一亮，只說了句：「你會嚇一跳。」

弗教授正要進入正題，狄維爾繼續說道：「對了，克齊堡讓我想起米蘭妮．連德蘿的事。我和她有一面之緣。你和她談過專利權的事了嗎？」

弗教授一時狼狽不堪。狄維爾是否看穿他的心思？「是的。」他謹愼地答道：「確曾和她商談，她似乎鬆了一大口氣，出乎我的意料。她表示，如果大學使用專利稅支持研究機構，瑞普康對提議沒有異議，反正他們的重點是避孕。他們只是不希望某家製藥廠獨家行銷新避孕藥。『一氧化氮釋放劑能治陽痿？』她大笑。『那就不可能公開行銷了』。」

「對了，連德蘿近況如何？小孩取什麼名字？」

弗教授不安地扭了下身子。「亞當。」他唐突地說道：「這就是我和你碰面的原因。有件東西要你讀一讀。」

紐約，七月二十四日，一九八一年

我最親愛的曼那欽：

你一定奇怪我爲何請菲力將信帶到以色列親自轉交。第一，不管機率多麼微乎其微，我都不願此信落入他人之手。第二，收信日期不重要，反正你一定會問爲何早一兩年不寫這封信。最後一點，菲力逐漸獲悉此信內容，因此他是我唯一能信任的人。

我遲遲未回你上封信的原因是當時尚未能向你坦承一切。重要的告白應該親口說出才好，但即使這段告白是我一生中最重要的，我仍認爲你不應該當著我的面得知：你是我兒子的親生父親。

我曉得這要費一番唇舌解釋。我猜你此刻想知道過程的急切，勝過了解原因，但請你稍加忍耐（如果能請求你更加寬容的話），先聽我說明原因，因爲說明過程相形之下實在太簡單了。

你知道的，我是初次爲人母。當初仍爲已婚身分時，我好幾次考慮懷孕，但情況不允許，賈斯廷也拿不定主意，因此耽誤了。直到我喪夫，似乎沒有選擇時，我才體會到自己損失多慘重。一直到那時，透過昔日想像不到的方式，我才找回失去的機會，在此之前我已死心並埋首工作。

是我的新工作替我找回我所失去的。瑞普康董事的位子給我專業和經濟方面的安全感，最要緊的是給我自信心和完全獨立。同時，我的生理時鐘越催越急，我開始渴望生個孩子。我認爲依我目前之地位，身體和情感上都能負擔得起，但賈斯廷過世後，我已無性伴侶，直到和你邂逅。是的，我考慮過以不知名捐贈者的精子作人工授精，但我不願對孩子的生父一無所悉，我無法輕忽生父身分之重要性。

突然間，你，曼那欽，宛如性天使般從天而降，不只如此，你也是孩子生父的適當人選。但我幾乎當下即明白，不可能和你生活在同一個屋簷下，你在以色列，我在紐約，我單身，你已婚。

此刻我可以想見，你一定以爲我是個浪漫的神經病。「不育」的曼那欽怎可能讓我受孕？還記得在克齊堡的第一夜，你告訴我，所羅門王一個月只寵幸席巴女王三次，但性事重質不重量嗎？我居瑞普康高位的優點之一，是總能第一個獲知生殖生物學的進展，包括男性不孕症在內。可記得你在倫敦時問我比利時人正在研究些什麼，我答說「ＩＣＳＩ」嗎？當時我沒告訴你，ＩＣＳＩ代表「細胞內精液注射」（intracytoplasmic sperm injection）：以單一正常精子使卵子受精的程序。

我賭上自己的運氣，看我的所羅門王——曼那欽．狄維爾——仍有足夠堪用的精子，在培養皿內使卵子受精，因此我將你瞞住。這是我第一次告白，你務必要相信我，我只瞞著你這一次。有好幾次我未揭露全部眞相——你也一樣——但我僅是省略某項事實，不是刻意撒謊。記得我拿出保險套，我說我擔心酵母菌感染，而你嚇了一跳的事？我知道你沒忘，因爲我仍清晰記得你欣喜若狂的表情，以及看著我把套子套上，以免你寶貴的種子外洩後，雄風大振的樣子。你可能不記得事後我馬上衝進浴室，假裝丟棄那裝滿你無價種子的保險套。但我沒有把它丟棄，而是丟入裝有液態氮的杜耳冷凍瓶，其他的你可以想見。

你確實有一些正常精蟲，藉你個人之力，不足以令女性受孕，但注射入健康卵細胞內則綽綽有餘，我便提供了該卵細胞。數月後，菲力告訴你我懷孕了，我並未捏造生父身分，只是沒有主動告知菲力。我想我一個人知曉孩子生父是誰即已足夠。

（當然還有何時告訴亞當，告訴他多少眞相的問題，但需視你讀信後的反應而定。）

我向你坦誠，猶如置身告解室（對新成爲猶太人的我而言，是多麼可怖的譬喻），我承認懷孕期間和亞當剛出生的頭幾個月，借用你的精子我一點罪惡感也沒有。因此我不只一次在晚宴或一對一的交談當中提起我的作爲，把它當成假設的情況。談這個主題很容易，我只要談ＩＣＳＩ是基金會最近支持的搶手計畫，然後問道：「如果……？」

大夥兒反應之激烈，使我錯愕不已。「她偷了他的精子！」是反應之一——而且男女皆有。起初我防禦心理相當強烈，假意代表那偷精子的賊發言，替她說話，堅稱那男子拿一個精子也做不了什麼事。「但她也做不了什麼事呀！」一位女性曾對著我嚷嚷，好像她知道是你的寶貝精子讓我的卵子受精似的。「光有她和她的卵子也成不了事，她需要ＩＣＳＩ，而且ＩＣＳＩ並不歸她所有！」

我還記得那番對談，因爲結尾深深感動我。我好想向她解釋，ＩＣＳＩ在某方面的確歸我所有；我透過瑞普康間接使之成爲可能，而孩子的生父認爲自己不育，不可能想到他的精液有價值。拿走無價值的東西怎能算偷？菲力有他自己的答案：「被偷的物品和物品之價值之間並無任何不同。」

大夥提的另一個問題是萬一那名男性不贊成生育，認爲這個悲慘世間的人口已經過多怎麼辦？我聳肩不答，因爲你前一封信已明白地證明你對繁殖有興趣。猶太男子的感覺多半和你相同。我，你的非猶太情人，好幾次你在床上如此稱呼我，又怎會知道？因爲信一開頭我曾暗示你，我改變宗教信仰，剛成爲猶太人，但不是信猶太正教——這不是重點。我倆雖未談過宗教問題，但我覺得你會在意子女是否由猶太母親所生。你看，內心深處我總認爲亞當也是你的兒子。

我已告訴你驚人的人生眞相，現在必須以理論性的事實——死亡——結尾。上次身體檢查，發現我罹患纖維瘤，即將切除子宮。每年接受子宮切除術的婦女不在少數，手術並無生命危險（只是不可能再生育，亞當因而更顯珍貴），但我因此想了很多。萬一……？

我父母雙亡，又是獨生女，有朋友，卻無近親。我至少有兩個親密朋友，菲力和雪莉，他倆已同意（就在光明節後不久），萬一我出事而且依法又沒人擔負起家長角色的話，兩人願意撫養亞當，但爲了亞當以及出自我的愧疚，我覺得亞當應該要知道他是你的骨肉。我不想額外加重你的負擔，也不希望任何人得知你和亞當的關係，菲力夫婦除外。讀完此信只需對菲力說「好」或「不好」。他答應我，萬一我死亡，他決不會逼你做亞當的監護人。

且容我以一個關於所羅門王和席巴女王的神話註腳作結，畢竟是他倆的故事爲我倆牽線。你知道這故事有衣索匹亞版本嗎？一位研究衣索匹亞的教授艾德華・烏蘭鐸夫最近告訴我的，《君王的榮耀》（*The Kebra Nagast*）（對衣索匹亞人來說，其重要性相當於舊約聖經或可蘭經）上說，所羅門王和席巴女王的確有肉體關係，但所羅門王不知女王回衣索匹亞時已懷有身孕，她產下一子，取名梅那雷克，建立了衣索匹亞皇朝。和我們有切身關係的部分，也是我引述這一段，證明我沒有編故事的原因；是女王將梅那雷克送回耶路撒冷，要求所羅門王教育他。隨信附上衣索匹亞人繪的圖，將原來的傳奇分繪成四十四張如連環漫畫的小圖，圖片摘自烏蘭鐸夫的文章，也許將來我們可以在耶路撒冷耶穌聖墓教堂的衣索比亞區，一同欣賞原版作品；尤其是第二十六號所羅門王和女王「同睡」，三十一號梅那雷克問：「說說父親的事」，三十五號描繪父親與兒子會面，略去四十三號王后臨終前的懺悔。

我倆深深喜愛所羅門這三個字，韓德爾以此爲名作了一齣歌劇。數月前，我首度聆聽韓德爾的聖樂，所羅門，結局是所羅門和席巴女王的二重唱。最後一句歌詞是二人同唱：「金錢或恐懼均買不到讚美。」亞當的誕生卻確實值得讚美。

保重，我的曼那欽，我的所羅門。

米蘭妮上

第十一章

「雷妞，好消息。恭喜你。」阿費多．薩發諾利向她道喜，細心梳理的銀髮因握手之熱情而輕輕跳動。但他光潔修長的手非常溫柔，皮膚如小兒科醫師般具有男性的柔軟。薩發諾利二十來歲即離開祖國巴拉圭來美，可是說話仍帶西班牙腔，煞是迷人。

時爲一九八三年夏，雷妞待在薩拉的第二年，早已習慣薩發諾利的腔調。她正要假意道出外交辭令，說以色列傳來的好消息：她的NONO二號已成功完成第二階段臨床試驗，是團隊合作的成果，薩發諾利卻打斷她：「柯恩太太，告訴我，」他傾身在她耳畔如說秘密般低語：「你有何計畫？」

「稱我柯恩太太未免太唐突。」話到嘴邊又嚥回去。雷妞．庫里希南相當以印度姓氏自豪，並非因爲她開始發表論文即用「雷妞．庫里希南」之名——現在專業女性婚後多不冠夫姓——而是出於民族自尊和純粹的個人自主權。

薩發諾利的問題突然浮現雷妞腦海。天哪，她心想，他知道了。他不是在說NONO，而是指……原來馬丁告訴了他。

馬丁．蓋斯樂不像父親型人物，反像雷妞的顧問和心腹。早在他倆第二度會面（他就要雷妞直呼他的名「馬丁」了），他就說服雷妞考慮改行。他的務實個性和直接了當的提議，讓她在和約夫德商量前就答應他了。她有把握她的愛人一定會贊同，因爲他的個性也很講求實際，而她則正在學習當中，在馬丁的灌溉之下，她的務實特質也開花結果了。

「我沒有建議你放棄學術，也不希望你背棄科學，即使到頭來你終須選擇其中一條路——」

「上帝不許這樣！」她以猶太人的語調這麼一喊，兩人都笑開了。

「上帝不見得永遠都不許這個，不許那個的，只是有些猶太人認定如此。上帝會幫助有備而來者。」馬丁激動的語氣嚇了雷妞一跳。「好多學術界人士深信研究是最理想的工作，壓根兒懶得去發掘自己其他的才能。此外，你眞是個幸運兒，能參與日後或有實際用途的重要發現，」他模仿「純」科學家不屑的語氣：「而且這麼年輕就已學到研究開發的另一面。」他冷淡地補充道：「開發部門有它的樂趣和報酬。在藥界，完全開發的藥才叫藥，在此之前都不算數。」

「可是——」

「且慢『可是』，」他打斷她的話。「我快說完了。即使你將來打算回到學術界，你也會如此做的，這些經驗將會使你成爲一位更好的老師、更好的研究者。何況，你還這麼年輕，花個一兩年嘗試其他的路子，絕不會耽誤你什麼。」他講話速度慢下來：「你剛才『可是』什麼？」

「可是，」雷妞脫口而出：「你這樣不是腳踏兩條船嗎？」雷妞曾聽弗教授說過這句話，暗地記下來，打算那天拿出來用，此刻恰好派上用場。

「噢！」他吁了一口氣然後一笑。「就知道你聰明伶俐。」接著全盤托出他的規劃。他打算讓雷妞在薩拉公司接觸藥品開發過程中艱鉅和「骯髒」的一面。就在兩人談著雷妞的事業前途規劃時，雷妞提起了即將結婚的事。雷妞一說出準新郎的名字，馬丁張大嘴微笑道：「你比我原以爲的還要聰明。」

蓋斯樂比薩發諾利年輕一代，前者是後者的部屬，也是薩發諾利實驗室創立之初的第一批員工。實驗室改爲薩拉公司並公開出售股票，蓋斯樂就成爲執行長。雖然他兩年前即已辭去朝九晚五的管理工作，在帕洛奧圖和耶路撒冷間來回通勤，以以色列建國擁護者的身分做生意和從事公益活動，但他和薩拉以及薩發諾利關係之密切，已經到了用不著事先打招呼即可採取行動的地步。因此，送雷妞和約夫德到加州僅是微不足道的一小步。那年夏天之後又過了一年多，一切順遂，事實上太順遂了，於是物極必反的效應發生了。

「馬丁，」一九八三年四月，雷妞在薩拉公司這片刻難得安靜的走廊中喊住他。蓋斯樂在帕洛奧圖參加薩拉董事會議。「我非和你談談不可。」她低聲道：「我需要你給我意見，」她補了一句：「我需要單獨和你談一個小時。」

兩人會面時，她拒絕送上來的咖啡。「接下來幾個月都和咖啡因絕緣。」她宣布道：「我懷孕了。」

「恭喜恭喜，太好了！」他有點不太相信。「你有何打算？」

「我正想和你商量。我想我們該回到以色列，養小孩會比較輕鬆，約夫德有家人在那兒──叔叔、嬸嬸、堂兄弟姊妹……」

「這個理由不夠充分，」蓋斯樂說。「加州人也生小孩的呀。你的工作表現極出色，薩拉一定願意力挽你留下，如果你想全職工作的話。」

「我不想。」

「我明白。」他隨即說道：「你若說『想』我反而會感到意外。你前途不可限量，何苦此刻放棄？年底就可取得企管碩士學位了，換做是我絕對捨不得輕易罷手。」

「我要企管學位何用？」

「想進大學教書的話是用不著。」

她猛地坐在椅子上，嘆口氣，將頭髮攏到耳後。

「我還在猶豫不決，尤其是此時此刻。」

蓋斯樂把椅子拉近她。「這樣的話，你必須緊急修完風險資本課程。我知道，我知道。」他搖手請她別開口。「你聽太多，耳朵都快長繭了，但我認爲此刻的你應聽取雙方意見：投資者和企業家的意見。」

「爲什麼？」她滿腹疑問。

「噓！」蓋斯樂制止她。「聽我說就好。」

蓋斯樂的長篇大論讓她幾乎忘了害喜的不適。起初他弓身坐在椅上，以免給緊鄰的雷妞壓迫感，不久之後，他便在大廳來回踱步，邊走邊說。

「何不坐下，馬丁？」雷妞終於打斷他的話。「你走得我頭都暈了，吃下的早餐還在我胃裡翻騰呢。」

他正在解釋爲何迄今未在美國進行任何籌募ＮＯＮＯ研究經費的活動，他說原因和成立新的高科技生化醫學公司的兩個主要因素有關。「一方面，你有研究人員，有構想，甚至有具體發現；另一方面，風險資本家不但有銀子，也有極佳判斷力——」

「你的口氣好像只有後者才具備良好判斷力。」雷妞面露不悅之色。

「就生意眼光而言，通常是如此，」他答道：「這個有構想的男性若出身學術界，就格外如此。」

她笑了，「那馬丁．蓋斯樂從那兒得來絕佳的判斷力呀？」

「啊，」他志得意滿。「絕佳判斷力得自經驗，經驗則得自判斷錯誤。」

「噢，」她情緒似趨緩和。「請繼續說下去。」

蓋斯樂的重點是：有構想的男性需要經費以證明構想可行。構想越大膽有趣，賭注越大，交易越易卡在風險資本家手上。他們玩的是一種統計遊戲，必需分散風險。風險資本家通常總會預期失敗，蓋斯樂強調，因此偶爾獲致的成功一定要利潤豐厚才行。所以他的初次投資必定要如燧石一般閃亮。

「燧石？」

「是的，就是打火石。」蓋斯樂靠近她，好像不靠近交代不清楚。「打火石很硬，但互相撞擊能迸出火花，新公司剛開始一定要要求相當部分的投資資金，態度必須要硬——通常這一招很成功——日後再談火花。如果投資一開始沒看到成果，將需要更多的經費，通常要證明構想可行，至少需要一兩年的時間。」

「馬丁，我知道不該再問些傻問題，打斷你的話，可是你老說『有構想的男性』——」

「我知道你想說什麼，」他打斷她的話。「你說得對，從現在起我改用中性字眼——有構想的人——不過說眞的，到目前爲止，構想幾乎全出自男性。你隨即將了解，我極有興趣改變這種現象。別再插嘴了，否則永遠也講不完。」

據蓋斯樂的說法，第二次甚至第三次追加經費時，風險資本家或會自掏腰包，較常見的作法是在股票價格較高時拉人投資，分散每個人承擔的風險，同時製造帳面利潤。他豎起一根指頭警告，同時密謀般地露齒而笑。「這純粹是帳面利潤，因爲股票尙未上市。這場遊戲開始有意思起來——第一朵火花出現了——當生化科技公司證明當初的發明具有潛在的實用性，而且，」他的音量因得意而升高。「已經獲致某種形式的所有權，通常是專利權已通過或正在申請。如今眞正的籌款才算開始——通常是將股票上市，當然那時股票已經由證券商賣給大衆，這時帳面上的利潤才算成眞，變成眞的紙鈔。接踵而來的是包袱：貪婪、貪婪、還是貪婪。暫時先擱置這個問題，因爲NONO要走到這一步還太早，但我們不能忽視另一個更重要的問題。」

蓋斯樂又開始踱步。「雖然該藥劑或裝置大體上已證明可用於人體——如此已足以使股票上市——但這並不表示，」他頓了一頓，用單腳轉個圈，故意賣關子。「市場就能接受它，市場在此指的是醫界。」

「那食品藥物管理局呢？」雷妞問道。

「當然一定會碰上FDA這個大問題，你在此地待了一年，想必知之甚詳。」他一時以奇怪的恭敬態度低著頭，「這是你和多數從事NONO冒險的同事間最大的差異。」他打住話頭，「『冒險？』恕我失言。現在我是一語雙關。但回到現實，也就是股市：假設我們已是一個股票公開上市的公司，坦白說，股份的價値仍仰賴吹牛——非仰賴吹牛不可——即使是投資者的吹牛都好，也不要承銷商或管理階層做的白日夢。我說的『白日夢』指的是貪念，想白吃一頓午餐。所以你經常會發現新公司的口碑好得離譜，跟它的實際價値或跟它是不是一個根基穩、營運佳、又賺錢的公司無關。」

蓋斯樂的用字遣辭和抑揚頓挫很有格調。雷妞以企管學生的心態細細咀嚼他強調的資訊，完全不帶象牙塔內純學術界人士的驕矜。

「所以新公司推出新藥時，市場的現實便主宰一切。」蓋斯樂的男中音突然轉爲祕密的低音。「比方說，假設公司的初期損失大於那些盲目樂觀者的預估，」他低聲刻薄地咯咯笑道：「或利潤並未明顯以指數成長，他們會怎樣。你應當明白，你修過商學院的課嘛。」

蓋斯樂講話速度加快。「不論新藥要治的是那一種病，公司裡的人先按罹病總人數制訂營業計畫。」蓋斯樂的叙事觀點開始從第一人稱的「我們」改成第三人稱的「他們」，令雷妞一時迷惑，但雷妞猜測他想以局內人和局外人兩種身分來說明。「他們將罹病患者人數乘以年度購藥之花費，得出一個估計值——通常是相當樂觀的估計——亦即藥品的市場潛力。「接下來，」蓋斯樂的聲調再度高昂，但這一回掩不住其中的輕蔑。「他們謙虛地估計初期的接受度，保守地預估年成長率。但謙虛呀，保守呀這些字眼根本是很主觀的。因此他們可能預估剛開始時有百分之十的市場佔有率——當然這就是他們所謂的『謙虛』，」他語帶不屑：「然後每年百分之十，二十，三十，或任何『保守』的年成長率。假如銷售量如期成長，股票即可維持原來的價值——除非股市大幅震盪，那完全非他們所能控制。或許公司的預估眞的是『保守』，那麼股價就會飆漲，皆大歡喜。但是，」他假裝哀傷地頷首。「市場最初攻佔率往往僅有百分之一而非百分之十，要提高佔有率必然所費不貲，導致大幅損失，虧損期可能比外界或內部管理階層所預估的要長得多。那時燧石碰撞出的火花就熄滅了，繼之而起的是持股人的共同起訴行動。」

「說給我聽嘛。」雷妞修企管課聽過這個詞，尤其是做實際個案研究時。她猜蓋斯樂的解釋必然不同。

但蓋斯樂不願離題。「改天吧，談起這個就沒完沒了啦。剛才說的屬於前言部分，尚未進入正題呢。」他坐住她身旁，輕拍她的手臂。「NONO的研究和剛才的例子截然不同，所以我才想跟你商談你可能擔任的角色。」

「角色？」雷妞失聲喊道：「可是我有孕在身，根本連如何扮演爲人母的角色都還沒弄清楚！」

「姑且聽我解釋，」蓋斯樂說道，再次輕拍她手臂。

一九八三年四月三日成爲我一生的重要日子之一，就像我生日，我到美國的第一天，我和約夫德相識的那一天，得知自己懷孕的那一天一樣重要，這一天馬丁和我談到「舍揚」（SURYA，印度太陽神）計畫。當然是先提計畫，名字是後來才取的。馬丁談起計畫的樣子看得出他已深思熟慮過，並參考以往的經驗，其中有些經驗相當慘痛。因此他向我保證，他目前的判斷力已跡近完美。

「舍揚」，亦即我們的NONO研究，不同於那天他描述給我聽的所有其他生化科技牟利模式，主要差別在於時機，馬丁認為時機是成功關鍵。要他在時機和好運道中挑一個，不論他是投資者或企業家，他都會挑時機，這一次他打算兩者通吃。

迄今他已跨過數個重要關卡：我們正為新藥（NONO衍生物）和「繆沙」提出專利申請，我們申請的使用權甚至涵蓋在尿道內施打的所有壯陽劑，不限於NONO衍生物。

目前我們處於獨佔地位，因為專利審查員尚未有任何干預或質疑曾有前人做過類似研究。其實我們在華盛頓的專利顧問——這家公司是馬丁挑的——正致力阻止專利權太快通過。因為沒有必要讓十七年的專利權年限過早開始起算。何必在產品上市之前，啃蝕自己的獨家專利權？

更重要的是，我們尚未找人投資，希望在找外人投資之前，先設法跨越初期障礙。我們不但已經證實NONO二號的臨床實用性，也以數百名以色列患者為對象，試用過這種藥。在馬丁催促下（我仍記得他眼中勝利的光芒），我們拖了兩年，直到用齧齒類動物做完致癌性研究後，才真正開始籌募經費。馬丁說從來沒有哪家生化科技公司能連一雪克爾（古希布伯來銀幣之名稱）——套用他的字眼——都不用籌募那就發展到今天這麼成熟的階段。

我們當然得籌募大筆經費（在美國進行的話，費用會節省許多），但那都是在「舍揚」之前的經費：如布蘭岱給我的補助金，瑞普康兩筆補助款項令以色列之行成真（還促成我的姻緣），加上本古里昂和哈達撒研究基金。馬丁說，如果哈達撒贊助的「繆沙」內裝NONO二號第二階段臨床研究在美國進行的話，至少需花費五百萬美元。

「計畫的魅力所在，」馬丁露出親切笑容，「我連提都沒提——連私下透露都不曾。我才不在乎你們堅稱它爲什麼『勃起障礙』，其實你們掌握的是男性性行爲表現的關鍵，男人（風險資本家多爲男人）就是願意花大把銀子購買這種商品。你明白了嗎，雷妞？拖了這兩年，我們現在已握有王牌了。和風險資本家談生意時，角色也對換了。這一次握有燧石的是我們。」接著他界定了「我們」的多重意義。

第一點，企業家：在我們的研究之中，「有構想的男人」——連「有構想的『人』」都付之闕如，而由三個研究機構取而代之：本古里昂、布蘭岱、和哈達撒。我以爲他按字母順序排列先後名次，但馬丁隨即釋疑。他是本古里昂大學管理董事會一員，本古里昂出資最少——其實根本相當微薄——但是卻是最需要經費的贏家。即使該校名稱變成「禪」（Zen）古里昂，但他仍會將它列爲第一順序。由於三個非營利機構都成「創始股票持有人」（該詞之重要性日後才浮現），貪婪一詞便依機構角度而非個人角度來重新界定——馬丁認爲這之間的差異值得玩味。

但「我們」不僅意味這三所大學，也包括馬丁在內，他打算以投資人身分掏出自己的部分金錢放入，並兼任「具良好判斷力」的人，同時介紹其他主要投資人進來。他認爲阿費多·薩發諾利會是支生力軍。「這點容後詳談。」他說道，然後話鋒一轉，回到「我們」與我最有關係的部分——「我們」也包含我在內。

他話說得極爲技巧：「雷妞，此刻我要除下純投資者的帽子，換上公司未來主管的頭銜，而未來也將如此。這家公司前景一片大好，我決定挑起兩年前發誓不再做的事：公司管理。試想這番挑戰多麼艱鉅：公司在以色列營運，在美國招募投資人，而且必須打入美國市場。公司草創時期，負責人必須能在兩地奔波。我謙認自己恰爲適當人選，也很誠心爲未來創始人之一的最佳利益著想，更甭提本古里昂的人全一致認可我的決定。」

「那布蘭岱和哈達撒呢？」

「他們運氣好，」他草草敷衍我的問題，「搭上本古里昂的便車。如果本古里昂獲利，他們也沾光。」

下文相當直截了當。他將任新公司董事會董事長一職——公司目前尚無名稱——公司設在美國東部的德拉瓦州（該州公司管理法規較寬鬆），但總部設在舊金山灣區——美國風險資本主義與企業的溫床。「這兒一應俱全。」他說話時的語氣不容人反對。「積極的風險資本家多如過江之鯽，才華橫溢的專業人員，宜人的氣候、兩所優秀的醫學院，一個一流的國際機場。」他這才停下來喘口氣。「偶爾一兩回地震。你知道得很淸楚：你就置身此地嘛。」他也暫時兼任公司執行長和總經理，但這兩個職位不需要全職投入，也不會耽誤他回耶路撒冷。

「我如何身兼數職呢？」他天眞地問道：「全靠你這位常駐的經理囉。」邊伸長食指著我，姿勢猶如持著一把金槍。「你當然可以擁有認股權——給你一點甜頭。」

「多甜？」我結巴了。

他說出個數字，我到現在都還瞠目結舌：「爲什麼找上我？」

我已猜到答案。公司營運初期仍以以色列爲主。狄維爾已完成「繆沙」生產設備和NO NO的試驗工廠。在美國的工作多已授權：FDA申請案和龐大的臨床研究工作。位於帕洛奧圖的小公司需要一個熟悉計畫的人來監督，最好是位科學家，因爲假如產品成功打入美國市場，將需要進一步研究，俾使公司「在陰莖勃起領域保持競爭優勢」。

老天，我心想，我隨手做了筆記：廣告中千萬別出現這些字眼。

「可是我身懷六甲吔。」我反射動作般地回應道，這已是今天早晨第三次說這句話了。

「你相信爲人母者也能做職業婦女嗎？」他問道，但沒給我機會回答。「我相信。如果你不相信，將來請別跟我抱怨什麼女性升遷的玻璃屋頂，我可從沒教你爲了專業上的野心而犧牲母職。」

「那你的建議是？」

「你根本不需要在實驗室工作。你收入不算優渥卻也不差，因爲公司目前體質還弱，預算多花在盡快推產品上市。加上持股一切順利的話，你一輩子不愁吃穿，同時收入也足以支付保母的開銷。史丹福這裡有很好的托育中心，這兒研究生有小孩的很多。何況你有丈夫在身旁。他呢？他的角色是什麼？」

天哪！他說了半天我竟完全沒想到約夫德。他扮演什麼角色？不是爲人父親的角色——他當然會是個好爸爸。但是……扮演什麼呢？

第十二章

「那一位印度神祇值得我們向祂感恩?」約夫德送藥草茶給雷妞，一邊問道，她喝藥草茶是因爲她又噁心想吐了。「是濕婆神(Shiva)，對不對?」

「吾愛。」她開玩笑輕輕捏他臉頰。她偶爾會用印度話說「吾愛」，一方面代表親暱，一方面故意反抗印度習俗，因印度傳統上禁止女性用此暱稱呼喚丈夫。印度語的「吾愛」僅限男性使用。「不是濕婆。如果公司需要標誌，濕婆倒滿合適的。既然我已懷孕，因此已和陽具無關。」

「少了陽具象徵的婚姻?老天保佑!」他故作恐怖狀。

「放心，你這位有陽具的人士。看我此刻的狼狽相，我需要某位神關懷我的受精卵，不是關懷我未來會不會有卵受精。老天保佑。現在別爲神祇爭辯吧!」她安靜了一會兒，一隻手擱在胸前。「可是，」她若有所思地補了一句:「他的宗教信仰怎麼辦?」

「誰的？」

「咱們兒子的。」

「是女兒。」約夫德一口咬定。

「你怎麼知道？」

「憑感覺。」

「好吧，就算是女兒好了，給她取什麼名字好？」

「娜歐咪。」

雷妞似乎不喜歡。「娜歐咪？就這樣？沒有別的可選啦？」

「希伯來文的娜歐咪意謂『美麗、宜人、討喜』，我們的女兒一定就像這樣。看她的爸媽就知道。」

「眞是馬不知臉長。」

她笑著輕拍了他一下。「你什麼時候決定取這個名字的？」

他淘氣的笑著逗她開懷：「一九八三年三月十六日下午六點零五分，你告訴我你有喜了五分鐘之後。」

雷妞揮手召他靠近身。「過來，吾愛，親我一下。雖然你很固執，但是你眞的很可愛。」

約夫德在她身旁坐下來，一手環住她的肩。「娜歐咪．柯恩，」他小心翼翼地唸著。

「聽起來很完美，沒有不雅的諧音。我討厭暱稱：什麼『蘇珊』叫『珊』，『艾芙芮』叫『艾芙』的。」他假裝嚇得發抖。「不勝枚舉。」

「哎呀呀！」雷妞喊道：「我不知道你如此敏感。蘇珊是誰呀？」

「我認識的人沒一個叫蘇珊的。」約夫德隨即接口。「臨時想到而已。你不覺得娜歐咪好聽嗎？」

「我得想一想，就算眞是女兒，也還有八個月可以考慮。『娜歐咪．柯恩』？」雷妞語氣透著一絲吹毛求疵。「我覺得名字短了點。娜歐咪．庫里希南—柯恩如何？」

「改成柯恩—庫里希南好了。」

「沒道理。再說吧。」在此之前她都語帶戲謔，但突然間她板起臉孔。「她該信什麼教？」

「猶太教。」他說得斬釘截鐵。

「你要帶她上猶太會堂？自從抵達加州，除了結婚那次，你一次也沒去過。」

「這個嘛……」他閃爍其詞，「幾年後再來煩惱吧。我的意思是說她應該覺得自己是猶太人……跟我一樣。」他舞弄雙手擺個手勢，暗示這是既成事實。

「這是我那私生子丈夫說的話嗎？「她輕輕地說道。

「你幹嘛說這種話？」他語氣犀利，身子向後一靠，似乎想疏遠她。

「冷靜一點，親愛的。」雷妞伸出雙臂摟住他。「你知道我跟你是同一國的，反正我們的孩子不會是私生子。」自從改革派的猶太拉比在西雅圖德西聖堂爲他倆證婚，雖然雷妞仍爲非猶太，拉比已自動除去了他倆子女身上的私生子印記。拉比之所以願意爲非猶太人證婚的唯一理由正是爲了矯正這種不公平的現象。

「回以色列的益處很多。」約夫德咆哮道。

「我們用不著回以色列，」雷妞隨即說道。「起碼目前不必急著回去。我們可以在此地把娜歐咪帶大，等她三四歲時，你再帶她到猶太會堂，然後……」

「然後怎樣？」

「施堅信禮或讓她改變信仰，隨當地拉比怎麼說，使她成爲猶太人。」

「住在這裡三四年？」他一個字一個字地說道。「我還以爲我們就要回貝爾旭巴了。」心不在焉地補了一句。他一時默不作聲，瞪著牆壁，然後回頭對妻子說：「狄維爾今天打電話給我，邀我管理貝爾旭巴的『繆沙』研究設備，加上本古里昂大學的研究職務。大學加企業這兩個組合在一起眞棒——而且貝爾旭巴確是養兒育女的好所在。」他見雷妞臉色一變，頓時笨嘴笨舌起來。

「那我在貝爾旭巴做什麼好？」

「照顧哪歐咪，還有——」

「約夫德！你在開玩笑吧！照顧孩子是你我兩個人的事——也許我們以後不只一個孩子——但我也要工作。我進衛斯理、史丹福、布蘭岱、哈達撒這些高等學府，現在就讀聖塔克拉爾，可不是爲了在貝爾旭巴帶孩子的。不行！」雷妞虎地坐起身子，「你接到狄維爾的電話？那麼也請你聽聽看今晨蓋斯樂跟我談話的內容。」

他沒有打岔，靜靜地聽著，但雷妞看得出他的心情逐漸沉重。她想用公司名稱逗他開心。

「舍利亞？」約夫德啐道。「開什麼玩笑。」

「是『舍揚』（Surya），」她小心地拼出每一個字母。「Surya，印度太陽神的名字。」

約夫德不齒地聳聳肩。「如果你和蓋斯樂非和印度神話扯上關係的話，何不用『濕婆商品』？你們的研究和陽具有關不是嗎？」

「舍揚也是代表治癒者的神。」她心平氣和地說道。「印度神話記載，舍揚有十二個不同化身。既然一氧化氮在人體內扮演這麼多生物性角色，從勃起、癌症、到腦部功能都有，何不視一氧化氮爲細胞的Surya？」望著他一臉狐疑，她趕快加一句：「反正馬丁喜歡這個名字。」

「那我呢？」他問道：「除了父親的身分外，你們將我置於何地？」

「舍揚肯定有職位給你——不管公司用不用舍揚的名稱。」她馬上答道。

「那我如果想加薪的話，是不是要你批准？」

這是我倆婚後首次大吵一架。三年來我對丈夫認識如此淺薄嗎？抑或是我變了個人？大概兩者都有吧。在此之前我從未侵犯他的男性地盤，我倆的角色向來界定地極清楚，而且各自樂在其中。

當晚我極不舒服，整夜嘔吐到天亮——可能是害喜加上急怒攻心吧。約夫德心胸寬大，不記恨地摟我入懷。「暫時不談什麼印度號神祇的事吧。」他低聲地說。「至少等你懷孕滿三個月再說。」可是我倆都等不到那麼久。

第一次劇烈爭執後不到兩個禮拜，約夫德又提到同樣話題。「我和阿費多談過了。」他向我宣布：「而且已獲解決方案。至少可暫時解決問題。」

「阿費多？」我正要問阿費多是誰，才猛地想起他說的是薩發諾利。原來他倆交情已好到互稱名字，而我還在尊稱他「薩博士」……風度翩翩又親切的薩博士，周身卻似有隱形的金鐘罩罩住——一股權威感揮之不去，而他響噹噹的名號使此對比更形強烈。也許是年齡差距使然。如果時光倒流三十年，我一定會覺得他高大英挺，是個迷人的拉丁情人，蓄著稀疏的黑髭，與利凡得男性的粗黑濃髭截然不同，增添他不少傲氣。如果他說：「叫我阿費多。」我一定立即從命。但薩發諾利如今鬚髮皆白，態度慈藹中透著倨慢，我更不敢直呼其名。薩博士對約夫德說了什麼？

這當然全屬二手傳述，眞希望我化身蒼蠅，停在「阿費多」家的牆上。約夫德當眞對薩博士說他打算「放棄尿道注射法」？說他認爲利用尿道注射藥物的研究「窒隘難行」？起碼他說他當時是這麼說，但我半信半疑，這樣太唐突，不恰當，也太……不公平。

聽起來怪怪的，但我一直在想，不正是尿道促成我倆相識？我總覺得這其中似存在一項丈夫給妻子的訊息，一份獨立宣言，在此宣言中，尿道成了SURYA，具貶損意味的同義詞。

無論如何，他說他想開拓領域，「阿費多」正好向他開出一個好得不得了的條件。假如馬丁不曾誘我去管理公司——這是權力的同義詞——雖然公司規模極小——但考慮到草創期的小小領地，我也可能接受薩博士的邀約。幾分鐘後，我不再擔心誰跟誰說了什麼，是誰起的頭，以及約夫德爲什麼沒先跟我商量就當場應允。（我有什麼資格質問他？我雖未和馬丁簽約——公司還沒誕生嘛——但我也沒跟約夫德商量就下定決心啦。）不過一談起薩發諾利的優厚提議——夫妻一同研究科學——一切全都歸於學術範疇。

「薩拉即將進行新的研發計畫，它幾乎就像個獨立公司一般，叫做『電輸治療系統』（Electrotransport Therapeutic Systems），簡稱ＥＴＳ。」約夫德開始說明：「以阿費多的聲望和點石成金的能力，大家爭相投資。他已籌到足夠五年用的經費，換句話說，ＥＴＳ的研究花費不致超過薩拉的底線。這點十分重要，因爲薩拉是股票上市公司，因此必須留意股票價值。他們可不是趁夜潛逃的欠債人，他們已有營收了。」

雷妞盯著丈夫看。「誰是我們這個家的企管碩士？」

約夫德輕蔑地聳聳肩。「ＥＴＳ的新雇員必須了解遊戲規則。五年的研發經費會先撥下來，但五年一到我們必須交出成績。我用『我們』兩個字是因爲阿費多任命我爲小組領導人。ＥＴＳ猶如新的生化科技企業，只是仍隸屬薩拉管轄，所以比較穩當。」他意在言外地望著她：「我當然不像你一樣享有認股權——」

「約夫德，拜託你！我的就是你的，何況股票尚未到手，一切還未成定局。」

「當然啦，不過——」

「不過ＥＴＳ的目標是什麼？」她打岔道。她正想說兩人互爭長短無濟於事，但還是閉緊嘴靜聽，畢竟她是眞的有興趣。

「啊，對了。」他把雙腳擱在咖啡桌上，「你比我淸楚，薩拉已成被動皮上藥物輸送系統的個中翹楚。」

雷妞略帶不耐地頷首。她在薩拉的規範事務部門受過訓，熟知薩拉的科學家研發的新型皮膚貼布，能使藥物經由皮膚吸收，例如治心絞痛的硝基甘油，取代荷爾蒙的動情激素，治高血壓的克羅耐汀（抗交感神經藥物）。她最近的任務是協助尼古丁貼布通過ＦＤＡ。「往下說。」她說道。

「目前這些方法始終限於傳送不帶電的有機分子。」約夫德像是在宣讀聖旨似的。「ＥＴＳ所要解決的正是這個問題，經由皮膚傳送帶電分子，尤其是大分子，如胜肽類和蛋白質。你是曉得現況的：這些不能口服，因爲它們未到達目的地即已在胃腸道內分解，所以需靠注射以維持療效。由於大分子體積大，又具親水性，經由皮膚吸收不是很好嗎？」

雷妞已掩不住她的不耐。「講重點，ＥＴＳ如何解決這個問題？」

「離子透析法。」他玩味著這五個字。

雷妞曉得離子透析法——離子在外施的電流下透過薄膜。「很好。」她說。「用什麼方式？」

他傾身靠近雷妞，之前的不悅已被熱誠蒸發——又變回她深愛的約夫德。「大家早已得知原理——其實就是知道得太早才未使用。我在以色列曾學過雷杜克實驗，他在二十世紀初期即將電流通到兩隻並聯的兔子身上。正極接上帶正電的番木鼈鹼——硫酸鹽的形態——連到第一隻兔子皮膚上，負極接上帶負電的氰化物。兩隻兔子都死了，一隻死於番木鼈鹼中毒，另一隻死於氰化物中毒。但是，」他伸手阻止她開口。「但兩極交換後，平安無事，就像在未接通電流下將番木鼈鹼或氰化物塗在刮過毛的皮膚上。實驗結果在一九〇〇年便發表了！想想我們現有的設備——尤其是薩拉這裡——十年來研發的細胞膜技術，加上矽谷的電子科技和小型化科技供我們差遣。我們將會研發出結合電輸系統的皮膚貼布；我們可拿直流電和脈衝式電流試驗，以產生穩定或脈衝式的藥物傳送……」他停下來吸了一口氣。「幾乎已可確定的是以電流傳送藥物的速率應與電流成比例。加壓可使更多液體通過小孔，同理，加強電流也有相同作用，或推動大分子通過——帶電的分子，如蛋白質。」

「還不賴。」她說，好奇心和他的興奮旗鼓相當。「別把患者電斃就行了。你打算何時動手？」

「在你動手之前。」他說。

第十三章

「應該開始籌募經費了，最好多募一些，才不用經常向公司伸手；每次伸手，大家的持股便減少。不妨募個一千萬，比較保險。」

馬丁·蓋斯樂煩躁地在雷妞那小小的辦公室套房內的桌前來回踱步，他們剛在一棟叫帕洛奧圖廣場的辦公大樓內租了間辦公室，大樓位於佩吉密爾路和艾爾卡米諾里爾轉角處，斜對過街正矗立著薩拉公司總部。馬丁認爲此地地理位置極佳。「大樓內有法律事務所和合格會計師，可隨時使用薩拉的資料，起碼初期需要他們的支援，但支援是要付費的。」

他踱至遠端的牆邊，用單腳腳跟一轉，回到第一個主題。「新公司第一次籌款總令人神經緊綳，但我們與……衆……不……同。」他踏一步吐出一個字。

「等著瞧，我有十足把握。我們會將每股股價訂爲四元，我敢說他們仍會敲我們的門要求加入。說到門，」他停下來環視四周，好像第一次打量似的。「這間套房是斯巴達式。」

眼光落在雷妞身上，她正坐在租來的桌前。「絕不是薩發諾利所想要的。他品味高尙，就像他的衣著一般。」馬丁低頭望著自己鬆垮的灰長褲，皮帶下的皺褶，尷尬地一笑。「和我不一樣，不過我不重視外表。」他解開領口鈕釦，鬆開領帶。「重要的是我們初期的營運方式。我們應表明籌得的經費將用於將『繆沙』打入美國市場，沒有用來把辦公室裝潢得美輪美奐。」

「你怎麼算出股價要四元？」雷妞問道。

「這是藝術。」他說完靜靜候著。

雷妞沒令他失望。「藝術？」她覆誦道。「我不懂。」

「這是藝術，不是科學。如何建立新公司的價值？既無銷售量，通常也無產品，只能靠藝術和宣傳，有些宣傳還講得很實在呢。但我談的是SURYA。如同我一直告訴本古里昂董事會，你、薩發諾利（他湊巧贊同我的看法），和未來投資人，我們與衆不同。我們有產品，我們知道產品有效，我們還有獨佔權。」

「可是？」

他點頭。「我沒說錯，你果眞冰雪聰明。有個大大的『可是』，其實是兩個『可是』：要通過FDA，還必須做許多昂貴的臨床試驗，而且陽痿藥的市場到底多大還不得而知。不用說，」他舉起一隻手說道：「我知道你想說什麼！『是勃起障礙的市場』。我保證日後一定用這些字眼——等我們籌到第一個一千萬之後。在此之前，『陽痿』或更粗俗的字眼都無所謂。」

「那只是宣傳手法的問題。」雷妞皺起鼻子。「先是藝術，現在又是宣傳。」

「得了吧。」蓋斯樂之前的言談都保持微笑，現在忽然嚴肅起來。「『宣傳』?——或許吧。雖然我們的情況比平常少了許多宣傳動作。但雷妞，大力宣傳是一種公關，連最精純的科學家不也這是做麼。試想，你向同僚吹噓你剛完成的最新實驗——每一個實驗都是『突破』。突破爲數之多，似乎快沒突破的空間了。」蓋斯樂的聲量逐漸升高。「你們申請經費補助不也一樣?信誓旦旦說能治療癌症什麼的，其實只是進行基礎研究，離動物實驗還早得很，遑論給病人使用。這難道不是宣傳手法?」

「也算是啦。」她同意。「但你還沒說明那四元的股價是怎麼算出來的。你怎麼說服大家?你告訴過我說先從一千萬股開始，那就是四千萬，而公司連……」她掃視她那寒酸的辦公室，聲量弱了下來。

「你的計算完全正確。」他說道：「如果四元說服不了他們，就降成三元五角。」

「那還是很高呀，」雷妞反對。「三千五百萬呢。」

「好吧，我從頭到尾說給你聽。」他拉把椅子坐到雷妞桌前。「你不了解也不行，因爲股票價值是最重要的工具——尤其可充當你的工具，」他用一根指頭敲著桌面。「用來制服未來的主要員工。沒有員工你便一無所有。呃……」他頓了一頓。「也不全然一無所有，因爲舍揚已有基礎，但仍不足以克竟全功。」

蓋斯樂取出一疊紙和他的筆。「一千萬股,四分之一——但願不要超過四分之一——售予外面的投資人……他們可精得很。」他強調道。「還有散客,也許還有基金,至少一次要買個一萬元。穿網球鞋的老太太們或許手頭沒那麼寬裕,可是如果我祖母還健在,我一定毫不遲疑的建議她購買,以備不時之需,因爲我自己也會買一些,薩發諾利也會買。這樣應足以說服投資人我們是玩眞的。」他不耐地搖搖頭。「不過我們在投資客身上耗太多時間了——他們是四元股票的持有人,當然也許很重要。你我需要談談剩下那百分之七十五的股份如何分配。首先,三個創立機構負責人平分百分之六十的股份——亦即本古里昂、哈達撒、和布蘭岱——這是『創始者持股』,面值爲一分。你看,一等投資人購買四元的股票,持兩百萬股的各所大學即坐收近八百萬元。不錯吧?不過這個階段,這筆錢只是杯水車薪,更別提蓋新大樓了,我知道你一定懷疑創建者的一分一股和投資人的四元一股怎麼合理,稍安勿躁。」

蓋斯樂邊說邊在紙上寫著數字,此刻他把創建者持股這幾個字圈起來。「他們投注的心血這麼多,獲得百分之六十股份並不爲過:專利權,你的NONO二號,臨床實驗結果——在風險最高的階段全靠他們自己的經費和努力完成。那當然價值不菲,尤其是當投資人進場,失敗的風險已大幅降低的時候。切記,投資就代表風險和報償。兩者股價差異巨大的理由就是『他們』,」他把「外來投資人」圈起來。「『將會得到優先股』。你上過商學院,應該懂這是什麼意思:萬一公司瓦解,他們有權先凍結剩餘資產。」他吃吃地笑道:「其實眾所周知，如果生意失敗，能凍結的資產便所剩無幾了。不過遊戲規則是如此。我們不是通用汽車、可口可樂或IBM這種大公司，很簡單，就是猜嘛。投資人不但賭公司不會倒，還賭它業務興隆，甚至一飛沖天。」他又咯咯笑起來。「當公司股票公開上市，優先股終將轉為普通股，股票一上市，他們的股票便合法，因此價值也提升。這是要付出代價的。現在，」他在紙上打三個驚嘆號，「講到剩下未分配的百分之十五，這就是我詳細解說的原因，這百分之十五是你我的彈藥。這一千五百萬股——高得不尋常的比率——保留做為認股權，我們付不起高薪給員工，顧問和董事會的薪水更低，因此……」他身子大大向後一癱，「給他們股票，他們可在十年內以一股四毛錢的價格買舍揚的普通股。不錯吧？」

雷妞飛快地計算一下。之前馬丁曾答應給她七萬五千股，她若以每股四毛購進，等投資人以每股四元購入，她就淨賺二十七萬！

「四毛！」她喊道：「你要怎麼向投資人說明？」

他搖搖手。「用不著說明。他們老謀深算，尤其是灣區這裡的投資客，對自己有何選擇清楚得很。新公司提供認股權是很平常的事，包括普通股和還不能出售的股票——因為尚未向證券交易委員會登記，它只有優先股十分之一的價值。切記，在此階段，優先股較有法律保障，而且這些利潤——包含你的在內——都只是帳面利潤。」

雷妞紅了臉，好似馬丁看穿她想發橫財的心思。

「雷妞，」他說道：「公司股票越早上市越好——這是投資人最樂見的——此時才能計算眞正的利潤。既然認股權能令管理階層和員工更加努力朝共同目標邁進，何不有錢大家賺？錢太多了，不怕不夠分配。」他站起身來。「資本主義正在運作。它在皮奧里亞大獲全勝，且看它對學術圈是否起作用，這是你目前的工作能賺到的唯一貨幣，它或許看起來好像過度灌水，但是依然有黃金般的身價——起碼它前景看俏。」

於是我挺著七個月的肚子，搭經濟艙飛往波士頓爭取科技顧問董事會人選。我的想法和語氣開始跟馬丁一樣。那有什麼不對？我喜歡他的嘲諷、務實和具感染力的熱情。我喜歡他。

不久前他向我坦承，他用二十五年前別人測試他的方法來測試我。當年他是史丹福新科企管碩士，剛成爲薩發諾利實驗室第一批管理階層人員。一開始，薩發諾利即明說馬丁是他的繼承人，只要他表現良好——這是甫自研究所畢業的毛頭小子面臨的大試煉。所以如果我表現優良的話……？

我想我已通過測驗。因爲打從一開始，馬丁就與我分工。「找投資人之前須先成立管理董事會，科技顧問董事會和醫學顧問董事會。」有一天馬丁對我這麼說。他負責管理董事會，而舍揚的公主，也是公司內唯一的科學家，則負責其他兩個董事會。

我告訴約夫德這件事，他只瞄一眼我隆起的腹部說：「你最好趕快找到你那兩個董事會的董事長。」

「找女性來接任也可以。」我說道。但他沒有笑。

組織董事會的訣竅是靠人脈：先找幾位專業人士候選，他們就會幫你找到其他人選。我決定先從弗教授下手，而且打算親自晤面。除了一九八一年那次短暫停留外，一直不曾回到布蘭岱，和弗教授也一別數年。我並未做研究工作，起碼在弗教授眼中不算，因此兩人連絡僅限於互寄聖誕賀卡，不過他寄了一個很美的大銀燭台作爲結婚賀禮。他人脈很廣，而且位居人際網絡中心，因爲他未涉足企業界，因此和他談話很安心。考慮到他的學養以及在一氧化氮領域之經驗，不正是科技顧問董事會董事長的絕佳人選？

馬丁搖搖頭。「這雖然是你的權限，」他說：「但我要告訴你，這樣恐怕不妥。第一點，主席不但要在科學界知名，也要有魅力，坦白說，以諾貝爾得主爲佳。我明白諾貝爾得主有如鳳毛麟角，但股份夠豐厚的話，不怕找不到人，當然他的專長應和科學相關。但尚未有人因一氧化氮而得獎，眞可惜。」

我忍不住說：「會有的。」他盯著我看了很久，害我糗得趕快請教他反對弗教授的其他理由。

「他是你以前的指導教授，不是普通教授，他不僅是你博士後研究的良師。」他說道：「整個計畫是你倆一起推動的，他還派你到以色列去。我認識不少科學家，所以我明白個人認同將使情況變得複雜。你當眞想要一位父親型的人物坐鎭科技顧問董事會？即使只是掛名？」

馬丁紳士風度十足，他說：「不必回答我的問題，只要考慮就可以。」接著他告訴我他籌組管理董事會的進展。一開始，三所大學就都同意馬丁出任董事長——起碼是此一階段的董事長：他本就在加州和以色列間通勤，熱愛以色列，在籌款和生化醫學方面經驗豐富，甚至願意自掏腰包投資。還有比這樣的人更理想的嗎？他則認爲主要持股人——這三所大學——應派出代表人。本古里昂立即推派曼那欽・狄維爾，又一個衆望所歸的人物，他曾負責爲該校籌措經費，也曾在計畫之初參與過計畫。

哈達撒那方面的代表簡單，既然舍揚公司目前的焦點在勃起障礙，因此具醫學學位，又是泌尿學家的人來任董事長成員最爲合適。馬丁認爲董事會宜小而有效率，所以覺得耶胡達・戴維森一人恰符合這兩個條件，除他不做第二人想。那布蘭岱呢？馬丁和弗教授不熟，於是連絡他比較熟的財政副校長。副校長建議他：「別找教授了，只要按時通報我們進展，還有兌現支票就好。」馬丁覺得他說得有理。但他交際手腕高明：他致電弗教授，看他是否覺得未受邀是一項羞辱。

出乎他的意料，弗教授自承不是做生意的料，也沒有興趣加入，他提議找米蘭妮・連德蘿，瑞普康的執行董事。馬丁認爲連德蘿極爲合適，如此一來，董事會將有女性成員，她對生殖生物學知識淵博，又能爲當初支持一氧化氮研究的基金會作代表。我很好奇，問馬丁她是否接受提議？

「尚未連絡上她。」馬丁說。他與連德蘿素未謀面，因此覺得應赴紐約親自拜會。

所以我才挺著肚子飛往波士頓。馬丁認爲我去請教弗教授對科技顧問董事會的看法，不但得體，說不定還受益良多。我可以請他引薦一些諾貝爾得主，因爲不少諾貝爾得主曾在他門下受業。我很好奇他對董事會和我的大腹便便會怎麼說。

我喜歡弗教授跟我打招呼的方式，非常直率。「你體重增加不少，」他盯著我的肚子說道，「你又接了一個工作？」我不知他意指我將爲人母還是我那個具行政性質的工作，或其他的。但我很肯定他已無意勸我找一個可以取得終身教職的工作。弗教授迅即對我的任務產生興趣。他非常有風度，強調他不適合做生意（雖然我並未眞的請求他考慮就任該職），也從未擔任顧問工作，未來也不打算擔任。「至於我對聘請諾貝爾得主有何看法？」他思索著：「他們確派得上用場，」我覺得他笑得有點假，不過隨即恢復眞誠，而且確實相當認眞思索。

「I・C・」他說道。

我一時摸不著頭腦，以爲他說，「我明白。」（I see.）

「伊錫鐸・康特（Isidore Cantor），」他解釋道：「他因研究癌症而獲諾貝爾獎，大家都叫他I・C・。」

我問他是否還有其他人選，但他似乎沒聽見。「想一想吧：你要的不是專家，而是神氣活現的通才。研究一氧化氮當然和癌症扯上關係——大家都擔心亞硝基化合物的致癌性。找個癌症諾貝爾得主坐鎮董事會，代表你們關心此一議題。何況你知道如果Ｉ・Ｃ・知道有人開始研究一氧化氮抑制腫瘤的功效，Ｉ・Ｃ・他應該會感興趣的。我跟他很熟，我替你打電話問他願不願和你碰個面。」

弗教授的建議十分中肯，他立即明瞭成立科技顧問董事會的目的。董事會的功能並非爲招募投資人作公關，雖然馬丁警告我不要低估，數年內即會發生ＩＰＯ狂潮。（不到兩年前我還是個窮學術人員，絕對猜不到這三個字母代表首次公開募集（Initial Public Offering）；現在凌晨三點把我喚醒，我也能津津樂道這三個神奇的字母。）如果治療性機能障礙的ＮＯＮＯ二號果真生意興隆，我們就無法繼續做爲一個製造單一產品的公司，除非我們願意被大製藥廠併購，完全喪失我們原公司的廠號。或許這就是我們的宿命，也是大多數生化科技研究公司的宿命，至少那些存活下來的公司就是如此，但我們現行策略並不以此爲目標。我們的策略很簡單：先讓ＮＯＮＯ二號上市；其次，著手研究第二代產品；第三，探索一氧化氮釋放劑或阻斷劑是否有其他療效。我們可以成爲製藥工業的一氧化氮發電廠！科技顧問董事會將帶領我們與最新科技齊頭並進——隨時注意尚未發表論文的研究工作進展——並且招募新血。人脈、人脈、人脈、人脈。

「你覺得麥克斯・韋斯？如何？」弗教授突然開口道。「他可能合適噢。」「那個普林斯頓的生化學家？」我問道，「任董事會董事長？」我不想承認自己只以諾貝爾得主爲目標。「一流的生化學家。」弗教授大拇指扣住食指形成一個圈，像在形容某種甜點的美味。

「你的董事會需要生化學家。如果我不願意，何不找韋斯？」情況似乎相當詭譎。「他不是退休了？」我問道。「這樣豈不成了銀髮董事會？」

我的話似乎傷了弗教授的心：「何不說成熟、資深、穩重……？」

「當然。」我馬上附和，可是他不善罷干休。

「康特年紀和我不相上下，六十出頭。韋斯快七十了，但仍然相當活躍。謠傳他正在進行相當熱門的研究。」我被逼得無力招架，心裡很緊張。

「很明智的建議，」我說：「但是我們應該先找董事長，再和他商量其他董事人選。」

「或是找位女性。」他說。

「找位女性。」我假意附和著。馬丁要我「釣」一位諾貝爾得主，我打算自密歇根湖開始釣起，據我所知，那裡只有雄魚，我不曉得該到那裡釣雌魚。

第十四章

「庫里希南博士，你喜歡玩一種重排字母的文字遊戲（anagram）嗎？」康特教授問道。他指著一張椅背成翼狀的安樂椅，雷妞感激地坐下來，因爲椅子有扶手和堅實的靠背。

我可以玩，可以不玩——通常都選擇不玩——她一邊含混地搖搖頭，心裡一邊想著。她是來懇請他出任董事會董事長的，沒想到康特大方地同意在他芝加哥的公寓與她見面。密歇根湖的景致使她這一趟路値回票價，這種美景只有諾貝爾得主才享受得起。「爲何有此一問？」

「就拿爪哇直立猿人這幾個字（Pithecanthropus erectus）爲例——」

「我對古生物學恐怕不在行。」雷妞想先下手爲強，中斷她不熟悉也不關心的話題。她從波士頓回舊金山的轉機途中，只能在芝加哥停留四個小時，可沒興致閒聊古生物。

「我不是在談人類和他祖先，」康特不以爲忤地笑著。「如果有人要你就爪哇直立猿人這二個英文字的字母想出另一個字母相同,但經過重排的字或片語,你會造出一個什麼字或句子?」

「我想我會先把這兩個子寫下來,確定沒拚錯再說。」雷妞坦承道。

「我喜歡你的答案,庫博士:誠實又直接。你知道是誰問我這個問題?」沒等她回答,康特又說:「是弗敎授。猜他的答案是什麼?重組後變成『Pursue the Person, Catchit.』」他說道,「很妙吧?」他傾身向前,像要把她看個淸楚似的。「你跟著他在布蘭岱那麼久,都沒聽他提起過這個妙答?」

「從來沒有。」她說得斬釘截鐵,卻驚訝地發現這些字眼用來形容她此行目的再適切不過。

「那倒令我印象深刻。如果我想得到那種答案,一定到處大吹大擂。」

「說不定不是他自己想出來的,也許是別人告訴他的。弗敎授從不竊取別人的點子。」

康特瞇起雙眼。「我懂了(I see),」他說道,聽起來像在叫他自己的名字(I·C·)。「也許就因為這樣我很看重他。所以他昨天打電話說你要來,我還眞把它當一回事呢?雖然他已經主動偷偷透露了一點你的神秘任務?不過你來的時機正巧——非常的巧。本周末我在芝加哥有場室內樂演奏,而我的那些伙伴再幾小時後就要到這兒來練習了。」

就像接錯台詞似的,一個特別高䠷,風采迷人,亞馬遜戰士型的女子正從走廊走過來,一手挽著大提琴的琴頸,一手拿著琴弓。「對不起,雷納多親愛的,」她叫道,「我不知道有客人在。」

「進來，進來。」他揮手示意賓客所在位置。「她是雷妞・庫里希南博士，菲力・弗蘭肯塔勒的博士後得意門生，她爲了某項秘密任務而來。你是我最親近的人，應該知道我最拿博士後明星研究員當一回事了。這位是菠娜・柯里小姐。」他指著那位抱著大提琴的女巨人。「菠娜，你應該對弗敎授有印象——他一月份曾來聽我們的演奏會。那場演奏會難度很高，由興德密斯（Hindemith）五號曲揭開序幕，終曲是巴托克的四重奏——」

「夠了，雷納多。」她將大提琴盾牌似地往地上一放，轉向雷妞。「雷納多是我們這四人樂團的小提琴手，所以幾乎每次都要演奏興德密斯。不過別讓我打擾你們了。」

「要不要一起聊聊，菠娜？你介意嗎？」他看了雷妞一眼，雷妞明白她精心的策畫全完蛋了。

「只談音樂就無所謂。」菠娜說道。

「恐怕不談音樂，」雷妞隨即說道。「談科學。」

「這樣的話，我寧可到樂室去看樂譜。」

她對雷妞說：「我們正要練習肖斯塔科維奇第十四號，F長調。以前沒演奏過。」

「你到底位在公司食物鏈的那一級呀？」

「對不起，你說什麼？」

「你知道的，」康特輕蔑地做了個動作，「你屬於那一個層級？」

「舍揚的人不流行這種想法，」雷妞簡短地答道：「誰也不在誰手底下做事。」雷妞覺得最好不要告訴康特，公司目前只有七位員工。

「那這是什麼樣的公司？集體農場公司？」

雷妞不禁捧腹大笑，頓時打破僵局。「最初的臨床研究都在以色列進行，這個名稱說不定很合適。不過大家的薪津不盡相同。」

「我想也是。」

「康特教授，您會不會太嚴厲了？學術圈難道沒有食物鏈嗎？您如何在實驗室運作？我敢說一定是生呑研究員當早餐，活剝博士後研究員做午飯。」

康特久久地盯著她看，她一時以爲她把後面那兩句話說得太白了。「你說得對。談談你此行目的吧。爲什麼我該加入你們的醫學顧問董事會？你稱之爲SAB吧？」

雷妞登時滿臉通紅。是他講話帶中西部口音，還是他眞的唸成SOB（譯按：“Son of a Bitch”之簡稱，意爲「畜生」）？如果是後者，她不如搭早一點的班機回去。

但康特繼續說道：「……我和你們弗教授一樣，從不曾涉足生意圈？還是我錯看了菲力？他要加入SAB嗎？」

雷妞畏縮了。她暗地發誓絕不再用字頭語了。她沒理會最後一個問題。「其實，我們不單希望您加入，我到此地來是請求您坐鎭科技顧問董事會，審查其他董事的資格。」

「我爲何要答應？」

「我們的研究很有趣，近代生物學最迷人的分子當推一氧化氮。」

「或許吧。」康特同意。「但我的專長是癌症。」

「一氧化氮和腫瘤發生學有關，也和抑制腫瘤有關。」

「老和分子打交道的科學家莫不希望如此。你沒利用這點做爲引誘我的動機吧？」

「那麼，接觸非您專長的領域如何？」

「我不擅長的領域數也數不清。」

「數不清？」雷妞的鬥志前所未有地高昂起來。現在她肯定康特會拒絕她的邀約，但她可不願接受這種浮誇、不相關的論點，她不願不戰而敗。

「還有兩個理由您可能會感興趣。」

「說吧。」

他粗率的言談令雷妞怯懦，這和先前彬彬有禮近乎貴族般歡迎她的康特教授簡直判若兩人。他在試探她？好吧，她告訴自己，相信這一關我一樣過得了。

「攝護腺癌和性無能，」她答得和他一樣粗率。「如您所知，是因果關係，以攝護腺完全切除爲例——」

「我的攝護腺還健康得很。」他硬生生地說道。「還有呢？」

兩人對談的話鋒一轉，令雷妞手足無措。「呃……」她結結巴巴地說：「糖尿病男性病患也產生性功能障礙，還有心血管疾病的——」

康特再度打岔：「我的意思是說，除了科學或醫學理由，可還有其他理由說服我應該考慮加入——」

「是主持，不只是加入。」雷妞心想，他可以打斷我的話，我也可以插話。「還有酬勞方面。」

「哈！」

雷妞不確定那一聲「哈！」是否含有嘲諷意味。「參加董事會的酬勞微薄，因爲我們公司規模小，現金少。但我們提供豐厚的認股權，所有董事都有份，董事長股份爲董事的兩倍。」她很快地簡要說明三萬股每股四毛的股票潛力多麼雄厚，並謹愼地指出，當股票產生市場價値，且漲到十五塊錢時，將舉辦首次公開募集。「三萬股價值即超過四十萬美元，如果一氧化氮釋放劑如同以色列臨床硏究證明般有效，股價可能漲得更高。」

「我不缺錢，」康特說道：「除非我想買瓜爾內里名琴送給菠娜做生日賀禮。順便告訴你，」他補充道：「瓜爾內里家族中也有人製造大提琴。」他聳聳肩。「我生活安逸，收入足供我隨心所欲花用，又無親屬靠我撫養——」

「那不是賺錢的唯一理由，」她打岔道。「即使您不想買名琴給——」雷妞再度手足失措，她本想說「尊夫人」，但那拉大提琴的女性似乎不是這個家的女主人。

康特不知不覺間救她免於尷尬，他不提瓜爾內里了。「再給我一個理由。」他說道。

「如果諾貝爾獎金只有一塊錢，不是一百萬，你和同事還會如此看重它嗎？」雷妞話一說出口馬上就後悔了，可是康特的金錢觀激怒了她。

「我只獲得八十萬元，不是一百萬。」他口氣很嚴肅。雷妞還不知道諾貝爾得主提到諾貝爾獎的現金價值有多敏感。「而且還得和共同得主平分。」

「對不起我失言了，我說的當然不是您的諾貝爾獎。」

「繼續說下去，你剛給了我賺錢的另一個理由。」

「賺錢是爲了花錢。」

康特似乎吃了一驚。「這是你賺錢的動機？」

「的確是。別忘了，花錢不但感覺很爽，還能賦予你權力。」

「你覺得權力重要？」

「我開始這麼覺得。」

「感謝您願意在辦公室見我。」馬丁・蓋斯樂說道。蓋斯樂雖不拘小節，今天卻穿了燙得平整的藍色西裝，黑皮鞋剛在機場的擦鞋攤擦過，還光可鑑人，漿過的白襯衫配上帥氣的藍灰條紋領帶——是他有限行頭中樣式最保守的一條。

米蘭妮・連德蘿低頭答禮。「我總將弗教授的推薦放在心上，雖不見得照辦，但總是相當看重。菲力說你想和我討論加入你們管理董事會的事。承蒙你們不嫌棄，但我應該一開始就告訴你，除了瑞普康，任何一個董事會我都不參加，這是考量到職權問題。」

「太好了。」馬丁說道：「如此便不致產生利益衝突。」

「別急呀，蓋斯樂先生！」連德蘿又好氣又好笑。「第一點也是最重要的一點，我不兼任其他董事會董事是因爲太忙，沒有時間。我身爲瑞普康執行董事——」

「可是其他基金會主任和校長出任公司董事會者卻不乏其人，」他突然插嘴。「而且兩造發現彼此可互蒙其利。」

「當然，」她說道，不想提醒對方她尚未正式受到邀約加入。「但我兒子年紀還小。」

不過蓋斯樂尚未打算打退堂鼓。他一踏進瑞普康大門和連德蘿握手寒暄後，當下即認定董事長人選非她莫屬。他的第一印象很少出錯。「不過有子女的人很多。」他笑得很親切。「我們一年開不到六次會，必要的話其中一兩次可在曼哈頓這裡召開。家裡的事交給爸爸就成了，反正次數不多嘛。」

「我們家沒有男主人。」

「我懂了。」他說道，意外地感到不好意思。

連德蘿幫他自尷尬情緒中脫身。「多透露一點你的計畫。你該記得我和一氧化氮的早期研究有關，我們曾資助雷妞・庫里希南待在以色列。對了，她現在可好?菲力說她投效你們公司了。」

蓋斯樂鬆了一口氣，她的問題替他開了好幾條路，他決定每一條都走走看。他先從雷妞下手，強調他已預見雷妞這位女科學家前途一片光明，而且即將升格爲人母。他的直覺一如往常般正確：連德蘿就愛聽這個。最後他提到雷妞目前正忙於籌組科技顧問董事會。

「你們爲什麼要設立兩個顧問董事會？」

「問得好。」他讚道，這下又有機會解釋公司的藍圖。「ＳＡＢ扮演長期的角色：我們必須爲下一階段發展作準備：ＮＯＮＯ二號成功之後，該朝那一方向繼續研究發展。董事會將建議或批評第二代產品研究，以及一氧化氮在醫學方面其他的作用。」

連德蘿點頭稱是。「那麼設立醫學顧問董事會的目的何在？你稱之爲ＭＡＢ吧？」

「是的。理由很簡單，我們最優先的要務是儘快在國內完成第三階段臨床試驗——於五十個中心內完成二千個不同的計畫。」

連德蘿很訝異：「這麼多呀？」

「這麼多才能獲ＦＤＡ通過。如果量不夠，被ＦＤＡ駁回，要求多做的話，會損失不少時間。你可以想見，臨床試驗所費不貲，動輒數百萬，所以瑞普康一己之力無法研發新藥，需要風險資本家投資才行。我們想盡量省下公司內聘醫師的開支——目前他們的人事費用最高。庫里希南博士將領導一群正式護理人員和一位生物統計學家，負責整理臨床試驗數據。但我們需要獨立的醫學稽核人員——更重要的是需要有人作公司與外界臨床醫師的緩衝。臨床醫師多爲泌尿學家——一群精悍的男性——會瞧不起舍揚多爲女性員工，即使這些女性皆爲醫師。這就是ＭＡＢ的任務。」

「你說ＭＡＢ的成員多爲男性泌尿學家？」連德蘿語帶譏誚，然而蓋斯樂早已料到。

「希望你說的不對。庫里希南博士負責MAB，她定會設法達到性別平衡，也許百分之五十……」

「和你的SAB一樣？」她笑了。「請說下去。我無意打岔。」

他吁了一口氣。「MAB的報償和SAB，以及我們管理董事會一樣，」馬丁朝連德蘿做個手勢，好像她已加入似的。「都來自股份，股票相當保值。」

連德蘿眉毛一揚。「該是談股份的時候了。」

太好了，蓋斯樂心想，我敢說她已上鉤。可是當他描繪完樂觀的藍圖，只剩下兩三筆即完工時——「我們當然無法預測股票短期通貨膨脹，但長期觀之……」他朝著天花板看，像在仰望股票的假想神。

但是連德蘿連餌都沒咬。

「我懂了。」她說道，「現在說說有那些人爲你的公司效力。」

蓋斯樂深知公司現行規模太小，故意拖延問題。「容我向你稟報SAB的一些成員——起碼是目前已加入的。康特教授已接受董事長一職，你是知道的，」他假裝不動聲色，「就是研究腫瘤發生理論的諾貝爾獎得主。」

「還有誰？」她面無表情。

「麥斯・韋斯，普林斯頓的生化名譽退休教授，但仍熱中研究。」他急著補充道：「還有邁可・馬勒塔，密歇根大學的年輕教授。他在痲省理工學院時，庫里希南博士曾與他共事，據說他是一氧化氮生物合成的權威。這個領域相當複雜，你最好和庫里希南博士討論。讓我想想，」他假裝陷入長考。「還有誰答應加入？」他知道囊中已無寶物可獻，但何必掀自己的底牌呢？

「相當精彩，但目前管理董事會成員有些什麼人？如果我決定加入，我有那些同事？」

「啊，對了，」他熱情地喊道：「下個月召開首次會議，相信你會蒞臨指教。小弟不才先任董事長，」他親切一笑。「就是在下。我們已網羅薩發諾利博士——薩拉的創始人兼「墨合」公司總裁。他是訓練有素的生化學家，也是數家公司的創辦人，例如——」

「還有誰？」

「耶胡達·戴維森博士——」

「哈達撒那位？他是出類拔萃的人物，瑞普康贊助過他早期的臨床研究。恭喜你，還有誰？」

「還有摩特·哈特史東律師，他有菩薩心腸，也是公司顧問，有人說絕對不要法律顧問進入董事會，因爲你不知道他站在那一邊。但我們承擔這項風險，因爲他也身兼董事會秘書，他不自覺地提供免費法律諮詢，將爲我們省下一大筆開銷。」

他咧嘴陰險地笑著。

「荷包看得眞緊啊，蓋斯樂先生。說不定我們該聘你出任瑞普康的董事。成員就這些？人數相當少，是吧？」

「公司法規定，依公司目前規模，只能成立八人的董事會，所以可說非常標準。我們保留兩個席次給主要外來投資人，目前仍在洽談。加上你，如果你接受邀約的話。」

「我要考慮考慮。給我一個禮拜的時間好嗎？」

她送蓋斯樂到門口，途中忽然停下腳步。「你剛說八位董事，可是加上兩個投資客和我，只湊成七個人。」

一時之間，精於數字的蓋斯樂愣住了。但隨即拍著自己的額頭說：「你說對了。我怎能把曼那欽·狄維爾忘了？他代表——」

連德蘿瞬間變了臉色，把蓋斯樂嚇一跳。「有什麼不對嗎？」

「沒有。」她說道。「一點事也沒有。」

第十五章

「這是歷史性的一刻，舍揚股份有限公司管理董事會的首次會議。」蓋斯樂沒打領帶，襯衫袖子捲至手肘，自豪地宣布道。「當然，場地還是借來的。」他作手勢向左廂的薩發諾利致謝，他是場地的業主，薩發諾利仁慈地頷首，帶著一絲羞怯，透露出他不想被人當成會議的主持人。「但不出數年，」蓋斯樂繼續說道，「希望我們能坐在自己的大樓、自己的會議室內，和這一間一樣……」他停下來，戲劇化地撫摸著長橢圓桌面光滑的玻璃。

「會議開始前，」他說道。「先特別歡迎遠道自阿姆斯特丹來，毫不受時差影響的貴客。」他低頭向右廂的麥格納斯・范・茲凡納柏格男爵行禮，男爵有著軍人儀態，淡黃色頭髮整個向後梳，鼻樑瘦而帶貴族氣，雙頰不協調地呈現紅潤之色。

男爵的微笑似乎很冷淡。「我們國際銀行家曉得如何應付時間赤字，所以我們總是搭頭等艙。」

蓋斯樂一時之間似乎很窘。他不想衆人得知他爲了拉攏男爵而讓步：男爵絕不坐三等艙。蓋斯樂答應他的條件，因爲有男爵加入，不但給歐洲投資客信心，也是個成功策略。找個有頭銜的阿姆斯特丹銀行家，他正好也是荷蘭皇家殼牌石油、菲利浦電子，以及羅特丹的波曼斯—凡．希尼根博物館等委員會的會員，他的參加的確使年度會議生色不少。

蓋斯樂飛快地瞄一眼其他兩位自國外飛來的賓客。戴維森注意到了男爵的旅行標準。蓋斯樂知道等一下戴維森一定會發難，看他忽地一咬牙，筆馬上擺在面前的筆記本上亂畫，蓋斯樂心裡就有數了。

坐在戴維森隔鄰的狄維爾呢？蓋斯樂瞄他一眼，知道他一個字也沒聽進去。他一直盯著對桌的米蘭妮．連德蘿看，連德蘿則全神貫注望著男爵。她聽見了男爵的話，但似乎覺得很好笑。蓋斯樂心想，最好趕快換個話題。

「摩特，」他招呼橢圓玻璃桌對面的公司顧問，「該你了，談談公司的老套吧？」

確認每位董事都拿到公司法規定後，哈特史東詢問衆人是否有問題。結果大家都沒有問題。哈特史東長期接觸公司的董事會，深深了解大家根本懶得看，以後也不會看。他並不介意，如此一來，等他援用公司法做爲無可反駁的前例時會省去不少氣力。他掃視桌面一圈，專心看同事的腿——這是他喜歡玻璃會議桌的原因之一。只有他老婆知道他利用桌下雙腿的姿勢來研究人的心理。他知道自己的雙腿完全不顯露任何心理訊息，地心引力征服了心理影響：啤酒肚害他不得不坐得離桌子遠一些，雙腿如擎天石柱般撐住他肥胖的身軀。可是其他人呢？

蓋斯樂低頭彎腰，雙腿張開，完全放鬆。薩發諾利雙腿交叉，長褲筆挺的褶痕絲毫未縐。哈特史東敢說薩發諾利一定先拉一下褲管才坐下去。反觀男爵雙腿屈併，雙足平貼地板，一腳略比另一腳前面一點，表示他隨時準備突襲。狄維爾和蓋斯樂一樣張開雙腿放輕鬆，但不像總裁般不雅。他看不到戴維森的腿，而且把連德蘿的腿留到最後，因爲難得有機會鑑賞。此時，蓋斯樂的聲音打斷了他的觀察。

「我們趕快選出董事長和副董事長，我想完成董事會指派任務。」在此，選舉不過是蓋蓋章的形式，而且一下子就蓋完了，因爲董事會目前的管理階層規模很小：蓋斯樂爲總經理和主要執行長；雷妞・庫里希南爲副總經理兼科技主任；羅杰・奎斯佐爲新成員，任會計、財政主任，和行政副總經理。一人兼數職可以省錢，剩下的職務不需經董事會同意。

「現在來決定董事職務，請摩特檢查一遍初步的職務指派。」他一改懶散的姿態，坐直身子。「當然需要各位一致同意才行。我們不信任選拔制，最好由同仁志願擔任。」

「好的。」哈特史東在啤酒肚容許的範圍內盡量靠近桌緣。他檢視眼前的名單。「首先是監察委員會，這部分我們需要兩位外來的董事擔任，最好具有財金背景。我們建議男爵——」

「叫我麥格納斯就可以。」

「謝謝你，麥格納斯。我們提議由你和阿費多．薩發諾利擔任，諸位同意否？」見衆人點頭，他便繼續。「高階主管福利委員會我們提議由戴維森教授——」

「叫我耶胡達即可。」

「那就由耶胡達和馬丁擔任。諸位贊成否？」

沒有人反對，他轉向米蘭妮：「第三項職務佔不了多少時間，在早期階段卻極爲重要：配股委員會。我們需要兩位外來董事擔任，因此提議連德蘿博士……」

他等著對方說：「叫我米蘭妮就好。」卻沒回應。

「和曼那欽擔任。」他略顯笨拙地做了結語。「可有反對意見？」

曼那欽直視米蘭妮，兩人眼神首度交會並鎖定彼此。

「好啊，有何不可？」狄維爾尷尬地頓一頓後說道。

蓋斯樂再度掌握大局。「董事職務已分配完畢，現在開始討論議程，各位會前應該都收到了。第一項，財務報告：這項由羅杰向大家報告。」他向那名青年點頭示意，他一直坐在靠牆的雷妞旁邊，用兩隻椅腳保持平衡。一聽到有人喊他，立即往前使椅腳落地，自信滿滿、態度急切。

「可是今天我得利用主席特權先做一些報告，待會兒再由你發言，如果你不介意的話。」

奎斯佐聳聳肩，又翹起椅腳。

「因爲我要先宣布一個大好消息：我們四塊錢一股的股票順利賣得一千萬元。」

「你應該賣五塊錢一股。」狄維爾大笑。

「別貪心不足。」蓋斯樂隨即說道，瞥見由買進四塊錢股票的投資人而被提名爲董事的的男爵皺起眉頭。「用現金買進股票的投資人應該覺得撿到便宜。我知道你想到本古里昂大學，但日後股票公開上市時，我們才會眞的大撈一筆。」

「如果股票上市的話。」男爵插嘴。

「一定會上市，遲早的問題。」蓋斯樂很有把握地回應。「等你聽庫里希南博士報告臨床研究計畫之後，必定會和我一樣樂觀。」

雷妞綻顏微笑，因爲她感激蓋斯樂提到她的姓和職銜，但由腹部左邊慢慢移至右邊的疼痛害她笑不出來。這已是會議中第二次疼痛。兩個月來她一直有不規則的收縮——書上說專業術語稱之爲「無痛性收縮」（Braxton-Hicks）。可是連著兩次收縮是怎麼回事？是不是勉力僵直地貼著牆坐，肚子頂在膝上的緣故，還是初期陣痛？預產期已快超過一週了。幸好約夫德也在同一棟大樓工作，可以在幾分鐘內送她到達史丹福醫院。

她舉起一隻手，「馬丁。」她猶豫地說道，「我覺得噁心想吐，可否插隊在羅杰前先報告，希望他不致認爲我佔他便宜。」她輕拍了一下腹部。

「當然不會這麼認爲。」馬丁馬上說道。「相信大家都注意到庫里希南博士身懷六甲，所以不該耽擱她太多時間。雷妞，請說。」

雷妞開頭先簡述要交付FDA審核前，需要做那些研究，包括重做一些在以色列已經累積獲得的成果，沒完沒了的毒物學研究和似嫌多餘的體外試驗，因爲NONO二號有效成分的臨床人體試驗已經進行得差不多了。她很同情戴維森，他不只一次嫌惡地轉動眸子，不滿美國官僚不信任耶路撒冷做出來的數據。但雷妞在薩拉的規範事務部門待了一年，儼然成爲FDA相關規範的專家，故能具體回答戴維森提出的問題。

「和這些檢驗員爭辯無益，徒然浪費時間和唇舌，最後若把他們惹惱了，他們會報復的。切記，我們是新療法的先驅——這點對我們不利——所以不論問題再怎麼風馬牛不相及，我們都必須回答。FDA檢驗員因『沙利竇邁』事件得到慘痛教訓（譯按：『沙利竇邁』爲抑制孕婦噁心嘔吐的藥物，不料服用後造成胎兒手足畸形如海豹肢，引起軒然大波）。加速通過新藥他們得不到好處，但如果出了事，他們可是要砍頭的。」

她繼續報告臨床研究部門的初部成員組成——三位護理人員和生物統計學家——如今轉至MAB任董事。「MAB將扮演絕對重要的角色，尤其是目前欠缺專職醫生的現階段。除了省錢之外，」她看著蓋斯樂，因爲她獲知蓋斯樂生性儉樸，公開表態於她有利，便於她日後申請額外資金。「另一個原因是以色列方面和戴維森教授方面已備有豐富數據——」

「雷妞，直呼我的名字就可以。」戴教授打岔道。「既然我在你手下做事，不妨叫我『耶胡達』。」

雷妞大感詫異，她聽到他們之前「直呼我名字」那一套，但那都是針對男性。是否她潛意識內殘留的印度身分令她如此敏感？「我會嘗試的。」雷妞羞怯地微笑道。「耶胡達同意派一位年輕的臨床研究同僚夏力博士到帕洛奧圖待兩個月，協助我們在五十個中心建立臨床藥物試驗報告。」

「誰出任MAB的董事長呢？」連德蘿問。

雷妞用眼角餘光瞄一下戴教授，除了蓋斯樂，只有他知悉她的策略。諾蘭博士幾天前已應允上任。「M・L・諾蘭博士。」她說完後靜候反應。

「老天爺！」連德蘿叫道。「史丹福的諾蘭？」看雷妞自豪地點頭，她又說：「她在耶魯大學時，瑞普康曾提供她研究費。趁停留在此期間，我要去採訪她。」

「是個女的？」男爵問。

始終在信筆塗塗寫寫的薩發諾利抬起頭開口：「她是那一系的？」

「婦產科醫學的，對不對？」連德蘿答道。

「史丹福爲了有別於人，稱之爲『婦科與產科』。」雷妞補充說明道：「她是該科系主任：據我所知，她是該校有史以來首位女性系主任。」

「幹嘛找個產科醫生還是婦科醫生？」男爵語帶厭惡。「本公司做的是陰莖勃起——」

「且慢，麥格納斯。」男爵沒告訴連德蘿可以直呼其名，她自己認爲這是她身爲董事會董事長的特權。「陰莖勃起並非和婦科無關，想想陰莖勃起的目的是什麼就行了。」

雷妞大為吃驚。男爵紅潤的雙頰顯然更紅了。雷妞如果看他的腳，就會發現他只剩腳尖觸著地面。但連德蘿似乎已忘了她的話令男爵臉紅。「勃起造成的結果又和產科有關。」她沾沾自喜地說。「勃起多半造成射精，射精往往導致懷孕——」她激烈地打著手勢把話說完。「再者，勃起不久也將在人類繁殖方面扮演從屬角色，試想目前有多少人全力研究人工生殖科技，例如人工受精——」

「或ＩＣＳＩ，」曼那欽低聲插話。

「或ＩＣＳＩ，」連德蘿重複他的話，盯著他看了一會兒，垂下眼瞼。

雷妞完全未察覺兩人眼神交會。「正是。」她說道，慶幸有人堵住男爵的嘴。「史丹福婦產醫學系似乎與泌尿學家關係特別良好，而舍揚非和後者打交道不可。諾蘭博士甚至和他們共同進行男性生殖器病學研究——」

「這又算那門子專長？」男爵問道。

「這是婦科的對應研究，但醫學院很少開這門課，曉得這門學問存在的男性更是少之又少。」連德蘿靠過去看著男爵，以避免和曼那欽四目交接。

「而且，」雷妞又說：「在史丹福，還有男性生殖器病學的合作研究正在進行，主要鑽研內分泌方面。在薩拉公司，」她指著薩發諾利，「我們，我該說他們正研究男性用的睪丸酮貼布，而且已解決女性用雌激素貼布的問題。所以男爵你看，如果有了男性生殖器病學家，就可以由他們處方貼布給男性使用。話再說回到諾蘭博士；我們認為由女性坐鎮ＭＡＢ

是一種政治手腕，反正MAB極可能由男性主宰——而且董事長多半不會關心誰是美國第一個試用我們裝置的人。」

「恭喜你，雷妞。」連德蘿朝她笑逐顏開。「請諾蘭指揮MAB眞是高招啊。現在，」她豎起手指警告道，「你得找位女性加入SAB。據我了解，SAB的目標絕不僅是將一氧化氮運用於男性生殖上頭。沒理由只限男性專用，對吧？」

雷妞正要張口答覆，一陣劇痛痛得她說不出話來，只得雙手捧住腹部。始終凝神靜聽的蓋斯樂立即注意到了。「何不休息一下，依你身體的現況——」

「謝謝你，」她說完即離開會議室。

中場休息期間，狄維爾示意連德蘿跟他一起到毗連會議室的陽台，唯有此處能提供些微的隱私。兩人互相依偎，默默不語，向下望可見一處保養極佳的草坪，草坪中央矗立一根水泥柱，柱頂球上有兩個L字樣——是喬治・里基設計的不銹鋼動力雕塑。兩個L各自依圓形軌道於微風中緩慢移動，似乎即將互相撞擊，但當然永遠不可能彼此碰撞，簡單的結構配上兩個L字各自複雜的運行，正是該雕塑魅力所在。

米蘭妮・連德蘿終於打破沉默，她指著里基的雕塑道：「你看，那兩個L的關係就像照鏡子般相對應，一個L面朝右，另一個面朝左……來了！」她喊道，「你看到沒？」她第一次直接正面看著他。

「L這個字母，」他並未與她相視，低聲說道：「也許是最棒的英文字母呢：L開頭的字有自由、光明、笑、閒暇——」

「別忘了還有愛和情慾。」她笑道。

「我還沒說完呢。還有好運、肉慾、嘴唇、腿——」

「是啊，」她喃喃說道，「還有關係、邏輯和失落。」

他望著她。「說得對。L並不完美，還有謊言、竊盜——」

「別說了，曼那欽，」她央求道：「何不慈悲爲懷？」

他點點頭。「拉馬羅（Lama lo爲什麼不）也是L開頭，但這兩個字是希伯來文，不算。」他輕觸她的臂。「米蘭妮，告訴我！他們邀你加入董事會時，你知道我也是董事之一嗎？」

「剛開始時不知道。」

「之後才發現？」他問得更急切。

「是的，在我答允之前。」

「你還同意加入？」

「呃？」她說道：「我不是來開會了？」

「約夫德，我明白此時此地不宜談公事，可是家裡有事，我今晚非飛回以色列不可。」

狄維爾環著約夫德的肩，兩人在史丹福醫學中心產房外來回踱步。

「放輕鬆，約夫德，每年有數百萬男人經歷這種考驗，老婆正在陣痛，你除了等，別無他法。」

「話是沒錯，」約夫德咕噥道：「但我怎麼知道一切平安無事？」

「我拍胸脯保證。」狄維爾環緊他的肩。「我有話對你說，我們到庭院去談。」

兩人在長凳上坐下來，約夫德拱背而坐，雙手撐住頭，雙眼注視地面。

「你知道我是爲了舍揚董事會議而來，會議剛於一小時前結束。我的立場有點尷尬。誠如公司顧問所言，我們代表全體持股人的利益，可是他知道，我們也知道，這是騙人的，我們尋求的是自身利益——我追求的是本古里昂大學的利益，當然以不和其他持股人利益衝突爲前提，我公平地代表全體持股人。」

約夫德抬起頭來一會兒，但眼神空洞。「是這樣嗎？」他問道。

「你看就明白了，」狄維爾爲自己辯駁。「戴維森代表哈達撒；荷蘭男爵應一群歐洲重要投資客之請求而加入董事會；你在薩拉名義上的老闆薩發諾利以主要投資者之姿態列席，但我敢說他也在考慮舍揚能帶給薩拉什麼好處。你比我更清楚，薩拉和藥物傳遞新方法有很大的利害關係，我們利用尿道傳送藥物的方法當然合格。如果我們成功了，其他公司大有可能向舍揚開出優厚條件，持股人，尤其是三所大學，一定會抵擋不住誘惑。屆時，薩拉就佔了首先出價投標的優勢。他的出現使我們也蒙受其利，我和他初相識，已看得出他很了不起。他在投資圈內德高望重——股票上市時，他的名聲也是一大好處。」

「雷妞喜歡連德蘿博士。」約夫德淡淡地說道。

這一回換狄維爾雙眼盯著地面。「是啊，」他說道。「她是例外，在許多方面都是例外。」

「你認識她？」約夫德想起他和雷妞曾聊過他和連德蘿的事。

狄維爾聳聳肩，雙眼仍盯住地面。

「連德蘿博士的丈夫是誰？」

「你問這個做什麼？」狄維爾轉頭朝向發問者。

「雷妞說她孩子還小，但她依舊全職工作。我們最近才為這個議題爭執過。」

「對了。」狄維爾坐直身子。「我正想跟你討論。我說過我代表本古里昂大學，這點大家都曉得，甚至白紙黑字地寫在給持股人的開場白內。可是本古里昂和其他持股人不同。我們和舍揚唯一的『繆沙』供應商也有利害關係，牽扯到臨床試驗。最重要的一點——而且全要歸功於我——是我說服貝爾旭巴市長掏錢在剛起步的工業園區設立NONO二號的試驗工廠。這是你的研究成果，約夫德，你應引以為榮，一切皆緣自你設計的『繆沙』。」

「不盡然，」約夫德掩不住喜形於色，卻說：「雷妞的NONO衍生物研究也很——」

「正是！」狄維爾打岔道：「你和雷妞兩人的研究，我就是想談你倆的研究。如果舍揚在美國大發利市——依我看它必然成功——我們和哈達撒及布蘭岱共享的專利金必遠超過持股利潤或權利金。我們——我是說不單本古里昂，還有貝爾旭巴和整個那吉夫——都會沾這種生意的光：高科技、體積小、高價值的出口貨品。所以我們才會費那麼大的勁以達到FDA的標準。」

「那又怎樣？」

「如果試驗工廠設備想擴充到眞正的製造廠設備，應由合格的人來管理工廠，同時想出工廠能製造那些附屬產品。你來負責再合適不過了；你有科技背景、對研究產品之實用性始終保有興趣，和妻子在此又累積不少有用的知識——」

「沒錯，不過那是在雷妞懷孕之前。」約夫德望向二樓窗戶，好像忽然憶起他們來此的原因。「我應該上樓查看情況如何。」

「等一下，」狄維爾拉住約夫德手臂。「我明白雷妞於舍揚的地位。早在蓋斯樂得悉雷妞懷孕，甚至和她商量之前，他已在參加貝爾旭巴管理董事會議時告訴我。你們可曾討論她如何兼顧育兒和忙碌的管理工作？尤其公司剛成立，隨時會有意外問題發生。」

「還用你說！」約夫德氣沖沖地說。「我們第一次吵架就是爲了這件事。」

「結果呢？」

「沒有結果。雷妞認爲她和我一樣有權繼續在專業方面進修，她負責把孩子生下來，但帶孩子得夫妻同心協力，我倆聯手一定做得到，何況蓋斯樂替我們負擔保母費。」約夫德語氣轉爲刻薄。「她說許多專業女性能兼顧事業和家庭。『你看米蘭妮·連德蘿。』她說道，

『她就是現成的榜樣。』」他轉向狄維爾。「對了，連博士的先生從事那一行？」

「她目前單身。」

「單身？那孩子的父親是誰？」

狄維爾避而不答。「雷妞不想在貝爾旭巴兼顧家庭與事業？大概不想。」他自問自答。「蓋斯樂給她的機會實屬難得。我猜蓋斯樂想訓練她做接班人。」

約夫德恢復原先姿勢，雙手捧頰，雙眼注視地面。「我曉得。」他吼道，然後坐直身子。「我捫心自問：我倆誰的野心較大？我從未考慮過這個問題，如今答案已揭曉。我們最好走吧。」

他舉起腳忽又停住。「換作是你，你會怎麼做？」

「我不知道。」狄維爾答道。「我從未碰過這種情況。」

「我忘了，」約夫德說，「你膝下猶虛。對了，嫂夫人可好？」

「不好。所以我今晚得趕回去。」

帕洛奧圖，十二月一日，一九八三年

親愛的亞秀克：

從信中附寄的照片可以看出，你已經當舅舅了。娜歐咪過了預產期將近一週（難怪她重達三千九百克），決定於十一月二十一日，全體董事開會那一天出生，你馬上就注意到她不愧天蠍座的名聲。

截至目前，她很討喜，也不麻煩，只要定時餵飽，白天晚上都不哭不鬧，下一週斷母奶後再觀察她的反應如何。約夫德爲此十分不悅，他認爲小寶寶該吃好幾個月的母奶才對。我也贊成，可是臨床研究開始在即，我的工作多得做不完。我承認我喜歡做決策以及給自己和別人下達最後期限。約夫德不贊成我這樣做，不過他只是實驗室的工作人員，我卻肩負舍揚的重責大任。

你可能在奇怪我如何兼顧母職和主管工作。我們的總裁馬丁・蓋斯樂用錢謹愼，不過當用則用，十分慷慨。我加薪的幅度極大，所以聘得起保母——一位可人的二十二歲英國姑娘，有駕照，冰肌玉膚，和許多英國人一樣，一口爛牙，還有一頭耀眼紅髮。她唸了兩年大學，而且打算在加州待一陣子，我猜她的意思是待到覓得如意郎君爲止。她暫時與娜歐咪共住一個房間，但幾個月內我們得換大一點的房子。約夫德在薩拉任全職科學家，加上我任副總裁的薪水（你妹妹很有面子吧！）應能應付龐大的貸款壓力。你一定想不到帕洛奧圖區的房價有多高，但我無意通勤。有時候我得晚上到公司，住近一點比較方便。

我會另外寫一封信給姆媽。

愛你的雷妞上

第十六章

三年來我一次也沒哭過，產房內那一次喜極而泣不算，當時臍帶一切斷，初出娘胎的娜歐咪躺在我胸前，皮膚皺縮，黑髮糾結，身軀仍保持胎兒蜷縮的姿勢。她雙眼圓睜，像在問我：「現在怎麼辦？」數分鐘後護士抱她跟約夫德見面，她也問了同樣問題。我那強悍的以色列丈夫不想在產房陪產。

這些日子以來也灑過幾次喜悅的淚珠，但從不曾因痛苦或憂傷哭泣——至少就記憶所及是如此——而且絕對不曾如昨夜之涕泗縱橫。哭泣照說能出清心靈垃圾，滌清心靈，如果此言屬實，昨夜的痛哭應早已把整個問題解決。起初我自責爲何要到中西部出差四天，先造訪邁可·馬勒塔在安娜堡（Ann Arbor）的實驗室，再轉至芝加哥康特的窩開SAB會議。

窩？我怎麼會用這個略微輕蔑的詞來形容他那十五層樓高，視野、裝潢典雅的濱湖公寓？麥克斯·韋斯艷羨而且精確地說他的公寓「擁有密西根湖兩百六十九度的視野」。是不是因為我尚未摸清他和菠娜．柯里的關係？乍見她時，我以為她住在那公寓，至少在那兒過夜。「雷納多，親愛的」可不能隨便用來稱呼共同演奏的夥伴。可是兩年過後，我不太有把握了。我第三次造訪芝加哥，她已不在公寓，ＳＡＢ會議便環著那擦得光可鑑人的骨董桌召開。

大家圍著餐桌坐定後，康特宣布：「我已請街角賣熟食的那家很好的店送各式三明治、通心粉沙拉、和新鮮水果。」

「喬治王時期的？」韋斯指著亮閃閃的、桌腳雕成獸爪狀的桃花心木圓桌問道。

「不是，更晚一些，是攝政時期的。」康特答道。「大約是一八一五年。那邊的餐具櫥是安妮皇后時期的，比喬治王時代更早。我不知道你對英國骨董有興趣，麥斯。」

「我的新任老婆有興趣，所以我開始研究。」

「啊，對了，尊夫人。我知道她曾獲麥克阿瑟天才獎。和天才共同生活的滋味如何？」

「到目前為止，相當美妙。唯一的缺點是我永遠無法獲得麥克阿瑟獎，他們不會再頒一座獎給得主的配偶的。」

「我了解你的心情，」康特狡黠地看著他。「他們也不頒給諾貝爾得主，他們必定以為我們已經稱心滿意。」

「你稱心滿意了嗎？」塞麗絲汀．布勒斯專心聽著他倆火氣越來越大的對談。

「你應該心裡有數呀，」康特有點惱火。「你的夫婿不也是諾貝爾得主？」他轉向其他賓客。「熟食店答應十二點前將食物送達。有酒，當然……是來自加州的上等葡萄酒，向贊助公司和雷妞致敬，她大老遠飛來芝加哥，省去我們這些忙碌學究的力氣。」她朝雷妞點頭致意，不提也是老遠自加州飛來的塞麗絲汀·布勒斯。「辦完正事前我們應禁酒，那兒還有很多不含酒精的飲料。」他指指廚房。「汽水、果汁、礦泉水……」他雙眼梭巡著餐桌，掃過四位同僚，毫不掩飾其厭惡地將眼光停在塞麗絲汀身旁的礦泉水塑膠瓶。他心想，算她識大體，懂得把瓶子放在她的筆記本上。但他的怒火並未因此完全熄滅，尤其因爲她每隔一會兒就拿起來吸上一兩口。康特思想守舊，很反對年輕女性的時尚，尤其是搞什麼「有機」那一派的，不管慢跑或聽歌劇都假意帶著水瓶——就像身穿正式洋裝卻是足蹬耐吉運動鞋一般不倫不類。這種舉動在他家冒犯了他的美學觀和社交禮儀觀，暗示他家廚房除了「普通的」H_2O之外，別無其他飲料，他永遠忘不掉有一回表演四重奏，他正拉得如癡如醉的當兒，發現一位年輕女聽衆竟直接自瓶口痛飲，害他亂了拍子。可是她是塞麗絲汀·布勒斯耶！

他發現這只能怪他自己時，更加火冒三丈。SAB主席的職務並不繁重——兩年來這是第三次開會，他甚至說服雷妞·庫里希南將此次會議排在芝加哥。「馬勒塔就在隔鄰的安娜堡。」前次帕洛奧圖會議結論時他說道。「韋斯搭飛機自紐華克州到此僅需兩三小時。下次會議在我芝加哥的寓所召開吧。不在學校內開會也很恰當——我們畢竟不該在學術光環下進行與校務無關的事情。」他調皮地一眨眼，似乎是本性使然。「而且我們當晚都可回到家，除了雷妞你之外。但想一想，我們不用飛到西岸，可以省下大筆開支。」

然而康特開始感到良心不時苛責。兩個月前，他獲悉舍揚即將策動第二回合的籌措資金，透過私下募集的方式，估計一股八美元。康特霍然明白他三萬股的股權將價值近兩千零三萬美元——誠如雷妞溫柔地強調，「離瓜爾內里名琴更近一步。」康特不得不承認他已不再輕視或甚至反對自己和企業掛鈎——以前的他是位純粹的學者，總是瞧不起同事受「汙染」而任職公司顧問。他在舍揚的職務對他的學術研究既不重要也無危害，可是他的股權已變得舉足輕重又有份量。沒有人敢小覷五百萬美元——不論是帳面利潤或兌成現金。誰會相信——拿院長或他「同流合汙」的同事來說好了，他曾經蔑視他們迎合業界——他兩年參加三次爲期一日的會議，其中一次還在他的住所召開，就能坐領高薪，中間沒有任何其他「好處」？康特這才明白，而且自尊心受傷，他在舍揚眼中的主要價值是他諾貝爾得主的名號，公司樂於利用之，使年度報告錦上添花。

塞麗絲汀的礦泉水瓶令他身體微恙的程度已超過其視覺震撼，它提醒康特未來要更認眞看待SAB主席的職責。雷妞曾打電話給他，說她想邀請另一位成員入SAB，他是加州理工學院有機化學方面一位前途似錦的年輕助理教授，剛發表一篇振奮人心的論文，報告一類新的一氧化氮釋放劑。康特未曾多問就首肯，雷妞提到一類有機化合物，稱之爲多氮烯多醇鹽類，雖然他曾以自己的有機化學知識驕人，他卻完全不知道這是個什麼東西。可是諾貝爾得主才不輕易承認自己無知，何況雷妞言之有理：舍揚不應只專注於NONO衍生物上，產品多樣化才有機會。「在此階段，新進委員享有一萬五千股的股權，」雷妞解釋道：「每股八分錢。」她強調：「是原委員購入股價的兩倍，但對一位年輕，未獲終身聘用，從未有企業找上門的助理教授而言，仍是相當吸引人的條件。」康特懶得追問多氮烯多醇鹽類到底是什麼名堂，也沒問新成員之性別。「所言極是。」他說：「何不一試？」

雷妞飛抵加州南部的帕薩迪納。她不但想親自見見塞麗絲汀・布勒斯，也想親睹她的加州理工學院研究小組，順便了解一下一氧化氮釋放劑的傳言。布勒斯的研究小組令人印象深刻：六個研究生，一個博士後研究生，三個大四學生，思及加州理工大四的學生程度幾乎等於其他學校二年級的研究生，格外令人佩服。

雷妞至帕薩迪納招募布勒斯那天，這兩位年僅相差五歲的年輕女子相談甚歡。她倆在加州理工一流員工俱樂部共進午餐時，雷妞正式提出邀約，塞麗絲汀欣然接受。

「但願你不介意成為ＳＡＢ第二名女性董事。」雷妞說道。「倒不是女性主義的緣故，而是因為——」

「不必道歉，」塞麗絲汀打岔道。「我唸高中時母親經常告訴我，女性主義對每一個人有益——尤其是男性。當時我是隨口附和她的說法，如今才體會她話中的道理，尤其是有益男性那一句。不過我依然不希望我是因為有卵巢才受到聘用，而是主要因為我們目前研究的三氮烯三醇鹽這類化合物。」

「那是原因之一。我們董事會本來就需要一個好的有機化學家——」

「很好，我就是有機化學家。再過兩年，我要看看加州理工的同僚是否同意我是。」她敲著木頭桌面咧嘴而笑。「希望他們同意，因爲到時我的卵巢——活躍的卵巢——就不敷使用了。」

「希望我的問題不致冒犯你，你可有子女？」她自我陶侃地笑道。「自從我升格爲人母，就一直在尋找跟我同病相憐的專業女性。」

「我當然不介意。」塞麗絲汀滿不在乎地搖搖手。

「你知道的，」她若有所思地說。「有些女人天生就是賢妻良母，有些靠後天學習，有些則是手忙腳亂。我屬於第三種。我甚至連婚都沒結。可是我一發現懷孕就決定把孩子生下來，同時結紮。」

「你是不是個好媽媽？」雷妞又笑了，但這回笑得尷尬。「對不起，我並非故意無禮，我只是始終在擔心。你懂我的意思吧?你認爲有可能同時當個好媽媽又獲得終身教職嗎？」

塞麗絲汀思索一會兒才答覆。「我希望我是個好母親——我意思是說希望孩子認爲我是——但總的來說，我覺得自己有虧母職。我兒子運氣好，有個一等一的父親，加州理工附近的托兒所也相當理想，而且慶幸我們住得離我實驗室很近，騎腳踏車只需十分鐘。通勤的是我丈夫。」

「他在那兒高就？」雷妞問道。

塞麗絲汀訝異地抬起頭。「你不認識他？我以爲你調查過身家背景，不過幸好你沒有調查。他的名字叫傑利米亞·斯達福。我婚後未冠夫姓。」

「斯達福？那個斯達福？和康特共獲諾貝爾獎的人？」

塞麗絲汀點點頭。

「康特認識你嗎？」雷妞問道。

「當然認識。你沒和他談起我的事？等我告訴我阿姨，她一定大吃一驚！」

「你的阿姨是哪位？」

「她叫菠娜·柯里。」

目前SAB開會的頻率太低，我總覺得等到我向他們報告臨床研究進展時，已延誤時機。舍揚應該高速前進，SAB也該全力衝刺。「該找一些有用的科學家進公司了。」蓋斯樂對我說，於是我打算出差時在邁可的實驗室短暫停留。馬勒塔即使對一氧化氮研究有不懂之處也根本無所謂。我認爲我先個別向他扼要報告我的想法，再由他代表向SAB報告，比較委婉。我也決定告訴他，我即將升任舍揚總裁之職，目前此事只有約夫德知情。他的反應相當曖昧——至少當時給我那種感覺。近來我竟不甚了解他的問題何在。也許不是問題，只是一些認知差距，但若不經討論，認知差距即會演變成問題。

蓋斯樂通知我，他決定在董事會議中宣布讓出總經理職位——他的三個職銜之一。內部顯然只有兩位候選人，而他誓死反對從外面找人補缺。除去貝爾旭巴的人事不算，公司共計四十名以上全職員工須向兩位副總經理負責——羅杰．奎斯佐和我。蓋斯樂精打細算，所以羅杰須處理財務、會計、人力資源和一般行政，部屬人事非常精簡。我則負責臨床研究人員和管理事務，必須經常和FDA打交道；除了品管，還有日趨複雜的新陳代謝分析部門，以及剛起步的八人研究小組，其中四個有博士學位。爲了這個研究小組和SAB董事職權所在，我來到中西部的安娜堡。換作其他情況，這趟旅程將十分愉快——工作本身，和大學恩師重逢——但我以總經理候選人身分前往時，竟增添幾許興奮之情。

蓋斯樂誨我諄諄。打從一開始他就告誡我，若別人直呼我名，我就直呼其名。他不拘小節，他強調，稱呼不對等將迅速削弱己身權力。「雷妞，記住你如今身居要職——雖然此高位不高，管理的人也少。」於是我稱薩博士爲「阿費多」，越喊越順口。SAB的情況也一樣，我直呼康特教授I．C．，但我措辭時總避免直接提他的名字，我折衷使用「你」來代替，這就是英文的好處，如果碰到法文或德文就慘了。是不是因爲他得過諾貝爾獎——他一刻不肯忘記——還是年齡差異造成？學術圈內年齡差異似乎會產生此種結果。

無論原因如何，和馬勒塔相處比較自在，而且從我還是衛斯理女子學院學生起就稱他「邁可」了。他只大我十四歲，女孩子都喜歡他實驗室的氣氛，至少他在麻省理工學院任職時如此。在密歇根大學是否仍然如此？

「邁可，你還是老樣子。」

馬勒塔帶著雷妞參觀他在藥學系大樓的實驗室後，領她走進他的辦公室，雷妞的快樂表露無遺。「你身邊還是圍繞著崇拜你的女性，只是名字改了；艾咪、雷吉娜、克莉絲汀、梅麗莎……還有，和以前一樣，你的實驗室助理都沒有姓氏。」

「相信她們都有姓氏。」他和雷妞相視而笑。「但我只在乎她們聽不聽明，勤不勤奮——」

「和衆多女性一樣。」雷妞插嘴道。「且言歸正傳，談舍揚的事。」她將椅子拉近書桌。「明天你在芝加哥開SAB會議，會聽到我正式報告研究進展，我們大致跟得上進度。我們剛募集一筆資金足以完成臨床研究工作，以及申請案費用也有著落。」

「你何時拜會FDA？」

她謹愼地望著他。「這是高度機密，預計在一年之內。順利的話，半年後股票公開上市。今天用不著全告訴你，明天你就知道了。我來此別有任務。如今我們募集到超過兩千萬美元，FDA案花不到一半，我已說服董事會，公司的研究須擴充，而且即刻著手。一氧化氮生物學日新月異，我們非得從事其他臨床應用不可——和陰莖勃起完全不同的研究，陰莖是很了不起的器官，但其他器官也得考慮。」

馬勒塔驚奇地搖著頭。「雷妞，你變了。」

她笑了。「不再是矜持的衛斯理女學生了，對吧？那你呢？和你一同在麻省理工學院時，你還是助理教授，還在爭取終身聘，現在你看：藥學和醫學院雙料教授，又貴爲系主任——你是教授的平方！」

「那只是量的改變。」他不睬雷妞的恭維。「可是你呢？根本脫胎換骨。自信十足，在不同領域迅速崛起：先在印度，後在美國；先在學術界，後跨足企業。而我……」他發出像蒸氣外洩的聲音。「我自學術界起步，仍然待在學術界。」

雷妞好奇地望著他。「你想說什麼？」

「呃……」他遲疑了。「你有女兒，丈夫也沒換人……」

「你怎會想到這些？」她激他。

「家庭事業難兩全，你看我；我不但爭取不到麻省理工的終身聘，也失去婚姻的終身聘。如今是梅開二度——的確是很美麗的梅花，我可以誇口。但你似乎第一次就把一切搞定。」

「看起來似乎如此。」她慢慢地說道。

「樂於從命。」馬勒塔聽說雷妞請他向SAB提議增加董事會新成員後這麼說道。新成員必須在一氧化氮生物學相關領域很活躍，她列舉如：癌症、寄生蟲學、心臟病學、肺循環血壓高……不可勝數。「這是我身爲董事會成員至少可以做到的貢獻。」他說：「股權水漲船高令我良心不安。我明白這只是帳面上的金額，可是你們眞的那麼急著上市……？」

然而，次日馬勒塔發現，說起良心不安，他還排在康特後面呢。

「現在該談『P開頭的字』了。」主席說道。「我非常清楚科學家——起碼和我一樣的學術人士——討厭這個字。既然我擔任此營利機構科技顧問董事會董事長一職……」他狡猾地看著雷妞。

「『營利』二字有個重要的意義，」她打岔道。「相信你並無此意。如果你有，容我提醒你，生意原本即爲追求『利潤』（profit），沒什麼不對。何不公開承認我們有志於利潤，不必藉『P開頭的字』來掩飾，否則聽起來也可能是『寶貴』（precious）。」

康特皺起眉頭，「我指的是『優先考量』（priorities），不是利潤。」

韋斯插嘴說：「我還以爲你說的是『那話兒』（penis）呢。」

康特不理他。雷妞的話很刺耳。「我得承認，即使學術界人士也會受利之引誘，就算不爲了錢也是爲名聲。可是優先考量呢？誰喜歡呀？」

「我喜歡。」馬勒塔插話進來，他興致勃勃地旁觀這場爭執，並且很欣賞雷妞的勇氣。「我想談談我們未來的優先考量。」

「邁可，在你討論之前，」雷妞打斷他的話。「先讓我把利潤的事講完。我想簡短地提醒諸位舍揚賺錢的潛力，」她環視董事會全體董事。「還有我們的利潤潛力。」

雷妞將前一日透露給馬勒塔的消息重述一遍，包括新募集的資金、股權價值升高，及IPO和申請FDA的預定日期。「你們或許疑心爲什麼申請FDA檢驗還要再花一年時間。

他們將找外面的專家組成特別顧問委員會——他們很難請到知名泌尿科專家，因爲專家都被我們網羅來做臨床試驗了。」她咯咯笑道。「但是，」她豎起一根食指，「風險極高。我們將成爲首度推出性功能障礙新療法者，FDA會靠他們的顧問委員會提出所有可能導致的問題。」

「例如？」韋斯問道，右手手指不耐煩地敲著康特的桃花心木骨董桌。「我想有勃起困境的男性願意忍受所有的問題。」

雷妞再也憋不住了。「『勃起困境』，直是迂迴呀。我們打廣告時要不要用這個詞呀？」

「請便！」他粗魯地說道。「但先回答我的問題。」

「抱歉。」她說道。「你說得對，男性患者分成好幾類：帕金森氏症患者、多發性硬化症患者，或手術造成陰莖神經損傷者。切記，動攝護腺切除術的男性即有陰莖神經損傷的風險；單在美國，每年即增加三十萬攝護腺癌患者。還有糖尿病患、心血管疾病患者、動脈硬化、高血壓……隨你挑。但我們已自以色列研究得知患者人口分布，所以美國這邊的研究費用才會低於預估：我們只需根據以色列那邊的數據再擴充即可。但FDA將會撒下更大的網——誰會怪他們呢？」

「多大的網？」韋斯又問。

「勃起障礙的成因包括患者服用抗高血壓、心臟病、荷爾蒙失調等藥物，洗腎，和骨盆手術——例子不勝枚舉。他們也擔心藥物可能遭濫用。我敢打賭一定有人會認為想勃起多久就能勃起多久實在太美妙了。我可以給他們一些忠告。」雷妞看見韋斯的表情，忽然住了口。

她以手掩唇，面紅耳赤。「對不起，」她說道。「我指的是我待在以色列時聽到的故事。」她怎能告訴在座人士約夫德的實驗？「勃起過久很痛苦的。」她只能這麼說。接著以較專業的語氣往下說。「我們必須得知勃起與劑量之關係，以及不適之程度，據第三階段臨床研究顯示，約二成至四成患者感到不適。不同於葛翠德·史坦的玫瑰，勃起不一定是勃起。」

「你可願詳細說明？」韋斯問道。

「你希望我詳細說明？」雷妞反問。

「不然我就不會問了。」

我必定說錯話了，雷妞心想。「好的。第一點，你如何……抱歉，」她一頓，「我說的不是麥克斯你，而是泛稱，人如何量化勃起？」她繼之解釋他們的評量方法，約夫德的「陰莖彎曲計壓器」，甚至「足以插入」的勃起程度歸為三分。

「原來如此。」韋斯一本正經說道。

「還有下文呢。」雷妞有點驚訝自己竟說得不亦樂乎。「有些受試者告訴我們，他們勃起程度很完美，卻無絲毫慾念。其中一位受試者——某小說家——以相當優美的詞藻表達他的感受：『每一吋勃起都是失望。』」

「我得把這句話記下來。」韋斯宣稱道，抄起一枝鉛筆。「說給我太太聽。」自言自語似的。

「且容我繼續。」雷妞說道：「勃起和性慾分離與我們一項在進行中的耗時研究有關，此研究並非第三階段臨床研究之延伸，既非藥物對照實驗——一組受試者服用安慰劑做爲對照，亦非研究勃起障礙的生理原因，而是我們所稱的『生活品質研究』。我們登記第三階段臨床試驗的六百一十二位受試者，持續追踪他們和配偶達十八個月，研究其性關係品質。丈夫和妻子的滿意度如何？結果當然於『繆沙』有利，因爲受試者爲勃起障礙所苦至少達三年，而受損三年的性關係能使人變得飢不擇食，你說是吧？」

接下來一陣沉默，好似雷妞問錯問題，幸好塞麗絲汀發話了。「是否有其他原因使該項研究如此耗時？」

「因爲婦女和胎兒的緣故。幸好科技顧問董事會的主席諾蘭博士是女性。」

塞麗絲汀說：「我該套韋斯的話：『你可否詳細說明？』」

「遠在耶路撒冷的哈達撒研究評議董事會已問及男性精液內未代謝的殘留藥物射入女性體內，對女性有何影響。我們找自願受試者於自慰過程中不同時段推入NONO二號，由我負責分析受試者精液中NONO的量。但要更多受試者才能通過FDA檢驗：年齡層須更廣，精液量須更多。因此諾蘭博士提出另一個問題：做妻子的月事來潮期間怎麼辦？」

「我不懂。」塞麗絲汀發言。

「試比較月經周期開始和將結束時，子宮頸分泌物黏度之變化以及其他因素如排卵等等。如果丈夫靠NONO引發勃起繼之令妻子懷孕，試想殘留的NONO對甫受精的胚胎可能造成遺傳突變或畸形。因此進行相關毒物研究應屬明智之舉。最後再回到丈夫身上，我們發現使用最高劑量的一些受試者血壓下降，若為心臟病患者，堪稱事態嚴重。廣泛研究結束後，我們當可解開這些謎團。」

「精彩萬分。」康特說道：「待在實驗室裡的科學家就不曉得臨床試驗竟需曠日廢時。」

「而且所費不貲。」雷妞加了一句：「但正因為耗時甚久，我們才應該想：下一次該研究什麼產品。」她望著桌對面的同事道：「塞麗，你何不說明研究多氮烯多醇鹽之重要性？」

塞麗環視同桌的同仁，眼中一抹傲氣。「各位都懂有機化學，當然囉，否則不可能攀上現今之高位。但我敢打賭諸位必定沒聽過多氮烯多醇鹽，因為百分之九八點六的正牌有機化學家，」她咧嘴笑得極得意。「無法為它下定義，也分析不出它的化學式子（formulas）。」

「Formulae（化學式）。」康特含糊地咕噥著。

「對不起，你剛才說什麼？」

康特很窘。「沒什麼，我只是想起高中學過的拉丁文。」

「我也學過拉丁文，」塞麗說：「讀過奧維德的作品。」

「眞的，那你說不定懂，我剛才說：『Formulae』。」

「噢！」塞麗大笑。「我以前也用這個詞，但我的一位研究生，不用說當然是女性，告訴我說堅持這樣用法很矯揉造作，所以我就改口用『formulas』了。」她天眞無邪地望著康特。

「繼續談化學吧，塞麗，我不該插嘴。」大夥兒都看見康特投降，但沒人懂他爲什麼要舉白旗，而塞麗爲何如此得意洋洋。

「好的，回到多氮烯多醇鹽，各位不懂無妨。雷妞屬於那懂的百分之一點四裡的人，如果她肯說NONO一號和二號正式名稱叫二氮烯二醇鹽，她的人生就簡單多了。」塞麗此刻集中火力於三位男性同僚。「你們都曉得，她的NONO衍生物中，兩個一氧化氮分子連結在一個親核物之上——一種有機化學類的官能基，可以無數的方式來變化。所以NONO的專利權才會那麼廣，全要歸功官能基的化學變化。雖然雷妞的二氮烯二醇鹽，」她刻意改用正式化學術語，「和固態鹽一樣安定，但溶解後釋出兩個一氧化氮，相當於一莫耳的一氧化氮，所以她的化合物才會受醫界歡迎。紙上推演似乎平淡無趣，諸位應該在實驗室自己合成這類化合物，就能明白其中需要多了不起的能耐。」

「塞麗，說重點。」雷妞口氣很友善。「你在替我打廣告呀？我是要你替你的研究打廣告吧。」

「好的。」塞麗恢復原有速度。「我們決定結合更多一氧化氮分子，觀察是否能提高賭注。首先，我們設法合成目前未知的三氮——」

「換句話說，就是NONONO衍生物。」馬勒塔耀武揚威地說道。「你們這些有機化學家！幹嘛不說國語。」

「你們這些酵素學家。」塞麗早料到他會這麼說。「萬一我們結合了六個一氧化氮分子怎麼辦？正巧我們也眞的結合成功了，你喜歡稱之爲NONONONONONO衍生物還是六氮烯離子？」

「哎，這些女化學家！」馬勒塔假裝鞠躬爲禮。「總是比我們犀利。說眞格的，這是詭計。但你們眞能控制一氧化氮的釋出，製造長效藥物？」

「正是問題所在。」雷妞道。「所以我們需要塞麗效勞。」

「雷妞，你必須承認，舍揚擁有二氮烯離子的專利，但不包括三氮烯離子在內。」塞麗的精確引人注目。「我曾提醒加州理工專利權顧問注意，所以我們申請了多氮烯多醇鹽的專利。」

「所言不虛。」雷妞同意。「所以我們才和加州理工磋商以取得獨家使用權，還提供股票認股權證甜甜他們的嘴。」

「打不倒他們，就讓他們入股。」康特發表高論。「雷妞提到塞麗的研究時，我就這麼告訴她。」

「你事先知道她找我？」塞麗不敢看康特。

「其實我並不知情，她談的是研究，不是主持研究的人。」

「你怎知我會答應入股？」

「我沒用『入股』這兩個字，我好像是用『買通』二字。我當時指的當然是認股權，不然我們在這兒幹嘛？」

「你或許是爲認股權而來，」塞麗冷靜說道，沒挑明她指的是個人或全體。「我發現認股權相當誘人……我也配得到認股權。畢竟我帶來很具體的東西：能給舍揚潛在利益的全新化合物。然而我眞正有興趣的是試試我的產品能否做臨床運用。提到生意時，我不像某些學術界人士是個純科學家。」她首次針對康特。「你看，根本用不著買通我。」

雷妞開始憂心。塞麗和康特間就算關係不緊張，對談內容也離題太遠，她想儘快拉回正題。「認股權是新公司的標準貨幣，稱之爲『誘因』，商學院甚至自創一個詞：我們都受到『誘因化』了。」

「蒼天有眼！」韋斯說道。「我拒絕說這句話。買通比誘因化好聽多了。多恐怖的字眼呀！」

大家一聽都笑了，雷妞視這一陣笑聲爲回歸文明的徵兆。「我剛才又說了一個P開頭的詞：前景（Prospects），與康特的優先考量息息相關。邁可。」她轉向正在筆記本上塗寫的馬勒塔。「你本想談優先考量的。邁可現在談，諸位可有意見？」雷妞最後一句話是衝著康特說的，表示她無意僭越主席職權。

「好。」馬勒塔坐直身子同時推椅而起，想把聽衆看仔細。「不久前雷妞提醒我一氧化氮生物學很熱門——起碼不冷門。她認爲舍揚大可轉攻這門學問，最簡單的做法就是讓出認股權，」他很快地瞄康特一眼。「給新加入的專家，例如在座的塞麗。且容我道出專家的專長，先從康特開始：癌症。」

雷妞一邊靜聽，一邊鬆了一口氣。邁可不但聰明過人，態度更是和藹。道出新成員姓名之前，他已撫平兩位同仁的心靈。

「以猶他大學的希布斯爲例，康特你可能很了解他的研究：活化巨噬細胞能抑制一氧化氮導致的腫瘤細胞。」

雷妞心想，這一段也說得很圓滑。他沒問康特到底知不知道希布斯的研究，而是裝成康特已經知悉的樣子。邁可不會丟問題給康特，換成我或塞麗就會考考康特。

「我們應該想想能將一氧化氮送至腫瘤處的特定一氧化氮釋放劑。例如，藉由單細胞抗體？或利用塞麗的NONO……NO——暫且打住——的親核物。」他向塞麗眨眨眼。「某些細胞內的酶可能因此切斷化學鍵，產生一氧化氮。不知諸位認不認識希布斯爲人——」

「沒關係，」雷妞道。「我正記下候選人姓名，稍後我們再決定依序找那一位。」

馬勒塔點頭，「希布斯是知識分子，但他也做臨床研究。雷妞，何不在名單添上康乃爾大學的卡爾．奈森？他不僅是巨噬細胞生物學家，正拿老鼠實驗，看一氧化氮到底能殺死什麼細胞，還非常熟悉寄生蟲學。」

「太好了！」雷妞讚道，她的筆一直動個不停。「大製藥公司很少花心思在寄生蟲學上，因爲寄生蟲病多發生在貧窮地區——佔世界人口四分之三。但我的印度良知尚未喪失殆盡：何不網羅一名專家指引我們方向？」

全體取得共識後，馬勒塔道：「我還有一個點子。寄生蟲具有許多特定物種的代謝途徑。假設塞麗的有機化學研究小組設計出一種……多氮烯鹽，當被寄生蟲特有的酶切斷之後，就能釋出一氧化氮。」馬勒塔輕敲桌子強調道。「此種情況下，由於一氧化氮擴散得不遠的特質，所以只會殺死寄生蟲。」

「妙極了，邁可，」雷妞叫道，並轉向塞麗。「既然公司已籌募到一筆經費，我打算成立一個舍揚公司內的有機合成計畫小組，如果得出任何有『錢途』的結果，就由舍揚製造並且申請專利——不交給加州理工處理。當然啦，如果我們發表——」

「當我們發表的時候，不是如果！我的點子若値得進行研究，當然也有資格發表。」

雷妞雙手一攤。「如果，當……隨便啦。反正是以你的名字發表，我們都理解這一點。」

塞麗心不在焉地點頭。「唸研究所時我曾研究過昆蟲荷爾蒙，對寄生蟲略知一二。我在想加州理工有沒有人專攻寄生蟲學。我得查一查……」

「我可以介紹你去找一個人。」馬勒塔說。「其實，假如眞要進軍寄生蟲界，最好網羅一位專家入SAB，例如黛安·渥斯。她現任哈佛大學熱帶醫學教授，但她拿的是麻省理工博士學位。她是極佳人選，因爲她也精通分子生物學……」他若有所思地摩挲著下頦。「I·C·，告訴我，你——」

一旁亂畫許久的韋斯突然開口。「你說得對。」他覺得好笑。「想想加護病房——ICU的情況，中毒休克者總送進加護病房。患者經常是因體內一氧化氮大量的產生導致血壓遽降。」他朝聽衆搖動鉛筆，「現在我們這些有機化學同仁不如來鑽研一氧化氮的抑制劑，與其研究那些有效或長期傳遞一氧化氮的釋放劑，抑制劑很可能成爲治療休克的救命仙丹呢。」

雷妞認爲SAB這次會議終於證明SAB存在的意義：SAB不是蓋斯樂所想那樣，只是做公關而已，而是腦力激盪出研究新走向——研究具臨床實用性的產品，最後坐獲大筆營收。這又和優先考量扯上關係。韋斯的建議合情合理，但確實需要另組一個有機合成小組成立新研究計畫，不過將舍揚目前的重點——一氧化氮釋放劑擺在前面還是較講得通，她應和塞麗討論討論。

午茶休息時間，雷妞說：「塞麗，今晚共進晚餐吧。我想談談特定酵素切斷的特徵如何納入一氧化氮釋放劑研究，舍揚值得朝此方向努力。」

「這是我的榮幸，雷妞，但我得趕搭六點的班機回到洛城。我已答應傑利務必及時回到家，給兒子獻上睡前一吻。他習慣由雙親陪他上床，替他蓋被。我可能已經來不及了。」

雷妞不免心生愧疚，娜歐咪與塞麗之子年紀相仿。

「那我試試能否改訂今晚的班機。往奧哈拉機場的路上我們可在計程車上談一談。」

這兩名女子在計程車上並未多談有機化學，反而討論起會議中各個企畫案。馬勒塔講解以一氧化氮釋放劑治療嬰兒和成人肺循環血壓過高時說的故事，她們想起來仍覺好笑。馬勒塔說，接上人工呼吸器的患者，吸入的標準氣體已摻進了一氧化氮。他問道，如果他們整個下午都在討論的定時釋出的一氧化氮化合物被另一化合物取代掉又將如何？最後他饗以聽眾一個故事：麻省綜合醫院的華倫・札波爾是首位使用一氧化氮治療肺循環血壓過高的醫師。札波爾顯然說服該哈佛附屬醫院高級主管准他試用一氧化氮，他辯稱依聯邦職業安全和衛生署的標準（以快餐廚師吸進的空氣量為基準）已准許人體暴露於某種定量的一氧化氮中。札波爾的名言：「適合快餐館的空氣就適合麻省綜合醫院」流傳至今。當時在座的聽眾均深知哈佛秉持的信念決不可和餐館相提並論，大家不禁哄堂大笑。

我早該知道絕對不要臨時改變行程給配偶驚喜，不論是離開或抵達時間。尤其是抵達時間。我本想給約夫德驚喜，可是當我開進自家車道，房內卻一片漆黑。當時才晚間九點十五分。我打開前門正要開燈，忽然聽見怪聲。我停下來傾聽。

「啊，啊——，啊———，啊————……啊，啊——……」很有節奏地喊著。起初我覺得好笑，甚至有些刺激，接著卻感到惱怒。是不是保母丟著娜歐咪不管，和男朋友在胡搞？繼之我想到另一個可能，心竟涼了一截。

就某些方面而言，我依然很印度，不敢粗暴地與人衝突。我悄悄關上前門，開車到離家最近的加油站打公用電話。我撥了家裡的號碼靜候著，只要聽到丈夫接電話的語調，甚至呼吸頻率，我就明白個八九不離十。可是我聽到的是臥房答錄機內我自己的聲音。「我是雷妞……」，嗶聲響後我留言說：「現已過九點半，我在加油站打的電話，因爲汽車油箱快空了。芝加哥的會議提早結束，所以我改搭早一班飛機，五分鐘後即可到家。」

第二度開車返家，樓上燈已亮。我矗立門前，鑰匙已插入匙孔，盤算著兩套行動，先看見誰就先用那一套。我轉動鑰匙時唇乾舌燥，一心祈禱是保母來開門——好保母難尋呀。可是當我想到還有誰可能來應門時，一顆心頓時墜入深淵。我用力甩上門，先看見一雙赤腳，然後看見牛仔褲，最後是一件T恤站在樓梯頂端。約夫德奔下樓梯時我捻熄門廊的燈，我不想見他的臉或眼神。「嗨，親愛的。」我啞著嗓子叫道，想起數分鐘前唾液已停止分泌。快——那我就用不著說話——我深深地吻他。其實我大可不必靠吻來偵測氣味。約夫德一定來不及沖澡，可能只潑點冷水在臉上，梳了幾下頭髮，我嗅到兩人混合的氣味。

「來吧。」我拉他進入漆黑的客廳。「我好想你。」一邊呢喃一邊扯掉身上的衣裳。我熱情地低語：「快上我。」以前我從沒用過這種字眼。「快！」我喘著氣，扯下他的牛仔褲。「就在這兒，躺在地毯上。」我將他拉倒在我身上，伸手攫住他軟趴趴那話兒。「上我，」我提高音量。「現在！」

「我沒辦法。」他低聲道。「等一下下。」

「現在！」我嘶聲如蛇。

「沒辦法。」他又說。我看不見他的臉，但看不見也猜得到。他的語氣令我悲哀——替我倆悲哀，尤其是我自己，專攻陰莖勃起的公司總裁候選人。

就在這時候，季風開始吹拂。

第十七章

帕洛奧圖，十二月十五日，一九八五年。

親愛的亞秀克：

光明節快樂！我向約夫德提議，該讓娜歐咪體驗身爲猶太教教徒的喜樂。還有什麼比連送八天禮物給兩歲的孩子，更能教她驚喜呢？同時安慰她失去保母潘朵拉的傷心。決定是倉卒了點，我承認，希望我不至於不人道。娜歐咪已相當會說話，我非常盼望她同時學習兩種語言。我們將請一位五十三歲的尼加拉瓜祖母級婦女白天來照顧娜歐咪。「太棒了！」我一位巴拉圭朋友用西班牙語如是說。你訝異吧？我很有把握潘朵拉一定明白她被辭退的原因——一份豐富的離別贈禮減輕了她受到的打擊。

過去幾週來我想念你至深，超過你想像。我以爲管理一家小公司，看著它成長茁壯，是我的夢想——換言之，我沉醉於另一種母職——此時卻迫切渴望大哥的指點，不是很奇怪嗎？我很好奇你會怎麼看我。也許自從姆媽過世後，我覺得有義務照顧你。

你的妹妹已非吳下阿蒙，變得更堅強——美國式的堅強，也許是在男性爲多數的世界中闖蕩，碰得渾身是傷的結果。

舍揚的工作繁忙（我們正準備股票上市事宜），無法侈言回馬德拉斯探親，何況我已承諾多花「優質時間」陪伴家人（很有美國風味的一個詞，也許是內疚的上班族母親發明的）。自印度的矽谷到加州的班加羅爾（譯按，印度南部的矽谷城）一遊如何？該是妹妹我替你相親的時候了吧？要不要在《印度快報》上登個徵婚啓事？要登的話也決不會列出星座或要求對方持有綠卡。我會全力搜尋現代印度女性，樂於稱你爲「吾愛」，和你平起平坐。

祝你一九八六年 事業發達，萬事如意！

雷妞上

印度人都曉得，再強的季風也有減弱下來的時候。約夫德和我相互依偎地在我們的床上睡著（我已扔掉原有的床單和枕頭套，全部換新），全身筋疲力盡，倒不是因爲兩人盡情宣洩情緒達數小時後，終於和好纏綿之故。這次行房經驗不佳，根本可說是很差。我是少數幸運女性，差不多每次交歡都達到高潮，但這一回沒有，不過我感到一種原始、身爲人妻的滿足——是丈夫進入我體內時，我再度確認婚姻穩固的滿足感。我無意放任婚姻破裂，尤其我自己也難辭其咎。

我的約夫德和一般土生土長的以色列男人一樣，城府不深，這種人若對婚姻不滿，泰半是性生活出問題。我怎麼沒早點發現他的不快？「你開口閉口都是邁可長，邁可短的，他腦筋多靈光，實驗室裡多少女性研究員，他有多……」他妒忌的泡泡裝滿男性定義的不忠的雙重標準，越脹越大。「還有那次『中途停留』安娜堡，誰知道你有沒有……？」約夫德很少不把話說完的，但這一次他沒一句話說得完整。

「你可別說你懷疑我和邁可有染，才搞上潘朵拉的。」我朝他大聲嚷嚷。「你老婆自從和你結識那一天起，就沒讓其他男人碰過！」也許這些話——「沒讓其他男人碰過」——近乎猶太正教的精確，感動了他，他摟著我哭了起來。淚水是最佳武器。

他臉埋入我髮絲，喃喃說道：「近來你從不過問我在做些什麼。」

「怎麼可能？」但我話中的防禦意味告訴我，他說得對。「你爲另一家公司效力吔，」我話留餘地。「兩家公司雖非直接較勁，但仍然……」

「你根本無所謂。你那一天回家來不吹噓舍揚的人做了些什麼。」

「吹噓？這樣講不公平。」我反駁道，但我知道他又說對了。

「好吧。」他稍事退讓。「講『吹噓』太嚴重，可是你眞的經常向我提起工作進展。」

「當然啦，夫妻不應交心麼？」我說道。

「當然應該。」他說道。我看得出他辯贏了，所以心裡好過多了。「那你爲何不關心我的工作？」

當時我沒過問他的工作，那樣太矯情，好像應人要求說「我愛你」一樣。但當吵架褪成不堪的回憶——傷口結疤，不再去想它後，我才開口問他，結果令我們那場架吵得很值得。

「你在讀什麼文章，親愛的？」雷妞問道。

約夫德抬頭，遞出手裡的期刊。

她坐在他安樂椅的扶手上，試圖舉起那本大書時，約夫德回答道：「《生殖力與不孕症》。」雷妞問：「讀這個做什麼？一九五八年的？這已是陳年歷史了。」

傑夫德翻動書頁，找到一篇論文的開頭。「你覺得如何？」

「《女性子宮頸抹片和鼻腔抹片比較研究》？我不懂。」她淡漠地說。「你怎會對這個產生興趣？」

「因爲這一篇。」他拾起身旁另一本期刊：《耳鼻喉科檔案紀錄》。

「不可思議。」雷妞叫道：「你不是老埋怨論文多得讀不完嗎？耳鼻喉科和你的研究工作又無關。」

「和現在的研究無關，可是和我未來的研究方向有關。坐下來，」他指著對面的椅子：「聽聽你丈夫做何改變。」

雷妞覺得腹內一把火正要升起，但在最後一秒決定按捺下來。等他講完再說，她心想。

約夫德似乎沒留意她的反應。「薩拉ETS分公司整個小組正在研究以電輸的方式經由皮膚傳遞藥物，衆已周知，而且電解質濃度以及體液酸鹼値的變化對我們的研究絕對重要，因爲我們研究的是帶電分子。於是我開始研讀鼻腔黏膜方面的論文，結果有何斬獲？」他指著《耳鼻喉科檔案紀錄》，「早在四十年前，一位名叫法比康的人報告：人睡眠或醒著時、受到感染與否、甚至情緒變化皆能影響鼻內分泌物變化。因此我讀了另一篇論文。」他彎下身子，「接下來的內容純屬婚姻機密，不得外洩，記得我們的協議吧？」

「繼續說下去。」她面無表情。

「約四十年前，巴巴尼科拉烏和他發明的巴氏抹片檢驗——檢查子宮頸黏膜抹片的羊齒結晶。起初以爲抹片上的羊齒狀結晶由電解質、蛋白質和碳水化合物所組成；後來阿布—夏巴拿，《生殖力與不孕症》作者之一，」他揚起膝上第二本書。「顯示結晶主要依賴電解質濃度而定，這就是趣味所在。」

雷妞最愛看丈夫的臉因熱情而亮起來，尤其是研究工作之熱情。她好久沒見到這種表情了，難道自從他宣布研究尿道太狹隘之後，她眞的未再關心過他？「快詳細告訴我吧。」她用肘搡搡他。

「這些學者，」他戳著翻開的書頁，「戴維斯和剛才說的夏巴拿，展示一系列抹片，取自女性月經周期不同時期的子宮頸和鼻腔。已知月事剛來時子宮頸抹片上的羊齒結晶，亦即雌激素階段——異於月事將結束——黃體素濃度較高的階段。你看這些對應組照片。」他把打開的期刊遞給她。「月事同一時期分別取自子宮頸和鼻腔的抹片照片竟然幾乎完全相同。」

約夫德靜候雷妞檢視證據。「確實驚人。」雷妞說：「可是我們如何——」

他打斷雷妞的話頭：「你看，鹽的代謝與荷爾蒙息息相關，既然如此，爲什麼鼻黏膜電解質濃度不能反映月經周期或妊娠時的荷爾蒙變化？」

雷妞沉思道：「可是，誰想得到光靠擤鼻涕即可測知下體的變化？」

兩人大笑，約夫德繼續說：「當然不單靠擤鼻涕。其實提及生殖結果，鼻子並非爲最便利的器官，因爲人會感冒或鼻子感染……但我依然要提出相同疑問：爲什麼是鼻子？於是我往下讀。你可知希波克拉底曾評論過鼻子和生殖器功能之關係？我指的可不是嗅覺在性方面扮演的角色，什麼香水或費洛蒙的，那是另一回事。我指的是月經來潮時鼻腔也同時充血，你注意到沒有？」

雷妞吸鼻子兩次才半開玩笑地回答說：「我得檢查看看。」

「最驚人的部分在此。包覆鼻甲骨甚至鼻中膈的解剖組織竟然與陰莖組織類似！」

「約夫德！」她靠過去搶他手上的書，但他故意不給她。

「還沒講完哩。鼻組織和陰莖組織須至青春期才會發育完成，至老年才萎縮。我引述文章內容給你聽聽：『每次月經來潮黏膜組織便充血。』試想，雷妞・庫里希南：女性鼻塞可能和男性陰莖勃起有解剖學上的關係呢。」他靠過去親一下她的鼻子：「有沒有令你『性趣』高昂呀？」

「有可能唷。」她笑著推開他。「但不是現在，我想多了解一點，例如這些和你的工作產生什麼關連。」

「等一等，」他報以一笑。「你必須先了解另一件事。十九世紀末，德國醫生威爾海姆．富萊斯深信女性鼻子和性器官關係密切，故認爲鼻子開刀可解決陰道毛病。有一陣子他甚至說服佛洛伊德相信他理念正確，結果佛洛伊德竟答允富萊斯動手術切除佛氏一位病患的鼻甲骨，以治療她的歇斯底里症。」

「後來呢？」

「她差點死於失血過多和毒血症。兩人行徑未免太過瘋狂。」

約夫德邊搖頭邊坐下。「除了富萊斯和佛洛伊德，酸鹼値和電解質變化促使我開始思考。女性可以每日檢驗自己的鼻黏膜，鼻涕是稀少或如水樣，排卵期時可拉長達數吋，或是又黏又稠來判定是否適合受孕……好吧。」他看見雷妞鼻孔朝天便說：「某些女性確實採用這種方法，其他如我妻子般的現代婦女則服用避孕丸。不過，婦女若能在家便利地又準確判定月經各階段——排卵前、排卵中、排卵後，不是很有用嗎？」

「當然，」雷妞答道，「可是我們已能在家裡自行驗孕——」

「我說的是未懷孕而想懷孕或避孕的女性，可以得知自己何時最易受孕。」

「不是有人在研究自我尿液檢驗，測定尿液中雌激素和黃體素的濃度，還有黃體激素

——」

約夫德阻止她說下去。「我不是在講尿液檢驗，而是想到經期各階段導電性的變化。我有個主意……」他一頓，「我手邊有幾個想法值得一試，成功了再告訴你。」

雷妞正色道：「開什麼玩笑？六年來我致力研究陰莖，現在我的夫婿竟要獻身陰道？」

「是子宮頸，不是陰道。」他糾正她。

怪異的一段對話。鼻子眞能反映女性性慾？觀念雖怪，卻令人大夢初醒。我深刻感覺到我正參與某重要事件的開端——誰知事件將如何進展？和約夫德討論他的研究感覺眞好。

不知塞麗如何與丈夫相處，他是歷史上諾貝爾醫學獎最年輕的美國得主。我和塞麗的交情已自泛泛之交進展爲推心置腹的好友，原來我如此懷念擁有知心女友的感覺呀。相信塞麗也有同感，否則她怎會輕易答應固定兩週和我見面一次？表面上我們見面如此頻繁純爲討論多氮烯離子的計畫，但我倆在長長的午餐時間裡可不是光談有機化學。

明天我要問問她丈夫的事。她很少提到他。

「嫁給諾貝爾得主的滋味如何？」

塞麗哈哈大笑，「看情形。在床上是沒什麼差別，連頒獎典禮後那天也一樣。你知道當時我也在斯德哥爾摩，和菠娜阿姨在一起？她最後一刻才成功地使我們獲邀觀禮，好親眼目睹我們各自的心上人加冕。」

「菠娜·柯里？」雷妞本想打聽塞麗丈夫的事，但她不介意有機會探知康特的神秘伴侶。「她和康特是什麼關係？他們同居嗎？」

「看情形。」她又哈哈一笑。「這句話好像剛說過了。有人說是，有人說不是。阿姨顯然時常待在康特芝加哥的臨時居所——他如此稱呼他那豪華公寓，我很肯定她在那兒過夜不只一次，但是不是跟康特同房就不得而知了，而且總覺得難以啓齒問她。她有自己的公寓，有機會你應該參觀一下。阿姨是室內裝潢設計師，品味一級棒。官方的說法是她和康特是事業上的關係——柯里康特骨董公司。」

「你在開玩笑吧？」雷妞叫道。「我們的康特是店老闆？」

「也不是啦，」塞麗咯咯笑道。「但他對骨董很在行。你也知道他擁有一些一流等級的精品。不過你該看看他在學校附近的家，到處擺著十九世紀末維也納家具。」

「你到過他的家？」

「是啊，」塞麗答得很簡潔。「別忘了我在他那所大學拿的博士學位。」

「沒錯，」雷妞堅持道，「但你拿的是化學博士，康特在細胞生物學系。」

「我和傑利到過那兒一次。」塞麗的答覆很簡短。

雷妞立即領會她的暗示。「抱歉。」她說。「我不是故意刺探隱私。可是康特哪來的錢。我猜他不是得獎後才開始蒐集骨董的吧。」

「錢是他前妻那兒來的。部分的諾貝爾獎金已經投入和菠娜的合夥事業。」

「他們只接私人客戶，多數資金由康特負責，菠娜參觀拍賣會或房地產買賣搜尋家具。講他們講得夠多了。」塞麗似乎急著轉移話題。

「說得對，我問點別的好了：和諾貝爾得主共同生活的滋味如何？」

「對了，」塞麗恢復原來的詼諧。「頂尖學者是否會得諾貝爾獎就像育齡婦女的情況，第一類呢，急著懷孕而且不達目的不停止，第二類是意外懷孕，第三類則是怎麼試都生不出來。傑利的諾貝爾和我的懷孕一樣，純屬意外。康特顯然屬於第一種，相信他一定樂於再度懷孕。」她笑開來。「我猜像麥克斯．韋斯仍然會不孕，雖然他做了些挺好的研究。」

「那你呢？」

「我已經告訴過你了：我是意外才爲人母的——」

雷妞切斷她話頭：「我說的不是爲人母親。」

「噢，那個呀。」塞麗哼了一下鼻子，短而清晰。「我的研究或許永遠搆不上諾貝爾獎的標準，不過沒關係。我無法裝假，即使斯德哥爾摩的評審從未注意到我，我仍想登峰造極。我就是不喜歡康特這點，唸研究所時，對他推崇備至的傑利告訴我他的事後，我就不喜歡他了。康特老假裝不在乎，其實他最在乎不過了。」她拿起水瓶牛飲一口。「是，我的確夢想得到諾貝爾獎，自從傑利獲獎後我便朝思暮想。我眞的野心勃勃，雷妞，你大概猜不到我野心多大。」她眼神越過雷妞，遙望窗外枝葉盡脫的樹木。「也許我把野心寫在臉上了。

回想上次SAB會議，我對康特不禮貌。不過《自然》雜誌編輯約翰．麥道斯曾寫道，科學的本質即爲不禮貌。」

「得了，塞麗，他說得言過其實了。」

「不，一點也不。每個人都想先馳得點。我們嚴格鞭策自己以達目標，而且如果有人擊敗我們，我們拚了命也要證明對方錯。換作我，若對方是男性，我更非證明他錯不可。在科學界，就是怕別人證明我們錯，我們才力求誠實。但過程中，我們確實有慾望，稱之爲嗜血的慾望。」

「得了，塞麗，你認爲搞科學只是爲了競爭？是一群討厭鬼的肉搏戰？」

「我不想辯白，」塞麗嘆道。「但這又怎麼說？演化論認爲人類對兩個相互牴觸的行爲規範抱持著混雜的忠誠：團體內則友善地合作，團體外則互相競爭、作戰。我們贊成友好關係，但敵對是人類進化之必要條件，無怪乎哲學家威廉．詹姆斯要問，人能否爲「戰爭」找到道德的同義詞。我覺得在科學界，戰爭即競爭，競爭就是對互助合作表示敬意。聽起來可悲，卻有幾分眞實性。」

雷妞打破沉默。「你和丈夫彼此競爭嗎？」

「有一次吧，當我和傑利首次邂逅時。當時他已是博士後研究生，跟著康特做研究，我還在另一系攻讀博士學位，跟著一名女教授做研究。可是在斯德哥爾摩舉辦的頒獎典禮令一切改觀。我剛說過，傑利獲獎和我兒子華倫泰兩者都是從天而降，只是我享受母子天倫，而傑利已將諾貝爾獎拋諸腦後。」

「爲什麼?什麼時候的事?」雷妞難掩詫異之情。

「原因非常複雜，至於什麼時候，還是要回溯到斯德哥爾摩。他當衆宣布的，當時我剛決定，往後我得學習設法和諾貝爾得主一起生活，如果他肯搬到我第一個學術工作地點。當時五味雜陳……」她眼神茫然，陷入沉思。

「諾貝爾晚宴上康特說了些漂亮話，我不得不佩服他。除了身爲他那一組代言人所該說的場面話，他還引述艾略特的詩作。接著輪到傑利，我完全沒料到他猶勝康特幾分，他也引述艾略特的詩，但方式迥異。」

「願聞其詳。」

「『諾貝爾獎乃通往葬禮之門票，獲得門票者往後對任何事皆無力爲之。』」

看雷妞呆若木雞的樣子，塞麗縱聲大笑。「我當時表情跟你一樣，畢竟這番話侮辱了斯德哥爾摩市政廳內每一個人。接下來的話更精彩。他引述艾略特的詩說明以他之年輕，最好別像個職業性的諾貝爾得主，躺在桂冠上或驕傲地頂著諾貝爾的光環;不如展開全新生活，徹底走出諾貝爾的巨大陰影。他言之有理。他決定拿部分獎金投身醫學，亦即上醫學院攻讀醫學學位。所以我在加州理工學院獲得第一份工作時，他才能隨我搬遷。他甫自加州大學洛杉磯分校醫學院畢業。你看，我們並不彼此競爭。你呢，雷妞?你會和丈夫互爭長短嗎?」

雷妞將濃密黑髮攏至耳後答道:「約夫德或許有這個想法。」

「你怎麼想？」

「我不如此認為——至少意識裡未曾這樣想。可是現在我不敢講。我喜歡目前這份工作賦予的權威感，但直到最近，我才想到丈夫不知怎麼看我。」

「得了吧，」塞麗說道。「他在公司上班，卻眼睜睜看妻子爬上總裁寶座？」

「可是我倆不在同一家公司！」

「那又怎樣？他在公司的頭銜是什麼？」

「可是他不想當薩拉的總裁，他想研究創新，並且實際應用。」

塞麗久久注視著雷妞，終於發話：「你很有把握？」

「沒有。」雷妞輕聲道。

塞麗輕拍雷妞的手。「不提先生的事了，談談我們女人吧。我從沒問過你，為什麼不考慮走學術這條路？」

「我考慮過。」雷妞立即回答。「你剛才說跟著女教授做研究，我和你相反，沒有女性典範可師法。我唸史丹福研究所的指導教授是男性，連我大學的研究都是和男性合作，他叫邁可·馬勒塔。博士後研究則在弗教授門下。他們都很支持我，也認定我會順著學術之路走下去，可是，」雷妞語氣變得尖刻：「沒人告訴我學術之路獨漏女性。是有少數例外沒錯，你就是傑出範例：未做博士後研究前即獲一流學府將來可升至終身聘的職務，我不是在批評你，別誤會。」她傾身向前：「但過程中，你似乎接受了男性的一切價值觀。如今你給手下的研究生多少空間？是否要求他們做你指定的研究？你難道不想將最好的學生留在身邊久一點，因爲他們產能高，而其產量又能助你獲得終身聘？等你越過終身聘之障礙，各種研究經費接踵而至，你難道不想如有機化學的某些大人物般，擁有二三十個嘍囉幫你做研究？」

雷妞發現自己聲量越來越大，她坐直身子，力求鎭定。「即使沒有這樣做，不妨回想一下你剛才發表的競爭論。」

「你就出汙泥而不染嗎？」塞麗冷峻地說道。「置身爲高科技公司主管？置身罣酮充斥的矽谷？」

「是，也不是。」雷妞坦承道。「我承認自己沾染某些男性特質，但就企業而言，我較有機會將他們塑成我想要的模樣。而你，塞麗，獲終身聘前或後必定需要遵守非常嚴苛的行爲標準。我的空間較寬，因爲我在較小的圈子運作，也就是我的公司。身爲總經理，也許有一天成爲執行長，我能設定自己想彈的調。不過我和你不同，我並未以企業爲終極目標。馬丁・蓋斯樂差點兒誘我入彀，我自己對研發第二階段也興趣濃厚：如何實際運用基礎研究之新發現。我們還有一個根本的差異。」雷妞先指指塞麗的雙頰，再指指自己。「膚色不同。」

「算了吧。」塞麗抗議道。

「你跟弗敎授一個樣，」雷妞帶著責備口吻。「都不肯承認種族歧視的存在，因爲你們是白人。當初他問我願不願找個學術工作時，我提出種族歧視問題，他便指出美國國家科學院四分之一的院士都是外籍人士，我又問他其中有幾位是黑皮膚的女性。我明白種族歧視不合法，某些人甚至未曾意識到自己有種族歧視，但我沒有綠卡，還是拿學生簽證。那一所大學願意不厭其煩地幫我申請換簽證身分？薩拉公司的薩發諾利幫我申請了——也許因爲他自己曾是巴拉圭籍的研究生。」她又指指塞麗。「我就像你意外懷孕或像你丈夫突然獲獎：我們別無選擇。」

「至少你成功了。」塞麗輕聲道。

「我眞的成功了嗎？」

第十八章

「可否見我兒子一面？」曼那欽似在對微風中悠緩擺動的銀色L字樣說話。

米蘭妮望著第二個L盪上來，未置可否。一時之間，兩個L似乎凍結，背靠背，如照鏡子一般，直到風將它倆推入各自之軌道。「什麼時候？」她終於低聲開口。

「還不知道。」他也低聲回答。「我今晚必須飛回以色列，家中突然有事。」

她轉身道：「等你準備好就通知我。」

「我會的。」他輕觸她手臂，說道。這是他倆七年來首次肌膚接觸，令她爲之顫慄。

「多謝你成全。」

曼那欽站在十樓窗邊，俯瞰過往車輛的車頭燈在傾盆大雨中折射。

「尊夫人不幸過世，殊爲遺憾。」米蘭妮說道。

米蘭妮提議兩人先到她辦公室碰頭；此地中性得恰到好處，適合他倆不宜在公開場合談的一些私密話，卻又尚未親密到在家中談的話。如今只剩他倆獨處，房內靜得出奇。窗邊的曼那欽如石像般動也不動，害她不知自己是否做下錯誤決定。

「曼那欽，」她溫柔地說道：「我能體會喪偶之痛，別忘了我是個遺孀。」

「這完全是兩碼子事。」他說道，背朝著她，雙眼仍盯著下面繁忙的交通。「你丈夫過世時，你可曾感到內疚？」

「當然沒有。」她嗓門提高：「爲什麼要——。」

「你看吧，」他轉過身來，「你不懂內疚二十五年的感受。」

「可是曼那欽，那是意外呀。」米蘭妮沒忘記曼那欽告訴過她因果報應的故事：他第二任妻子車禍癱瘓的經過。「那是好久以前的事了，與她現在過世無關。」

「理智告訴我應贊同你的說法，可是感情卻做不到，她本來也許不會因血塊栓塞而死……。」

「曼那欽！我的猶太老師（譯按：猶太教的教士）說：『也許』二字使人性得以不泯滅。」

他望著她，臉龐閃現一抹苦笑。「你肯改信猶太教眞令我感動。你爲了我才改變宗教信仰的吧？」

「部分是爲了你，」她點頭道。「部分是出於內疚……。」

曼那欽終於坐下。「今晚我們都別再提那兩個字了，我來是爲了談今天和將來的。同意嗎？」

她點頭。「什麼風把你吹來紐約的？」

「何必問緣由？有什麼差別嗎？」

米蘭妮低頭望著自己雙手合十，有如祈禱一般。「你說得對，我在故意拖延。」

「其實你的問題確實和我來的原由有關係。這趟來的理由將成爲我日後定期來紐約的理由──至少數年內如此。你可記得我們轟炸伊拉克在奧西拉克的反應爐？」未待米蘭妮回答，他又說：「從那時起，政府便指派我加入聯合國代表團，任核能顧問。你也知道近年來以色列受到沉痛打擊……。」

「我明白。」她說。

「之前我始終拒絕委任，我太太蘇哈米特的健康狀況惡化太快。不過現在呢？」他將雙手伸向空中再握緊拳頭。「談談我們的兒子吧。」

他的語氣令米蘭妮全身戒備。「好吧。」她慢慢地說：「他畢竟是你的子嗣。」

「『子嗣』？好冷酷的字眼，就像『議題』或『後裔』一般不帶感情。」曼那欽蹙起眉頭。「聽起來像在討論生物學，甚至有談法律的味道，何不乾脆說『兒子』或稱他亞當？」

「那就稱亞當吧。」她似乎退讓一步，「不過『子嗣』意義並不狹隘，你說得對，聽來有如討論生物學，那是我刻意如此。『兒子』一詞背負太多包袱──」

「米蘭妮！別咬文嚼字了，『包袱』代表『負擔』吔，為何將之套在亞當身上？」

「我沒有。」她堅定地說。「我只是說『兒子』具有各種意涵。」她特意把「兒子」兩個字唸得特別清楚。「社交的意涵。不只是生身父親的關係——。」

「或生身母親的關係。」他插嘴道。

「或生身母親的關係。」她附和道。「不過，講重點，到目前為止，你和亞當沒有任何社交關係——。」

「我從何建立社交關係？」他嗓子差點啞掉。「他根本不知道我的存在，抑或他知道？」

她搖頭。

「別再為簡單的兩個字爭論不休了，相信字典裡也未花大篇幅界定該詞。我不是來爭監護權的。」他講得很坦白。「只想求教你和兒子首度見面該如何——是你同意我倆見面的。」他再度按著指節發出聲音，這一次聲音大得教米蘭妮退縮。「我且直言不諱，我好害怕。我已年近六十四才第一次見到兒子的面——我唯一的骨血。」他想擠出一個笑容，臉孔卻徒然扭曲而已，米蘭妮不禁熱淚盈眶。

「曼那欽，」她強忍淚水說道。「我能感同身受。我也一樣無法再生育。別以為我沒想過你和亞當第一次會面的情形，自他呱呱墜地我無一日不想。之前我不曉得怎麼把會面簡單化或單純化，我腦中只有這個計畫而已，如果你倆要見面，那就……見面吧。今晚何不跟我回家，好比是我朋友的身分——」

「好比是？」

「以朋友的身分，」她立即改口。「我們四個共進晚餐——」

「四個？」

「我請了一個保母住在家裡照顧亞當，我們晚餐總是一起吃。」

「原來如此。」他鬆了一口氣。「我還以爲……」他話說了一半。

「是有那麼個人，但他今晚不會來。」

「沒想像中的難嘛，」米蘭妮說道：「他喜歡你，曼那欽，你看得出來吧？他還不知道你是誰就喜歡你了。」

「所以他才會喜歡我，如果他曉得我是他生身父親，不知會怎麼想？他個子好高，不滿五歲就那麼成熟了。」

「品種優良嘛。」她拍拍他的手。「他已經開始認字。」她笑得十分得意。「以後你會更了解他，我們一步一步來。」她站起身來。「天色不早了。」曼那欽突地站起來，震動瓷盤哐啷地響。她說：「你離開之前我想問你一個問題。你打算扮演什麼角色？你不打算遷至美國定居吧？」

「沒這個打算。」他站直身子。「你說得對，天色是不早了，今晚眞忙碌。下禮拜再說吧。」他走到門邊轉身道：「還有一個問題。多年前你寫信給我告知你懷孕的事，說你『偷了我的精子』，我始終忘不了你的措詞。」

「那不是我說的，」米蘭妮宣稱：「是別人說的。」

「不管是誰說的，」他淡淡地說：「我並非在追究偷竊精子的道德責任或法律賠償——不論眞心或假意。現在我正式邀請你來參加只有我倆的克齊堡權利義務會議（譯註：兩人的初識和繼之發生關係即在克齊堡會議），我有這個資格要求你吧？晚安。」

次週曼那欽踏入米蘭妮辦公室時問道：「我們以後都固定在這裡見面嗎？你的秘書會怎麼想？還是你下班後經常在此逗留？」

「我的秘書才不管呢。我見的男人很多……」

「我想也是，」他含混地說著。

「的確很多，他們都來這兒談錢的事情，」她聳聳肩。「和有意思的科學研究。莫非你也爲此而來？」

「什麼？爲了錢？」他哈哈一笑。「你應了解我的爲人。也許可說是爲了科學而來，某些人會說ＩＣＳＩ很有意思……背後涵義很複雜……或許太複雜了。」他甩甩頭似要把思緒甩淸。「這個待會兒再談。是你要我來談爲人父親之事。」

「我可不想做哲學討論，而是要具體瞭解你打算扮演什麼角色？」

「我不確定先談那個好——ICSI或扮演的角色。按事件發生先後順序而言，應該先談ICSI，不過別擔心，」他舉起一隻手作安撫狀。「我會照你的議題走。但且容我從歷史開始講起，我的歷史。」他身子往後一靠，雙腿向前一伸。他在米蘭妮面前出奇地自在。

「給你的上一封信，那是遠溯回……」他皺起眉頭，「一九七九年沒錯，因爲當時亞當尚未出生，我捎信恭賀你懷孕。我以爲你已婚或是遇到了……」

「我曉得，」她揮手示意他說下去，希望略過她如何懷孕這一段。「可是你爲何從此不再寫信來？」

「爲什麼？」他愁眉苦臉的。「這就是我非講不可的舊事。你給我的最後一封信是兩年前菲力・弗蘭肯塔勒親手轉交的——我從而獲悉自己已爲人父。那封信很長，內容複雜，文情並茂。但試想我的處境。」曼那欽身子突然向前，雙眼直視米蘭妮。「換作你作何感想？一個本該不孕的男人，忽然間有了生殖能力——不管是藉用何種人工方法——我歡喜、震撼、又感動莫名……可說百感交集。可是我也很生氣，氣你兩年前未先告知，更氣你置我於此尷尬境地。」他住了口。

米蘭妮緩緩以手掩額，默不作聲。

「你問我，如果你出事，我願不願擔起父責，你認爲這是不花錢的保險方式。我怎麼可能拒絕？可是你還在世時我又如何父子相認——你可是比我年輕十七歲。我生你的氣是因爲你逼得我進退維谷：我得傷了妻子的身之後再傷她的心，不然就得埋藏秘密，一輩子父子不相認。我還有第三條路嗎？」他語氣透露著滄桑。「我選擇後者，和你斷了音訊。」

米蘭妮伸手碰觸他的衣袖。「對不起，曼那欽，衷心感到抱歉。」

「不必抱歉，」他說道。「我無意乞求你憐憫，僅向你交代情況罷了，蓋斯樂首次邀我加入董事會時，告訴我你已接受董事一職，不信神如我者，不由得不信這是上帝庇佑。表示我倆將在公開場合以及中立的地點見面。」

他轉向她道：「那現在呢？」

米蘭妮明白輪到她發言：「如今你妻子已過世，」她吞吞吐吐地：「不知你作何打算？」

「不知我們作何打算？」他溫柔地糾正她。「可記得信的結尾？你引述了衣索比亞版席巴女王的故事：女王遣送她的獨子梅那雷克回所羅門王身邊受教育。我不由得跑去耶路撒冷耶穌聖墓教堂，參觀那些漫畫般的衣索比亞傳奇畫作。目睹梅那雷克問母親：『講父親的事給我聽。』卻不知自己即爲所羅門王之後，當時我不禁熱淚潸然而下。對了，米蘭妮，梅那雷克幾歲得知自己的身世？」

「我忘了，十四歲吧？」

「你打算讓亞當等那麼久？他沒問起父親的事？」

他當然問過，我早已準備迎接那一刻來臨。那時他才三歲，我無法告知他全部實情，但我也不想承受謊言的重負。那一天他問起時，我拿張紙，用筆在紙上畫了一個圓圈。「這是卵子。」在圓圈下面寫上「媽媽」二字。「這些也是卵子，很多卵子。」我在四周畫了約二十個以上的卵子。「不過只用得到一個。」我在其中一個上面添畫了活潑的尾巴和尖頭。

我想將來再告訴他精蟲以及精蟲如何穿透透明帶，誠如我在小威尼斯的運河旁告訴他父親的一樣。

「這一個是爸爸的精子，」以略小的字體寫下「爸爸」二字，「等精子進入媽媽的卵子一段時間後，亞當就出生了。」我畫個小人，標上「亞當」。

「亞當，」他自豪地唸道。接著問：「要等多久？」

「九個月。」我回答道，以爲即可打發。不料事與願違。

「誰挑中他的？」亞當胖胖的小手指著「爸爸」字樣問道。

「我挑的。」說完站起身子。

我很滿意自己給亞當上的第一課。我沒扯謊，也沒遮掩事實。可是第二回合就難纏多了。兩三個月後他問：「我爸爸在哪裡？」我再度用圖畫解說。這一回在「媽媽」二字下面，我畫上一個女人，在那尾巴已著上色的精子下面，畫了一個男人。

「精子通常從男人身上來。」我邊說邊爲男人加上帽子和手杖。「然而有時候，」我在男人上畫個大叉，表示他不重要。「精子從銀行來。」我指著那些環繞在卵子周圍其他衆多不知名的精子。

「銀行？」他皺起小臉蛋，試圖把精子和有限的金融知識連在一起。

我詳細解說銀行功能，鉅細靡遺，從而達到目的，將亞當的注意力從精子轉移到金錢上頭。自那天起，我等於以精子銀行爲中心，如蘇丹的新娘般編了天方夜譚的故事。這一招奏效了，因爲我不必說謊，除了收集精子那一部分，目前他還沒有興趣知道，我告訴他前任丈夫賈斯廷的生平，若他還在世就會成爲他父親，而目前我則尚未找到合適的替代人選。

亞當生日將屆時，他問：「媽媽，你爲什麼不等合適的人出現？」於是我畫了更多的圖，慶幸話題轉移到比較安全的女性生殖力上頭。某一天我突然領悟到，亞當是全曼哈頓年紀最小即懂得更年期的人。這有什麼不好？正好不辱沒瑞普康基金會會長之子的頭銜。

我當然明白我兒子不是聽天方夜譚的蘇丹，我也不是在講天方夜譚。雪莉・弗蘭肯塔勒幫了大忙。我的秘密只有雪莉和菲力知情，因此我經常向他們求教。亞當出生前我和菲力來往密切，如今則和雪莉走得較近。

「男孩子需要家裡有個男人。」有一天她突然說道。「你有何盤算？」

我並未關掉尋覓父親人選的雷達，只是掃瞄得很慢，雷達螢幕上難得出現一次嗶聲。事業和家庭已佔滿我所有時間，於是我打開雷達的感應器，同時遵照她的意見。「除了找丈夫之外還有什麼辦法？快找個男保母吧！」

奧藍多已跟我們三年了，希望他會再留一年……不知道到底要留他幾年，我問雪莉哪兒找得到男保母，她無禮地回答：「找那些兼職侍應生或計程車司機的詩人不就得了？我敢說兼任保母更能激發他們做詩的靈感。」

找到羅蘭．威布歐是我們天大的福氣。我們喊他「奧藍多」。他出版的第一本小書扉頁上即寫道：「獻給亞當，沒有他就沒有這本書。」證明雪莉說得對。他正要出第二本書，他經常暗示，連德蘿家裡某個人也會出現在第二本書的扉頁。

曼那欽喜歡他，令我滿心歡喜。當我告訴他將有四個人共進晚餐時，他的表情教我終生難忘。但奧藍多僅能解決短期問題，亞當漸漸長大，身邊該環繞更多男性，包括一位眞正的父親型人物。去年我的雷達掃瞄到一位看好的男士，至今他依然看好。但他不認識曼那欽，曼那欽也不知道他的存在。

「抽象地來說，亞當是問起過你。」米蘭妮回答道。

「抽象！」曼那欽的語氣近乎刻薄。「什麼叫抽象？我承認受精可以抽象，例如在培養皿內受精，但父職可是一種人與人之間的關係。」

「曼那欽，」她可憐兮兮地說道，「我的意思是說他第一次問起時才兩歲，問的當然是兩歲小孩才會問的問題。」

「然後呢？」

「我一次解釋一點，我告訴他我想要個孩子——這是實話。」她接著說道，「我的丈夫過世，目前尚未找到適當的替代人選，這也是實情。目前唯一不實的部分是我說我求助精子銀行。」

「好吧。」他的情緒稍許平復。「那現在呢？」

「大家都慢慢來。你儘量常來探望他——以朋友的身分造訪，讓你倆互相了解。這樣合你意嗎？」

「暫且還算滿意。」

第十九章

首次公開募集資金是上市公司的重要里程碑，類似公司的成年禮。然而，成年禮並無法使男孩眞的成爲男人，首次公開募集也僅是帶領新公司進入大人的遊戲場——股市。後續發展與公司的最初承諾無關：全仰仗公司的持續表現，股市對該表現之看法，以及整個經濟氛圍。如果景氣看淡，即使最耀眼的表現也會籠罩在股市下跌的陰影下。

一九八六年春，舍揚的管理董事們認爲首次公開募集的時機已成熟——雖然少了其他關鍵者的參與，首次公開募集其實欠缺任何營運上的意義。在首次公開募集中，外來關係者亦即承銷商——投資銀行家或仲介機構——還有證券交易委員會——即位高權重，位於華盛頓的證券交易委員會。承銷商就像媒婆，因此不無偏見。一旦他們答應了擔任媒婆，也完成了討價還價的階段，這時他們唯一的作用就是儘可能把客戶打扮得魅力四射。承銷商和媒婆一樣，很少讓他們的客戶公然寬衣解帶。彰顯優點，掩飾缺點正是相親遊戲的規則。證券交易委員會則負責制訂和執行遊戲規則，和FDA一樣，企業無不又愛又懼。

表面上舍揚似爲首次公開募集的傑出候選者：公司不但無負債，還有一千七百萬銀行存款，資產包括FDA即將通過的、令人振奮的新藥，市場潛力雄厚，最好的是，公司的形象再性感不過了。馬丁・蓋斯樂歷經過太多陣仗，諸如各式各樣的承銷商、首次公開募集、證券第二次發行、以及股海浮沉。今天他挑起舍揚的重責大任，一心希望它會以特快車的速度通過證券交易會這一站。

「雷妞，」有一天蓋斯樂說道：「我全力準備首度公開募集事宜時，你要把店看好。我們現在需要兩種承銷商：一種穩健守成型，另一種是來自西岸的全速衝刺型，如羅勃森・史帝芬、漢姆布來希及奎斯特公司，或蒙哥馬利保全公司之流。」

「你會挑那一種？」雷妞拿的是聖塔克拉爾的企管碩士，該校是所藍領學校，專門迎合半工半讀的學生，因此很好奇史丹福出身的蓋斯樂會怎麼挑。

「穩健守成型的？第一流的任何一家公司都可以：戈曼・薩契、波士頓第一，以及摩根・史坦利，他們作風相同。全速衝刺型則較耍手段。蒙哥馬利公司內遍布積極的營業員：咄咄逼人、精力充沛，襯衫領口敞得開開的。其中以羅勃森・史帝芬最有格調：營業員一律繫條紋領帶，從沒人違規穿牛仔褲。我可能會找他們，因爲我喜歡首次公開募集能展現格調。」他調皮地眨眨眼。「問題不在於說服那一家公司接我們的案子，而是找出願意合作的一組投資公司。希望壯陽藥能將他們迷倒。投資公司做跟性有關的生意，有幾次是穩賺不賠的？」

蓋斯樂言之成理。他能將科學講解得趣味盎然，保守合理的財務管理政策，以及勝人一籌的見識獨撐大局到今天。

「諸位最後一次將名字簽在陽具挺舉的燻青魚上是什麼時候？」蓋斯樂和戈曼・薩契以及羅勃森・史帝芬投資公司的高級主管開會時，面無表情地說道。舍揚終於決定與這兩家公司合作。

經理們面面相覷，不知所云。

「陰莖形象的？」其中一位投資銀行家終於開口。「怎麼寫？」蓋斯樂告訴了他。久久的沉默後，一位較年輕的經理起身走到房間角落翻查架上的大辭典。他突地直起身子，走回桌邊，在他頂頭上司耳畔低語。資深經理說：「我們當然不能使用那個詞。」

「他們或許不能，」蓋斯樂事後轉述給雷妞聽時說道：「且等著瞧看我怎麼用。」

雷妞也抬起頭：「你要在什麼地方展露你的博學？」

「等著瞧吧。」

和平常一樣，「燻青魚」的實際準備事宜——亦即證券交易委員會要求的初步計畫書——結合了公司內人才和摩特・哈特史東律師的經驗、蓋斯樂的專長以及投資公司內部的審查，審查究竟是流於形式抑或認眞處理，全看投資公司的態度有多認眞，而戈曼和羅勃森公司則是玩眞的，有時認眞到了討人厭的地步──起碼雷妞這麼想。

雷妞的角色具指導性質，不同於哈特史東法律事務所和投資公司的小嘍囉；她是老師也是學生。身爲舍揚的主力科學家，她須負責將陰莖勃起的基本原理講得簡單易懂，並且著重一氧化氮扮演的角色。接下來講解「繆沙」和NONO二號的有效成分，理應營造出嚴肅、知性的氣氛。雖名爲講演，實則爲促銷，再點綴些許法律條件。投資公司的重要幹部挺尊重雷妞，但他們提出的問題太多，令雷妞不耐。他們是否從高中起就避科學唯恐不及呀？而且爲什麼參與會議的成員只有副總裁—執行副總裁、資深副總裁或助理副總裁—和秘書，欠缺其他層級？

除了提供專業知識，雷妞也吸收了寶貴的資訊，主要是從舍揚的法律專家摩特·哈特史東那兒得來。哈特史東教她在計畫書內穿插咒罵式的陳述，起初雷妞感到羞辱，繼之憤怒，最後簡直是徹底被他打敗，氣昏了。

他抨擊「繆沙」爲「依賴公司泌尿系統才能勃起的裝置」。他扼殺了科學家自豪、樂觀而且初萌芽的科學研究，以雷妞斥之爲病態的悲觀取而代之：公司目前依賴唯一的一種陽痿治療法—經由尿道傳送藥物的「繆沙」，無人擔保這種療法或涉及一氧化氮釋放劑的製藥配方一定安全有效或一定能通過檢驗。

哈特史東好像嫌不夠似的，又加上一記致命的打擊作爲結論：由於公司僅有一種療法而且目前專注於NONO二號上面，如果未能及時通過FDA檢驗或成功地使產品大賣，將爲公司造成反效果，甚至可能威脅到公司的生存。

哈特史東的圖書室四面牆整齊地陳列著大部頭的線裝書，不同於舍揚剛起步的圖書館，書籍雜列無章。讀完草稿，雷妞再也憋不住了。「摩特，大家看過這一份文件後，誰還會想買我們的股票呀？」

律師囑咐她：「先往下讀，我們再來談。」

雷妞開始大聲朗誦，她的語調將嫌惡表露無遺。「『由於公司產品涉及尿道傳送，是項新療法，將比傳統療法更慢取得通過。』」她不耐煩地嘆口氣。「『公司已完成重要臨床試驗……』」雷妞瞅哈特史東一眼。「這是你第一句好聽話：『重要』。謝啦，摩特。」

他警告她道：「你最好繼續唸，別感激得太早。」

「『……而且準備向FDA申請通過新藥施用法，同時繼續進一步臨床試驗。』沒什麼不對呀。」她說道。

「嗯。」摩特哼了一聲。

「『不敢保證這些臨床試驗能在特定時間內成功地完成，如果有訂時間表的話。』」最後一句雷妞幾乎是用吼的。「摩特，天可憐見，講點道理！我得提醒你，我們的臨床試驗全都準時完成，你怎能說——」

「輕鬆點，雷妞，等你全部看完再討論才會節省時間。」

「好吧。」雷妞做了一次深呼吸。「『不但如此，如果FDA懷疑受試者承受的風險過高，可隨時中止臨床試驗。』還有什麼？」她嘀咕著。

「看製造那一章。」

雷妞翻動紙頁。「你把題目改成『有限的製造經驗』。」她氣急敗壞地搖頭：「還在我的文稿前添加一句。『公司毫無以合理成本製造大量產品的經驗。』」她瞇著眼抬起頭。「謝天謝地，我丈夫不負責管理那項設備，不然他不知會怎麼說。等狄維爾看完這份稿子你就完蛋了。」她警告他。「讓我看看你把我專利權那一章搞成什麼樣。」

「你不會喜歡的。」他輕描淡寫地說道。

「『公司的成敗主要取決於目前及未來的專利權，後者和其他製藥公司一樣，具高度不確定性。專利權可能遭否決或縮小範圍，而且難保公司產品不會侵害其他產品之專利權或所有權。無論如何，公司相信製藥工業將繼續爲了專利和其他智慧財產權花大筆銀子興訟。』」

雷妞放下已印妥且裝訂好的稿子——她坦白地表露她的嫉妒。「你的印表機一夜之間就能印好這種文件，眞了不起。不像我們這些可憐的科學家，要等好幾個月論文才能印成鉛字，登在期刊上。」

「等你看到帳單就會明白。」哈特史東哈哈大笑。

雷妞注視封面，左側一個方框內用醒目的紅色字跡寫道：「此文內容可爲完稿亦可修改。這些證券已在證券交易委員會註冊有案，註冊未生效前不得買賣。」

「你聽了也許不見得比較開心，但其他人的章節我也補充不少。」哈特史東這句話是想安撫她。「『由於公司計畫直接藉美國的銷售人員直接行銷販賣『繆沙』，卻毫無銷售、行銷、配銷產品之經驗，因此未敢擔保銷售能夠成功。』」他闔上文件。「全是這類內容。」

「摩特，你爲何要趕盡殺絕？投資公司會怎麼說？」

「他們愛死這種東西了，」他露齒而笑。「還會加補上一些『如果』、『當……時』、和『可是』。假使我透露一個秘密給你，或許你會感激我：下一次董事會議，你會當選進入董事會。」

蓋斯樂早已私下告訴雷妞，但她一聽還是羞紅了臉。這是今晨律師辦公室內唯一一樁開心事。

「除了馬丁之外，所有董事都是外面的人，董事會的管理階層該有多一點公司的人介入了。雷妞你不但足堪大任，而且高科技公司的主力科學家最好也是董事。同時董事會也多一名女性成員。但董事的特權之一，」摩特咯咯笑道，「就是你自動成爲持股人訴案中的被告。假使舍揚股票表現欠佳或出乎意料地好，我保證一定會有人控告我們。」雷妞驚訝之色令他舉起雙掌安撫。「這類討人厭的訴訟幾乎全是訟棍所爲，他們只想塡飽荷包……當然也塡飽對造律師的荷包，我的事務所即是如此。」他先一笑，繼之正色道：「雷妞，這不關我的事，但請問你是否服用避孕藥？」

雷妞霎時顯得很窘。「除了我丈夫外，我給其他男人的答案是：不干你的事。但我懷疑你問這個可能和法律有關。對不對？」

「絕對正確。」

「那麼我的回答便是：有，我服用避孕丸。」

「很好。」他拉椅而起，「你可讀過包裝內的說明書？」

「最近沒有。第一次拿到處方時可能讀過。怎麼了？」

哈特史東笨重地移至書架前，手指沿著眞皮書背一本一本尋找。「我以前曾擔任口服避孕藥先驅公司之一的顧問。」他取出一本書，書名爲《墨合公司註冊法》（Syntex Corporation Registrations），一張充作書籤的紙條自書頂探出頭來。書本站在他腆起的肚腩上面，哈特史東開始唸起紙條上的文字：「偶見的副作用包括惡心、嘔吐、視力及聽力不佳、失憶、氣喘、腦筋迷糊、盜汗、口渴、腹瀉、過敏、偶伴隨胃腸道出血……」他看著雷妞。「如果盒內說明書有這些文字敘述，你還會服用嗎？」

她遲疑一下，說：「我不確定。」

「當然囉，誰讀了之後敢吃呀？我剛才唸的，」他停了一下，「是阿斯匹靈的副作用。」他心滿意足地說：「好，你看。」他打開那本大書。「一九七八年我執筆撰寫避孕丸副作用，文字迄今未有更動。共計三頁長，單行間隔，小字印刷——你過目即忘，如果你有過目的話。副作用從癌症、中風到牙齦出血、耳垢減少都有。道理既簡單又悲哀：你必須條列每一項可能產生的副作用，不論多輕微或機率多低，否則消費者會控告你未事先告知。置身世上最愛打官司的國家，嚴重警告的潛在益處全被這些小瑕疵稀釋了。現在回到『燻青魚』。」

他將薄薄的計畫書推到雷妞面前。「以爲計畫書是因爲封面上的紅色警告文字才訂這個題目，未免過於天眞。」哈特史東手指滑過紙緣。「你可能知道字典上『燻青魚』一詞的解釋：『轉移注意力的東西或話題』。」他劇烈搖著頭，以致頬下的肉垂前後抖動著。「字典的定義挺適用的。」

「很令人喪氣，是吧？」

「不盡然。把它當作廣告中的眞相。讀這份計畫書的人就是你在巡迴演講中會碰到的：退休金和共同基金管理人、證券分析師、有價證券或金錢管理人、和一些股票掮客。他們城府深，見識廣，曉得那些話不用理睬，那些是法律行話，但他們終歸是職業賭徒。他們了解這場遊戲與生俱來的風險，但他們心存僥倖，因爲他們自認比其他人聰明。而舍揚的股票當然是看好的。」

「他們看了你的計畫書將作何感想？」她諷刺道。

「那就要仰賴財務總裁馬丁的表現——雖然財務報表相當直截了當——還有你的表現，以及你在演講中所說的話。」

「看我的？」她嚷道，「我該說什麼才好？有位陰沉、憤世嫉俗的律師擔任本公司顧問？」

哈特史東捧腹大笑。「不是啦，是要注意語氣、表情。有人問及重要問題時，你那『無可奉告』的神秘答覆、羞怯的反應，如『你眞正的想法是什麼？』等等。馬丁最擅長此道，等戈曼、薩契和羅勃森、史蒂芬公司將需拜訪的人物和地點的名單交給你，馬丁一定會事先面授機宜。還有一件事，各公司通常由總裁代表出席，舍揚則是派財務總經理——羅杰·奎斯佐的繼任者，羅杰下個月將離職——還有主要科學家，亦即負責研究計畫的人。但馬丁和我決議將重點擺在科學，並且要講得妙趣橫生，因此覺得該納入科技顧問董事會和醫學顧問董事會的董事長。你要負責說動他們加入，尤其是康特，因爲馬丁似乎迷上了那個詞——」

「這我再清楚不過了。」雷妞插嘴道。

「馬丁認爲演講須由諾貝爾得主來增色。」他訝異地揚起眉毛。「雖然我認爲諾貝爾獎光度不高，僅能照亮附近地域而已，不過，」他指指雷妞，「反正那個部門歸你管。」

「巡迴演講？」康特的輕視透過話筒傳來。「接下來是什麼？巡迴馬戲團哪？當初你到芝加哥找我時，並沒說SAB的董事長還要在早餐及高卡洛里的午餐時間取悅投資者呀。我眞的沒那個閒工夫，何況我正在節食。如果哪個證券分析師想打電話給我，就給他我辦公室的號碼，我用電話答覆問題。」

「我就是不要康特或任何天眞的科學家私下接電話。」馬丁聽畢雷妞的報告，不禁大發雷霆。「註冊之前的階段，我們務必步步爲營，緊按著『燻青魚』上面寫的說。切記，等證券交易委員會通過後，我們才能撤掉紅色警戒——此時燻青魚才能化身爲白紙黑字的計畫書。在此之前，我不希望有任何即興演出。每一句話說出來時皆須有人證。勸勸他吧，雷妞，提醒他，他有認股權。」

巡迴演講成功即保證首次公開募集成功，亦即將認股權轉變成貨眞價實的貨幣。有錢能使鬼推磨，而康特每股四毛的三萬股認股權如今眞的有機會漲成五十萬——如果首次公開募集時，每股能賣十七元的話，但目前股價僅限於舍揚會議室內的耳語。雷妞將耳語傳給康特，加上外交辭令，使他的首肯顯得不情不願，而不致露出貪婪之相。

「康特教授，」她輕聲地做完利潤推算後，提高音量道：「第一回合會議全在紐約和波士頓舉行。醫學顧問董事會的董事長諾蘭博士將自舊金山飛來與我們同行。假如科技顧問董事會的董事長也能到場更好，就算只待兩三天也大有裨益。你來能使會議生色不少。」

「你指的是我本人還是諾貝爾獎的頭銜？」

雷妞猜想他在電話線另一端的表情，是傲慢、貪婪，還是覺得好笑？「有諾貝爾獎也無妨呀。」她委婉有禮地回答。「你若能談談一氧化氮釋放劑可抑制腫瘤豈不有益？可記得邁可・馬勒塔在你公寓提起的話？」

「何不乾脆叫馬勒塔去？」

雷妞開始不耐。「聽衆不是科學家，他們不認識馬勒塔，你的大名——」

「好吧。」他說道，「兩天。到紐約和波士頓，多一天都不行。」

首次公開募集前的巡迴演講的確像巡迴馬戲團，基金和退休金管理人雖拿著別人的錢在玩，卻是來聽道理，不是來消遣的。他們的職責是替別人賺錢。巡迴演講於三萬呎以上的高空展開，是個好兆頭。前往紐約的授權小組包括馬丁、雷妞、諾蘭博士、新任財務總裁大衛・華普勒、和一位不可或缺的成員：一位年輕的扛箱工，負責幻燈片、投影片、講義，還有最重要的一件事：搜集每一站取得的名片，這是判斷競爭對手是否偷溜進來的方法之一。

平常馬丁會要求大家坐經濟艙，但這回有舊金山投資公司代表同行。雖然他們僅是助理副總裁，但思及首次公開募集估計可募得四千萬，舍揚規模相當小，不能讓人撞見他們搭經濟艙，這樣太寒酸。蓋斯樂相當了解，於此敏感時期，身分地位很重要，除了負責器材的助手外，他替大家訂了頭等艙機票。助手搭另一班次前往，否則只有他一個人坐在後面的經濟艙，未免對他太失禮。

雷妞座位在頭等艙最後一排，大衛・華普勒與她毗鄰。華普勒短小精悍，耶魯大學畢業，額頂頭髮快禿光，顯露了他的智慧，他吹噓自己的學經歷：史丹福企管碩士，在美東有四年銀行投資經驗。蓋斯樂將他引進公司，兩人第一次面談時，蓋斯樂靈敏如獵人般的鼻子已嗅著優秀金融人才的氣味。華普勒小雷妞三歲，不但聰明絕頂——聰明到惹人嫌的地步——同時十分風趣。在沒有電話和其他干擾之下，相處五小時促使他倆更加熟識。華普勒熟稔首次公開募集和巡迴演講，卻不懂一氧化氮，但不妨礙兩人相契相合。

飛機升至巡航高度後，華普勒自前方洗手間回到座位上。「你知道另一側第一排坐著什麼人？」他向雷妞耳語：「是德蕾莎修女。」

「不會吧！」雷妞也低聲道：「你怎麼知道是她？」

「自從她獲得諾貝爾和平獎，到處都見著她的照片。我去試試看她會不會賜福給我們的『燻青魚』。」

雷妞還來不及反應，華普勒已自手提箱中抄起一份計畫書，衝到前排座位。雷妞見他矮小的身影消失於走道盡頭的空座位前。數分鐘後他返回座位，猶如自羅德斯（rdes）朝聖回來，欣喜若狂的樣子和親眼見到聖母瑪麗亞的聖博納黛（St. Bernadette）沒啥兩樣。

「你看，她眞的肯吔！她賜福給計畫書了！你看！」他指著封面上德蕾莎修女潦草的簽名給雷妞看。「我請她加註了日期。我們得把計畫書放進保險箱。雷妞，快點，」他低聲道：「快把你那一份給我。」

他以大師般的熟練指法摺出一頂便於傳遞的紙帽，自皮夾掏出兩張二十元紙鈔放進紙帽。「我要爲德蕾莎修女在加爾各答的工作募點款項。」

雷妞掩嘴忍住笑意，「動作快，」他催促雷妞，「再放幾張紙鈔蓋住計畫書上的文字。」此時雷妞才注意到紙鈔上傑克森總統像正躺在紙帽底部詫異地望著她。

接下來的數分鐘內，雷妞看著華普勒緩緩沿著走道走動，大夥兒不斷把紙鈔放進紙帽。

他氣喘喘地回到座位上，問雷妞：「你知道我募得多少錢？超過五百塊呢！德蕾莎修女不但賜福給我，還想留下紙帽。我差點就答應了，但隨即想起計畫書內有陰莖的彩色剖面圖以及『繆沙』的放大圖，幸好不是出現在這一頁。」他將縐巴巴的紙攤開。「不過她依然賜福給計畫書。」

「大衛，你是虔誠的教徒嗎？」

他露齒一笑：「我只是迷信罷了，有聖人化身兩次賜福，我們一定一舉成功！」

恐怕很難向德蕾莎修女啓齒，舍揚的首次公開募集需靠陰莖勃起的魅力和優美的簡報方式。早餐及午餐餐會的聽衆深受科學原理吸引，所以提出的問題鮮少觸及財務面。換作其他公司總經理，一定會鬱悶好幾天，但華普勒面露得色，確信他已有所貢獻。連康特也賺到了餬口之資，利用他著名的教學法於他畢生時間最早的演講——早上七點——擄獲了聽衆的心。他講述一氧化氮釋放劑對特定腫瘤的可能影響，口才便給，妙語如珠，雷妞甚至因而決定開始研究合成計畫，打算和塞麗絲汀．布勒斯一同腦力激盪。

諾蘭博士的演講內容與陰莖勃起此一主題緊緊相扣，幾乎淸一色全爲男性的聽衆按捺不住好奇，提出的問題有時離題相當遠，但總在鼠蹊附近打轉。最近報章刊載，世界各地的男性精子產生退化現象，包括精子數量減少百分之五十，不少觀衆針對此一報導提出問題。她以婦產科臨床醫師的姿態加上男性生殖器病學的經驗，解答了觀衆的疑問。

「別擔心——起碼紐約人不用擔心。最新研究顯示，紐約男性精子數量高居世界第一，而且二十年來未曾減少，與洛杉磯的情形相反。」此語一出，博得滿堂采。但她安慰衆人，科學家正謹慎、廣泛地研究此一趨勢。

她技巧地將話鋒帶回舍揚和首次公開募集，指出「繆沙」旨在協助性事，而非生殖。「目前研究男性及女性不孕症者相當多，例如細胞間質內精子注射。」諾蘭前一天剛和米蘭妮・連德蘿碰面，聊起細胞間質內精子注射在遺傳學上的意涵。連德蘿如數家珍，使得諾蘭豎耳傾聽，大學教授總是很留意補助金發放人對何種研究有興趣。

「細胞間質內精子注射」一詞觸動馬丁・蓋斯樂的聽覺神經，提醒他該告訴聽衆公司研發部門的研究成果能使陰莖挺舉——他計畫已久，卻苦無機會提出——僅有一次例外。蓋斯樂講出「陽具挺舉」（Ithyphalliz）一詞後，跟著他後面報告的一位分析師卻警告聽衆，「繆沙」的副作用是「陽具發癢」（Itchy Phallus）。蓋斯樂自此不論公私場合絕口不提該詞。

舍揚管理小組——少了康特或諾蘭——繼續前往歐洲巡迴演說，並於倫敦、蘇黎世、日內瓦和巴黎小停。出發前往歐洲前一日，修訂後的計畫書自舊金山哈特史東的辦公室寄到他們手上，內文已應證券交易委員會要求做了修改。已有全體董事原來簽名的十份簽名頁需要他們再次簽名，麥格納斯・范溫納伯格男爵和戴維森教授自聯邦快遞手中接獲簽名頁，雷妞則需負責取得連德蘿之簽名，華普勒負責與身在以色列聯合國代表團的狄維爾聯繫。

雷妞於四點四十五分到達瑞普康，接待員告訴她：「連博士已返家。」雷妞決定步行至連德蘿的「東岸」公寓，距此十一個街口外。坐著開了一整天的會，她想醒醒腦，在舒適的六月下午活動一下筋骨，可是雷妞到達目的地之後，對講機內的男聲通知她連德蘿尚未到家，但應該馬上就到了。

「我可否上樓等她？」雷妞問道：「我有緊急文件要她簽署，只要幾分鐘就好。」

一名年輕男子打開公寓大門。「我叫羅蘭，」他開口並親切地微笑。我打理家務並且照顧亞當，請進。」

「媽媽！」一個小男孩應聲奔出。「噢，我以爲是——」

「亞當，」羅蘭彎腰道，「她是媽媽的朋友，向庫里希南博士問好。」

「你好，幸會。」亞當打了招呼。

「亞當，」客廳傳來男子的聲音，「你在哪兒?遊戲還沒玩完呢。」

亞當拉著雷妞的手，「快來，你可以看我和曼那欽下棋，一起等媽媽回來。」

第二十章

我回到家發現雷妞．庫里希南、亞當和曼那欽圍在一塊兒下棋，不免心頭一驚。雷妞的不安更令我由訝異轉爲尷尬。她正打算匆匆告退，曼那欽的一句話剎時令氣氛改觀。我至今仍摸不清他是不是刻意爲之。

她拿著要我簽署的文件朝我揮了揮，說新的財務經理華普勒也正在找曼那欽簽署文件。「轉告華普勒我明天會在以色列代表團。」他對雷妞說。「我固定每週二和週四陪亞當。」

我從雷妞的表情看出，她已肯定之前的猜測全屬正確。就在此時我鼓起勇氣問她：「雷妞，明天和我共進午餐如何？就在舍下。」

曼那欽和兒子初相見迄今已經兩年了嗎？他們見面那天並未粉碎我單身母親的世界，但世界就此天旋地轉，曼那欽自從宣布他要多陪伴亞當後，未提問題、不談條件、未造成困擾、也從未逾矩……但我明白，總有一天該來的還是會來。曼那欽從未質疑我這位單親的權威，也從未要求亞當改姓狄維爾。但我的地位無疑已動搖。週二和週四的固定探訪即為一例。他單方決定而挑了這兩天，我到瑞普康上班時他便來到這兒。我當時告訴自己這樣沒什麼不對，但歷經五個月的午後約會，每次亞當提醒我他多想念曼那欽——六歲小孩提醒人的方式很多——我就一陣心痛。等他長大，如雪莉說的，更加需要家中有男人時，將會如何？

我眞的憂心忡忡，只能向兩個人傾訴。我能找雪莉盡吐心事，但她老叫我：「找個人嫁了吧。」我也可以向菲力吐露，他會說長論短，但是我可以反駁，因為他願意多方考慮其他出路。如果我告訴菲力，鰥居的曼那欽常來探視亞當，教他下棋，替他報名柔道班（曼那欽嚴肅地說：「男孩子，尤其是以色列男孩，要學著自我防禦。」），父子倆一同選購球鞋，菲力一定會立刻避談其他出路，我想像得到他溫暖的眼神變得堅定不移，斷然地說：「還談什麼其他出路？曼那欽是孩子的生父，就這樣。其他方面也是名副其實的父親，你就順水推舟吧！」

我已在腦海中與菲力進行類似的對談好幾次，時間也延宕了幾個月，到了該和人進行眞正的討論的時候了。何不找雷妞？我忽然想。她知道——或說懷疑——菲力不知情的部分，乾脆找個知曉故事結局，不知故事開端的人豈不更適當？

米蘭妮直接領客人到擺了兩份餐具的飯廳。「雷妞，你能來，眞好。」

「多謝邀請。」雷妞邊說邊注視盛著生菜沙拉和水果的大碗。「謝謝你費心準備簡單的餐點。巡迴演講已讓我增胖不少，」她拍拍肚皮，「而演講場次尙不及半數呢。」她入座開始進食並且滔滔不絕地談話。雷妞以爲這頓餐叙的目的是舍揚，因此暢談數週來日夜困擾她的問題。「投資公司，亦即承銷股票者，安排一切事宜，負責邀請聽衆，監督我們彩排，確認等證券交易委員會通過股票上市，要賣的股票都找到買主。目前爲止一切尙稱順利。他們的建言也很中肯：他們說知識份子的傲慢也沒啥不妥，只要具有開闊的胸襟和偶爾的謙遜即可，最要緊的是避免用以上對下的姿態和客戶交談。他們一再提醒我們，這些私下會面的目的僅僅爲了使客戶確認他們的信念沒有錯。」

「你最好快吃吧，」米蘭妮打岔道。「不然這一頓又變成巡迴演講的午餐餐會了。」

「不會的，」雷妞笑道。「又不只我一個人說話。但先讓我談談我的困擾：投資公司間多重且互相競爭的功能。我了解他們爲我們盡心盡力，雖然收費不低——全部收益的百分之七——我們希望全部收益至少達四千萬。可是他們也拿我們的股票去招徠投資客——」

「『招徠』這個字眼稍嫌強烈，反正這是圈內人盡皆知的事。」

「在現階段確是如此。投資客們老謀深算，有些卻極短視近利，希望首次募集即能供不應求，未滿足的需求將使公開上市的股票飆漲，數天內一脫手，即能迅即獲利豐厚。舍揚不要這種投資人，我們雖然希望交易活絡，卻期盼長期投資者加入。」

「你好像精於此道似的，你不是初次參與首次公開募集嗎？」

「的確如此，但投資公司，亦即證券仲介者相互競爭，以及他們對股市造成的影響，我已在商學院學過了。學校教的是理論，我很好奇理論如何實際應用。在學校的時候，我第一次聽到教授拿汽車打比方，他率直地問道：「你們買車的時候，是否先讀《消費者報導》，將車開到獨立營業的技工處檢驗，還是聽信業務員的說詞？紀錄顯示向身爲承銷者的證券商購買股票的投資客，在首次公開募集之後，往往被矇騙。那是學校教授講的，不是我胡謅。」她隨即說道：「現在我要開動了。」說著叉起第一口食物。

好長一段時間，兩名女子都默不作聲。「雷妞，」米蘭妮望著盤中的食物說：「我想問你一件事。我和你的丈夫素未謀面，僅在審核你的計劃申請案時聽說過他。那是……八年前的事？時間過得眞快。嫁給以色列人的感覺如何？加上你自己又是印度人。」

雷妞搖搖頭，沒覺察到她以印度人的方式搖頭。「我快不算印度人了，明年即可取得美國公民身分，還有個美國出生的女兒將來可競選舍揚總裁和美國總統。」

「我懂了。」米蘭妮語氣透著不耐。「回到我的問題……」

「以色列夫婿？我只結過一次婚，所以無從比較，也沒試過安慰劑。」她瞥見米蘭妮蹙眉，笑聲頓歇。她一字一句地說：「我們是有些問題，但我想問題癥結在於我倆都沉迷於工作，還需照顧兩歲半的女兒。不過以色列男性很重視家庭。」

「可曾想過遷回以色列？」

「依然身兼舍揚董事？」

「當然不是。我只是好奇你是否考慮過居住以色列。」

「一度曾經考慮過。但此刻時機不對，舍揚給我的機會可說千載難逢。」

「你的丈夫怎麼說？」

雷妞短嘆一聲，「他或許喜歡搬回故鄉吧。」

「宗教問題如何解決？」

「等娜歐咪夠大，我們將帶她上改革派的猶太會堂。」

「你曉得我改變宗教信仰嗎？」

問題問得雷妞猝不及防。「你？」她喘氣道：「改信猶太教？爲什麼？」

「我希望兒子生下來即爲猶太人。」

「我明白了。」雷妞喃喃說道。

米蘭妮開始玩著眼前的玻璃杯，旋轉著杯子，看杯中水能旋多高而不潑濺出來。「你猜得到原因吧？」她放下杯子。

「你爲什麼告訴我這件事？」雷妞低聲詢問，似乎十分膽怯。

「每當有人問起亞當的生父，我都含混其辭。他們一逼問，你猜不到逼問的人尤其是女性有多少？我就半眞話地敷衍，是說『一半的眞相』，不是『一半的謊言』，兩者對於我來說差異極大。」

雷妞靜靜望著她。

「你不想聽那二分之一的眞話嗎？」

「我想我沒資格問。」

「多謝你的體恤。我告訴他們，我想做單親，並且以人工受精方式受孕。」

「你怎麼告訴令郎？」

「同樣一套話，但快瞞不住了，不久我就得告訴他另一半眞相。」

「說你不想做單親？」

「才不是呢！」她簡直發起脾氣來。「那就是扯謊。可是我告訴他，我藉精子銀行之助而做人工受精。我得告知亞當他的生父是誰。只有兩個人知悉生父身分，我大可和他們商量。現在你是第三個知道的。介不介意我請教你高見？」

我對雷妞期許可能過高了，她比我年輕十幾歲，提及婚姻和爲母之道，她卻傳統得不得了。她比她自己想像的更像印度人——說不定是嫁以色列人爲妻所致？也許她有所顧忌。話雖如此，與她一席談還是有益，就像手術前請教第三位醫生的意見一般。既然蒐羅的意見已多，似乎便沒必要再繼續到處請益。

衆人似乎一致認爲我應該放棄單親，加入雙親行列，但怎麼做呢？雷妞未說出口，但我敢說她一定在奇怪我爲何不考慮婚姻。爲何不考慮？與雷妞商談——或說我講她聽——之後我開始審愼評估有那幾條路可走。每次在腦海中想像與菲力商量，總會出現「那幾條路可走」這幾個字。我到底有那些選擇？

第一：保持現狀。至少我有進展，因爲我現在明白不可能再保持現狀。

第二：雪莉的勸誡：「找個人嫁了吧！」四十五歲的寡婦帶著個六歲的拖油瓶，條件不算好，但這只是託辭。當我照鏡子時，我挺喜歡鏡中人的：身段窈窕、言談風趣！我比誰都了解人類生殖學，比方說，我聽歌劇，我閱讀……可是？可是什麼？要不是爲了亞當著想，因爲剝奪他享有男性影響力的權利而產生的內疚，我會不會急著找位伴侶？我對枕邊人的需求已冷卻，僅餘零星的火燼，但稍加搧風，定能燃起七年前與曼那欽共燃的熊熊烈火。我的雷達似乎掃瞄到一個適當人選，足堪爲亞當之父和我的社交伴侶，但就是少了份激情。我終於打發他走，因爲曼那欽已說服本古里昂大學於曼哈頓設立募款辦事處，所以不再需要人代理亞當父親一職。曼那欽說他會因此和聯合國顧問一職而留在此地至少兩年。兩年內固定週二週四，以及週末偶爾陪伴亞當，代表亞當也被拖下水。難怪我躲著不與雪莉獨處。第二條路已遭否決。

我僅餘第三條路：曼那欽。我不曉得他是否在等我開口？我只知道病患必須自己決定要不要動刀。我非和曼那欽談談不可——談亞當，談我倆，問他八年來抱著什麼樣的感情。我倆從未提起這個話題。

「雷妞，你看。」約夫德拿出形狀大小類似原子筆的裝置。「你願不願將這個裝置置入陰道，到達子宮頸？」

「吾愛，」她又訝異又好笑地喊道，「孩子的爹呀，你不是當眞的吧。我長途跋涉兩萬里，回到家盼望的是溫柔熱情的吻，你卻想知道我肯不肯將這根管子置入……」她湊近一點望著他，「你是當眞的，對吧？」

「這沒啥大不了嘛，跟塞衛生棉條差不多，要不了幾秒鐘，等到……」

「我不答應。」她打斷丈夫的話。「我收回剛才那句『吾愛』。快放下這個小裝置……或小玩意兒……隨便你管它叫什麼，快解釋清楚，否則我會跟一般美國老婆一樣問你：『親愛的，我在外奔波掙錢時，你都在搞什麼鬼呀？』」

雷妞的詼諧安撫了約夫德漸升的怒氣，但他仍餘怒未消：「好吧，算了。」他把管子擱在桌上。「看在你數星期來關心丈夫研究工作的份上……還是數月來的關心？」

「約夫德，你煩些什麼？」

「不知從何時起，我們口中唸的除了首次公開募集，還是首次公開募集——」

「這樣講有欠公道——」

「還有『燻青魚』、巡迴演講、戈德曼．史蒂芬和羅勃森．薩契……」

雷妞住嘴不說，不想再以嘲弄助長他的怒火。「是戈德曼．薩契和羅勃森．史蒂芬。」她小聲地說道。

他斜瞄她一眼。「管他叫什麼。你是眞心想明瞭我的研究進展，還是虛情假意？」

舊創並未收口，我的關心藥膏擦得不夠多，不夠勤，尤其是全力投入首次公開募集之後。我應該向約夫德解釋時機之緊迫：半年來道瓊指數攀升三成，超過四百點，首次公開募集的次數也比去年增加一倍。承銷者不斷無情地鞭策我們，提醒我們，機會之窗不會永遠開啓，而且往往未先預警即關閉。

我承認，參與這些「儀式」令我興奮地昏了頭，但仔細一思量，約夫德全然沒份。我們每日謹守機密，守口如瓶，摩特·哈特史東告誡我們，證券交易委員會不准我們向枕邊人透露半個字。多關心約夫德我的日子會比較好過，尤其我奔走在外，照顧女兒的重任全落在他肩上。

於是我閉上嘴。「對不起。說說你的研究工作吧。」他的怒氣消散了，他無非想有機會暢談他的研究。他開始提醒我半年前他讀的那些鼻腔抹片和子宮頸抹片的論文。「你眞的追根究柢下去呀？」我萬分訝異地問道。他沒回答，拿起桌上的小玩意兒，宣布我有榮幸目睹第一個「測卵魔法師」（"Wizard of Ov"譯按：音近"Wizard of Oz"：「綠野仙踪」，一譯「歐茲國的魔法師」。）

望著丈夫，我彷彿回到八年前，看他向我展示第一個「繆沙」裝置。剎那間我體認到他是玩眞的，取笑他無異於孩童玩火。我指著原子筆狀的塞管問道：

「這東西能測知我是否排卵？」

「我還不十分有把握。」他含蓄說道，但眼神卻透露出他已肯定其功效。「如果我沒錯，它不僅可測知你是否正在排卵，還可在排卵前幾天即預知。」

這一回，我很機靈，沒打岔，雖然他從女性生殖學的基礎開始講起。確實有許多女性不了解自己的月事週期——排卵後只有二十四小時可以受孕——也不知道男性精子可存活三至四日。於是約夫德說該裝置若用來避孕，必須於四天前預測排卵時間，我只輕輕點頭。

但我忽然坐直身子，約夫德告訴我一件我之前不曉得的事，其實是我不肯相信：約翰．法蘭斯於紐西蘭的研究顯示，排卵前三天行房利於生男，排卵日行房則利於生女。「好，」他得意地做結論：「若『測卵魔法師』能於四天前預測排卵，我們就有辦法——」

「包生男？」我打岔道：「這多恐怖呀。」這是肺腑之言，想想重男輕女的印度會發生什麼狀況，但約夫德揮手不理我的抗議。

「我說的是改變性別比率，不是完全改變性別。」

「好吧。」我退讓一步，免得他又惱火。「這又有什麼功用？」我指著他手中的管子。

「你要測量什麼？」

這一次我全神貫注聽他演講，但我得承認，我的佩服摻有一絲忌妒。忙於攀上行政主管最高一階的我不禁自問，自己多久沒接觸最新科學進展？現在的我負責「助長」其他人的想法，給他們「優先權」。我了解研究工作，所以擅長給他人靈感，可是這有別於自行開發研究。

幸而他當年在本古里昂實驗室內包含了各種跨領域的人才，諸如機械和電子工程方面，以致即使他的專業屬生化機械範疇，仍有很多機會接觸電子方面的東西。所以他相當融入薩拉的電子傳輸新計畫。但約夫德並不以薩拉ＥＴＳ部門負責的皮膚貼布研究自滿。研究鼻子和子宮頸時，他想到女性月事週期不同時間內，子宮頸黏液氧化還原作用與電流改變或許是一致且可重複的。我那生化工程學者丈夫不停扔出的詞彙令我驚奇不已。「『測卵魔法師』能輕易到達後穹窿——子宮頸與陰道交接處——因此應能測知子宮頸黏液之醣蛋白的氧化還原反應有何變化，這是此一現象的可能來源之一。如果這些變化是具有重複性的，即可能監測濾泡之成熟度……」

我搖頭有如波浪鼓，這說話的人可是我的丈夫？「但這全屬臆測，」我輕聲地說：「都是『如果』……」

他如何想到「測卵魔法師」一詞的？我很想知道，該詞比「繆沙」更具創意。「噢，那個詞呀？」他憑空打個手勢。「是翟若適的女弟子茱麗．史懷哲建議的。她說過：『喜歡的話儘管用之無妨。』」

「翟若適？你說的可是卡爾．翟若適？跟他有什麼關係？」我問道。

約夫德一想到子宮黏液之氧化還原變化可監測排卵，即赴史丹福醫院請教諾蘭博士。獲悉我的夫婿竟向舍揚醫學顧問董事長求教，我第二度感到忌妒，不過諾蘭當然並非舍揚私有財產。此外，她和我們一同研究陰莖，約夫德則研究子宮頸。「她差我到史丹福化學系找翟若適，他正在教授人類生殖學課程，科目名稱為『女性避孕觀』。他早期雖研究口服避孕藥，但現在則對軟性主題有興趣：繁殖力意識、生殖議題中之女性自治權……甚至預測排卵的新方法，他稱之爲『噴射時代節律法』。」

我喘了一口大氣。有終身聘的史丹福化學教授就可以做這些研究？「他班上的學生——一群大四女生——進行眞正的研究：問卷調查、訪談……有時甚至不限於此。他和諾蘭說服四名班上學生試用『測卵魔法師』，每日置入數秒以測量生物電流活性。他們的研究發現在此：月事週期電流表。」

他簡略畫了曲線圖，兩個波峰和兩個波谷，然後線條曳向右側。「自月事新週期的第一日開始，至第六日生物電流活性降至最低點，第九日升至週期內最高點，第十四日再度降至最低，次日第二度短暫到達高點——未及第一次高——第十六日降至絕對低點。你看這裡，」他在圖表上圈出大塊區域。「四位女性皆呈現不對稱的M形曲線圖。我們的假說是第六日的第一次高點與排卵日的最低點有八天的間隔，這間隔與當月的濾泡成熟度有關。」

「哇！」我由衷發出讚美。

約夫德大笑，十分滿意。「薩發諾利聽完也跟你一樣讚嘆。雖然和薩拉的主要研究無關，他仍鼓勵我繼續探究。」

見約夫德開心眞好，可是他再度要求我。

「所以現在我再次問你：願不願成爲第五隻天竺鼠？」我當即明白，曾要我將「繆沙」推入他尿道的約夫德不是在開玩笑。

「由你動手我就答應。」我答道。

第二十一章

帕洛奧圖，九月二十六日，一九八六年

親愛的亞秀克：

我要向你吹噓，五天前，你妹妹比百萬富翁還富有兩倍，至少理論上如此，這點稍後再解釋，現在先談以往給百萬富翁的定義。如今我約略明白（理論上明白），英國小說家特洛勒普（Trollope）和亨利・詹姆斯（Henry James）筆下的女性作何感想。多年前爸爸老逼我們讀這兩位作家的小說。不過書中女主角之財富乃是因婚姻或繼承遺產而來，你妹妹則是赤手空拳掙來的！

你一定急著想知道究竟。好吧。你記得我有認股權吧？五天前，我們的股票以每股十七元的價格公開上市，今天已漲至二十一元！也就是說一九八六年九月二十六日，我的股權價值高達二百五十萬。

好啦，我只是帳面上的百萬富翁而已，面子十足，但生活實無多大改善，例如代步的轎車還是那部車齡八年的富豪，貸款額度沒有增加，房子還是原來那幢。我和其他股權所有人以及原始股東一樣，一百八十日內不得轉售股票，即使過了一百八十日的限期（股價可能下跌許多，或運氣好，上揚許多），我身爲舍揚總經理和新任董事長，仍不可賣出手上的股票太多，以免造成嚴重問題，至於是什麼問題，我怕你覺得無聊，暫時不表。

五天前舍揚股票上市時，約夫德眼睛眨也沒眨一下，據我所知，他連本地舊金山紀事報的財經版都沒翻開呢。他埋首新研究計畫，乍看他的計畫似乎很詭異，但日子一天天過去，反而越來越不詭異。基於保密理由以及愼重起見，目前無法多談。好笑的是我們家的男主人整天爲了科學卻不爲錢而努力，女主人則反之，整天被錢牽著鼻子跑（雖然她不是家庭主婦，不是爲家用而煩惱）！

亞秀克，我親愛的大哥，我已經脫胎換骨，有時我懷疑是否朝好的方向改變。

附上深深的愛，

雷妞上

附筆：我提議在印度快報上替你登徵婚啓事，你始終沒回應。你是想表達獨立意識（我可以理解）還是對婚姻沒興趣？不管什麼理由，快回信吧！

馬丁・蓋斯樂環視會議桌——不像薩拉的優雅橢圓玻璃桌，而是胡桃木長方桌，位於舍揚的多功能會議室內。蓋斯樂雖然頗以公司成就為榮，但絕不自滿：多年經驗告訴他前路尙崎嶇。摩特・哈特史東催促他召開首次公開募集後第一次董事會議，只找腳踏實地的顧問，薩發諾利和男爵可以不必列席。

「記住喔，馬丁，」哈特史東提出忠言：「董事會中有四位董事以前從未擔任過董事。下回委託書上他們就會發現名下出現大筆股權——委託書這份公開文件也即將交到所有持股人手中。雷妞有二百五十萬，外聘的董事則超過五十萬，我說的不是阿費多跟你，你們的股權更多了，更了解關鍵，而且擁有各種有價證券。我敢說那四位董事的舍揚股權已占他們財產總值之大部分。總得有人盯緊他們，別讓人給收買了，或者……」他雙手一攤，「天曉得他們會做出什麼事。」

「諸位朋友，」蓋斯樂的開場白正式地出奇。「我們的股票表現極佳，每股十七元的股票供不應求。賣出兩百五十萬股，扣除投資公司之佣金，即淨賺四千萬元。雖然有倫敦那次凶兆，雷妞當時也在場。如今一帆風順，已可向諸位揭露那個可怕的秘密。歐洲巡迴演講時，戈曼和薩契公司在狄更斯風味濃厚的艦隊街科耳多瓦皮製品公司安排了一場午餐會報。我想諸位都知道『科耳多瓦』（製靴公會）是什麼？」他問道，一臉的虛僞。

「說下去，」摩特吼道。「你露出親英的尾巴了。」

馬丁不以為忤。「我尊重摩特的意思，省略製靴歷史。當時我們坐於高堂之上，我正準備開場，一隻黑貓不知怎地慢慢朝我踱過來。她——我相信牠是巫婆的化身——弓背正對著我，雙眼瞪著我瞧。沒人出聲，也沒人動一動。只有我和那隻貓，直到我的同事，」他指指雷妞，「挺身而出，抱起黑貓，趁我說話時不斷撫著懷中的貓背，所以貓才未從我面前跳過。」

等笑聲漸歇，摩特開口道：「諸位既已知悉首次公開募集之重要消息，且容我報告一些小事。」他語氣相當不悅。「如果有那位迷信的話，是的，黑貓仍可能帶給我們霉運。誠如馬丁所言——他或許過於滔滔不絕——公開募集成功了，投資公司很開心，股票幾乎一日上漲一點。昨天收盤時舍揚漲到二十一塊。如果諸位認為這是好消息，請再三思。」

馬丁坐回平常那副懶散樣，不時摩挲下巴，他心裡有數，律師不悅的部分原因是他雖為董事，卻無認股權。由於律師費不斷累積（而且金額極高），配股委員會認為摩特不該分一杯羹。五十萬的股權本是為了「引誘」外聘董事、顧問董事和顧問，以及補償他們微薄的薪水，因為他們從未收到分文直接報償。雷妞因此才會擁有兩個認股權，計有十二萬五千股，蓋斯樂三十萬股。考慮到三年來分配給其他雇員的股權——多為研究開發人員——能分配的只剩一百五十萬股的五分之一，因此必須節約使用這個快速乾涸的引誘工具，何況這項引誘的魅力也已消褪。舍揚股票已公開上市，所以任何股權皆具市場價值。股價雖瞬息萬變，股權仍具吸引力，但隨後數年內，股價飆漲的利潤顯然將被分光，這點摩特最清楚不過。馬丁能體會他心中默默的怨恨，決定伸出援手。

「原諒我先打個岔，」他起立說道。「首先說明持股百分比，由於新近舉辦之公開募集，百分比已稀釋不少。我們最初有一千萬股，三所大學持百分之六十；如今我們擁有一千五百萬股，此三所大學則各分得百分之十三。如此沒什麼可埋怨的，因爲以今日二十一元的股價，舍揚的帳面利潤已高達三億二千一百萬。」

「重點在『帳面』二字。」摩特嘀咕道。

馬丁搖搖頭。「可說對也可說不對。想到你待會兒要說的，摩特，我不得不同意你的話，可是三所大學的持股情形不盡然如此，請讓我暫時做本古里昂的一份子發言。」

「好吧，請便。」律師道。

「每股二十一元，兩百萬股即價值四千二百萬，而三所大學當初只花了每股一分錢的成本。他們和我們一樣，現在不得出售股票。」馬丁迅速掃視桌邊人士。「法律規定他們一百八十天內連一股也不准脫手。半年後若大量拋售將大幅震盪股市。此外，我會大力建議本古里昂守住這些股票，因爲長遠觀之——」

「多久叫『長遠』？」戴維森插話進來。

蓋斯樂盯著他看。「依誰發問而定：是私人身分，還是戴教授——哈達撒的代表。若爲私人身分也許是五至十年。」

「且慢。」摩特很快地說道。「不能給會議室以外的人知道的事，最好別說出口。」

蓋斯樂似顯狼狽。「摩特說得對，我不提供投資建議，尤其是公開募集後的敏感時刻。因此我只能說，研究機構壽命較人類個體長得多，投資觀點也是如此。但回到原點：本古里昂不能也不願抛售股票，它卻可以抵押股權向銀行借貸——」

「興建目前獨缺的醫學大樓。」曼那欽說道。

「諸如此類。」馬丁附和著。

「趁大夥想抵押股權前，我最好拉回剛才的主題。」摩特打斷馬丁的話。「我相信本古里昂若抵押十分之一的股票，依目前股價，可得四百萬興建大樓——」

「等一等。」曼那欽道：「就算在貝爾旭巴，四百萬能蓋什麼醫學大樓？」

「我正是這個意思。」摩特聲音洪亮，「抵押十分之一的股票是一合理的保守估計，我強調合理二字，因爲目前股市交易氣氛熱絡，但漲得快也跌得快，甚至跌比漲還快。體質優良的研究機構可提撥大額貸款一賭運氣，因此它隨時可在舍揚跌至危險點前抽腿。但本古里昂大學體質並不佳，可能得靠以色列政府紓困。我可以猜得到他們會怎麼說。」他豎起一根指頭警告聽衆：「假使你們其中之一曾考慮此種決定。一百八十天後，多家銀行都會接受認股權爲抵押品，但請記住，你們不同於本古里昂，股票都還不算是你們的：銀行要求你們淸償時，你們就非買下股票不可。不可否認，你們買下股票也花不了多少錢，以雷妞爲例，」他銳利的眼神直逼雷妞，「她僅需七萬元即可，若股價維持不墜，這筆交易可眞划算，但我懷疑她是否拿得出這一大筆錢。然而，假設股票跌了又跌——」

「摩特，別說喪氣話。」雷妞勸他。

「你們花錢聘我來就是要我說喪氣話的。」他不甘示弱。「我不曉得你們還沒算這些股票前到底有多富裕，但如果換作我，我絕對會再三考慮抵押股票的事。」

「爲什麼？」

「因爲，耶胡達，在座諸位都不是眞正炒短線者，即使一百八十天限期過了之後。」

「你的意思是說，我的認股權仍不算眞正貨幣？」

「『不眞也不假』。」摩特一早上以來終於首次笑了。「摘自日本詩句。」

摩特露出似笑不笑，好似恢復一些風趣的本性。「耶胡達的問題引出我要講的第二個重點。我們全都是內幕人士，千萬別忘了，連枕邊人也不可洩密。」他又咯咯地笑。

「內幕人士如何定義？」米蘭妮問道。

「如果你懷疑自己究竟是不是內幕人士時，何不假設自己即是其中的一份子！」他哈哈大笑。「至少那樣你就安全了。」

「哪些是不安全的事呢？」

「證券交易委員會，持股人訴訟之類的痲煩事。」他臉色又變得陰鬱。「我們每一個人都要保密，不可洩密給外面那些持股人。即使你遺忘某些資訊或根本不知情，外界仍然認爲身爲董事的你們必然知曉。除非能證明你們是外面的人，否則你們就是內幕人士，而證明是很困難的，成本又極高。只有我和原告律師能自任何訟案獲利，所以我才沒有認股權的負擔，不過我倒不介意有這種負擔。」他柔聲道。「因此，你們行使認股權或在股市交易前，請先和我商量。將會有一段管制期——或長或短——不准你們交易。別夢想作秘密交易，因爲每月底前，每筆交易都需呈報證券交易委員會，交易從而立即曝光。如果董事或職員出售股票，再如何巧立名目，華爾街都會說內部的人在抛售股票。沒人同情百萬富翁——即使不過是帳面百萬富翁。」

「什麼管制期？」戴維森問道。

摩特發現聽衆關心度提升，口吻更有警世意味。

「比方說FDA五週內將召開特別顧問委員會，評論我們的『繆沙』裝置。此一階段便需三緘其口，連雙關語也不許說。」

雷妞說：「我們可得要好好澄清一番囉。」

「別說這種話。」他大喊：「連玩笑也別開，但我相信你是眞心這樣想。你在這兒這麼說，在外面也會這麼說。你不曉得日後誰會發誓聽到你說這種話，或拿你的話當眞，拿你的話當成內幕人士的意見而買股票。不過你也別爲剛才的發言覺得不好意思，」他平靜地說道：「記住我的話就好。舍揚剛度過首次公開募集，股價狂飆——」

「你可以說這種話嗎？」雷妞問得心虛。

摩特一時極爲不高興。「你說得對極了，以董事的身分我不該說這種話，但基於當事人兼律師的特權，我可以告訴大家，就一個尚無任何銷售量的公司而言，我們的股價著實極高。誠如計畫書中所云，產品未獲ＦＤＡ通過前無法上市販售，何時能通過卻沒個準兒，因此我們其實不堪一擊。正因爲股票迅即受到青睞——主要因爲首次公開募集時供不應求——股價注定會下跌，只是早晚的問題，因爲沒有那一家股票是只漲不跌的。」他注視著米蘭妮，「假設我們公司的股票下跌十點，成爲每股十一元，雖然不算低，但你將損失三十萬美元。至於雷妞你呢，」他轉過臉瞧她，「將損失一百二十五萬。因此敝人在此衷心建議各位，視認股權爲一張紙，別理睬股價每日甚至每月的波動。只要我們勤奮工作，能得ＦＤＡ寵幸，專利權不受到挑戰，總有一天能富可敵國。」

「萬一ＦＤＡ提出我們料想不到的問題呢？」

摩特注視米蘭妮許久。「如果下個月發生這種事，股價應聲遽降，你們就等著挨告吧。」

「你不用吃官司？」雷妞問道。

「我和你們處境相同，所以我們需要外聘顧問。大家敲擊木頭（祈求好運）吧。」他捶著桌子假裝下達命令。等大夥兒認份地用指節敲了木頭桌面後，摩特問馬丁：「還有什麼沒交代的？」

「責任保險？」馬丁道。

「對了，董事和職員之責任保險，我怎麼忘了?總而言之，我們沒有責任保險。」

「沒有保險？」男爵在此之前始終未開金口，像在打禪七似的保持疏離，也許他感到無聊吧。「怎麼會？」他問道，一臉狐疑，幾乎懷疑起自己來，他眞正的意思是：「我之前怎麼沒想到？」

摩特未置可否，他的目標聽衆是四位新手，他們需要強勢指導，但也需要安撫。「因爲我們負擔不起，保費太高，公司沒有營收，股票又不穩，保險經紀才沒興致承保呢。有錢繳保費不如把錢花在『繆沙』的責任險上——等『繆沙』上市後——臨床研究期間和以後都需要投保。我們已投保這個責任險，但保險額度再高也嫌不夠。至於各位董事部分，最好自己投保。」

「摩特，你開什麼玩笑？要我自己投保？」米蘭妮嚷道。

「別緊張，我的意思是說舍揚會支付法律費用並且負責辯護，除非你們私下犯下重傷害罪，不過我想你們沒這個能耐。」

「好吧。」她顯然放下心中一塊大石。「但爲了保險起見，我要你等一下自法律層面界定『重傷害罪』。」

「除了省下大筆保費，自己投保還有一個好處。最可能產生的訴訟便是輕率的持股人所提，無是非曲直的共同起訴案，純粹是專業事務所教唆所致。有些人，包括我在內，稱他們爲訟棍，專事敲詐，還有人給他們取更難聽的稱謂。他們專挑有錢人下手。保險公司一般都主張和解，因此訟棍特別喜歡保險公司。舍揚沒有投保，他們看不上眼的。我的演說到此爲止，且衷心期盼學術的歸學術，努力祈福吧。」他再度擊桌強調：「除非，」他淘氣地掃視聽衆，「馬丁說的黑貓害我們霉運當頭。」

敲擊木頭式的祈福終究不敵黑貓的威力，一九八六年十月三十日，星期四，舍揚股票跌了一週之後，雖然有人炒作，終於還是自每股二十一元跌至十二元。此時一位送傳票的專人出現在舍揚辦公室，求見蓋斯樂先生或庫里希南博士。雷妞運氣背，因爲當時蓋斯樂恰好在耶路撒冷。

第二十二章

「測卵魔法師」發明人每天早晨將他的發明置入妻子陰道的例行公事，已大幅影響他們的婚姻生活。

雷妞說：「你如果要我充當你的實驗品，我就不能服用避孕藥。」

「那是當然。」約夫德說道。

「換你戴保險套？」

「暫時如此，」他說道，「等你的數據圖表建立之後，容易受孕的日子使用保險套，其餘日子則不必。」

「萬一失敗怎麼辦？」

「我們就再生一個寶寶囉。」

「這足以證明一件事。」雷妞越過約夫德頭部，在圖表上做標記。「過去三天來如果我的讀數未受影響，表示壓力或心靈創傷不會干擾這個讀數。」她撥著約夫德的髮，輕輕將他推開。「今天不行，吾愛。我要梳洗準備，今天可是我的大日子。」

「測卵魔法師」不僅改變他倆的避孕法，也影響他倆行房的時機和節律。早晨被窩的餘溫，她張開的腿，測卵裝置消失於她茂盛的體毛中，在在促使他性慾高漲，因此十秒的測量後，他倆往往盡情進行魚水之歡。約夫德一本正經地告訴老婆，晨間行房符合男性荷爾蒙分泌節律，睪丸酮濃度於晨間達到高峰，因此何不順乎自然？

但雷妞今天「性」致缺缺，她滿腦子想著陰莖勃起的爭議點：三天前她收到法院傳票。八點鐘一場董事特別會議將以電話會議的方式舉行，以配合遠在耶路撒冷的戴維森和蓋斯樂——當地時間爲傍晚——和人在阿姆斯特丹的男爵。連德蘿和狄維爾則在紐約各自的辦公室內待命。

「當初加入董事會，完全沒料到落得今日局面。」連德蘿的埋怨清晰地自帕洛奧圖的電話聽筒中傳出，雷妞、薩發諾利、摩特三人弓身聆聽。

「你休想抽身，」律師答道，「你已置身其中，我們也置身其中。兩天來我閱讀了相關法律文件。昨天雷妞和我爭執數小時但毫無結果。」他大聲嘆息。「我能體諒雷妞有她自己的看法。我的看法則較爲保守，可能是一朝被蛇咬，三年怕井繩。」

「得了吧，摩特。」蓋斯樂很不耐煩。「廢話少說，第一個事實：雷克萊蒙斯的布萊克胡德公司狀告我們，他們可說是加州最無情的共同訴訟案訟棍，請原諒我措辭直率，摩特。」

「請便。」

「第二個事實：我推測威爾．胡德本人和其他兩位不知名的持股人，三人股份共計不到五百股，卻控告我們詐欺，因為我們宣布申請FDA檢驗的新聞稿中宣稱『繆沙』不單可安全有效地治療陽痿，也研究過『繆沙』對女性之效用。我引述自你的傳眞，沒錯吧？」

「沒錯，」摩特說，「可是──」

「我還沒講完。」蓋斯樂忿忿不平，不知是氣帕洛奧圖那三人於他不在時，陷舍揚於困境，還是氣布萊克胡德公司。「他們宣稱報載FDA顧問委員會不滿意我們的數據後，股價便一路下滑。不但如此，《華爾街日報》記者打電話到舍揚，雷妞竟說我們針對女性反應做的研究已經足夠，兩天後，FDA證實，除非我們針對女性進行更多的臨床研究，否則不會通過新藥施用法，結果股票跌至十元一股。持股人控告我們曾暗示說保證能獲FDA通過，他們才會以超過二十元之價格購入股票──」

「我們什麼也沒保證。」摩特的聲音犀利又不含混。

「讓我講完，摩特，我正在讀你傳眞過來的文件，不是在發表己見。我繼續念下去……NONO二號對女性無害，記者打電話求證時，我們並未更正說詞，因而誤導持股人，致使其中某些人損失達百分之五十。我做的簡述對不對？」

「而且他們要求公司賠償當時購買股票的持股人，再加一千兩百萬的懲罰性損害賠償。」摩特平靜地說：「只要訴訟成立，錢就會進他們口袋，但是訴訟當然不會成立。」

「我和摩特就是這裡意見不合。」雷妞再也憋不住了。

「我，麥格納斯·范·溫納伯格，要發言。」這位銀行家氣發丹田，震得帕洛奧圖的三人退離擴音器。「可否請摩特簡述因應策略和最可能發生的結果？」

「沒問題。」摩特說道，「但我先更正一點：剛才馬丁似乎暗指雷妞不該那樣答覆記者詢問。其實，雷妞已克盡本份：她曾先向我請教法律意見，我教她莫證實任何謠言，針對事實發言即可。當時尚未獲得FDA的消息。不但如此，FDA的舉措並未如報紙報導般負面。稍後再請雷妞說明。她和諾蘭博士皆認爲我們可在三個月內化解FDA一切反對意見，最晚應不遲於三月初。相信屆時應能澄清一切，股票也會止跌回升。既有FDA的正式回應，我們可以公開宣布我們的處理方式。雷妞，何不趁現在向董事會說明，之後我再答覆麥格納斯的問題。」

雷妞傾身貼近免持聽筒揚聲電話，「若不是這場勞什子訴訟，我會認爲FDA的反應於我們相當有利。他們未質疑男性患者之療效，以及副作用之範圍：輕微的持久勃起、偶爾不舉、極少數使用最高NONO劑量的心臟病患產生血壓過低的情形……正由於我們留心這些副作用，也由於FDA極端戒愼的態度，FDA想了解『繆沙』使用者對患嚴重低血壓的配偶有何影響。」

「你不是分析過『繆沙』使用者自慰射精後的精液樣本，解決這方面的問題了嗎？」米蘭妮插嘴道。

「的確如此，但FDA要求得更多，他們想知道患嚴重低血壓的女性人數。坦白說，我們不曉得。」

「爲什麼？」

米蘭妮的語氣觸怒雷妞。「因爲我們認爲不重要。患者精液樣本內，可產生一氧化氮的平均殘留量極低，根本不值得憂慮，雖然患者多爲中年人或中年以上，而且勃起至射精時間長達數分鐘。但FDA的作風向來都是過而無不及：萬一患者較年輕，精液量較多呢？萬一他早洩，NONO來不及代謝呢？女性若爲嚴重低血壓患者呢？行房次數頻繁又如何？這樣如何，那樣又如何？」雷妞越說越譏誚。「我們無法將之納入試驗，因爲如此怪異的組合要在兩千人內找到，著實不易。與其爭辯不休，延宕時間，我們不如妥協。」

「『我們』指的是誰？」

摩特豎起食指按在唇上，阻止雷妞說話。「試驗報告是雷妞和醫學顧問董事長諾蘭博士做的，而且雷妞在以色列完成了精液樣本的早期研究工作。這一切都將成爲法律證據。雷妞，請繼續。」

「好的。」她答道，摩特的一番話給她彌足珍貴的喘息空間。較爲平靜後的她繼續往下說：「FDA立即接受後續的妥協，他們其實並不想把我們搞倒，他們只想保護他們自己。諾蘭和我計算過了一氧化氮的最高劑量，並且請史丹福的心臟學家將此劑量施打入一些低血壓患者之陰道。目前心臟學界正熱中研究一氧化氮釋放劑，治療心絞痛的舊藥如硝基甘油，或新藥如莫西多胺（molsidomine），皆因釋放一氧化氮而奏效。唯一尚無人研究的只剩自陰道施打有效成分，道理和性交一樣。」雷妞咯咯一笑，「莫西多胺透過新陳代謝產物西那尼胺（sydnenimine）——稱爲SIN一號——而產生一氧化氮。要不是科學研究如此嚴肅，我們大可開玩笑地說，『原罪』（original sin）已證明陰莖勃起產生何種後果。如此一想，我當初應該把這一番話告訴華爾街日報記者。無論如何，實驗很簡單，在史丹福這兒即可進行，我很有信心一月底前即能得出FDA想要的數據，但爲了安全起見，把日期改訂在三月初。」

「臨床研究全在掌握之中，令人安慰。」男爵的大嗓門說道。「現在談談法律問題。摩特，你聽得到我的聲音嗎？」

摩特靠近揚聲電話。「麥格納斯，你最清楚法律程序之牛步化，我打算教它走得更慢，我們當然可以提出訴訟，提出各式申請裁決案來拖個幾個月。因爲現階段只有一個危險。」

「什麼危險？」

「當事人必須透露事實眞相或有關文件的內容。」

「什麼？」至少有兩個人回音似的說著。「透露什麼？」米蘭妮覺得奇怪。

「我指的是『毫無保留的透露』，這是共同訴訟案的唯一利器。威爾・胡德親自承接此案：他總是竭力挖掘事實眞相。他不想浪費時間，假如法庭同意他的請求，他賭我們一定會馬上和解。我們若有投保，事情發展就被他料中了。」

「『毫無保留地透露』到底什麼意思？」米蘭妮不耐地發問。

「請求查閱我們檔案中與本案相關的一切紀錄，換言之，就是審前盤問，將我們所有一切一網打盡：臨床數據、研究成果、公司內部備忘錄……一切的一切。你們猜誰支付這些款項？拿最近一個案例來說，矽谷一家當地公司耗時二年，花費近一百萬蒐羅七萬五千頁文件供原告查閱。原告當然無意全部閱讀——這種案例不需要。他們只是算準我們一定想和解，不願那麼費事和花錢。當然偶爾總有機會找出一兩句足以定罪的陳述——通常都是斷章取義——使得被告和被告的保險公司馬上和解。」

「這些我早知道了。」男爵吼道。「你想他們會提出何種和解條件？」

「要求賠償持股人損失，但他們要的是持股人的錢。他們曉得我們有四千萬在銀行，所以股票一跌他們就急得猛撲上來。和解條件起碼由他們索賠的一千二百萬的一半開始談起。等他們發現我們沒投保，他們馬上會改爲要求以股票賠償或十年的認股權證，認股權證不同於認股權，前者表示十年內能以事先決定好的固定價格購買我們的股票，他們希望舍揚股價能高於此固定價格。反正法庭未裁決他們的申請前，這一切都言之過早。請放心，我們一定會盡力拖延，盡力阻止他們的企圖。」

雷妞終於按捺不住，「我非插嘴不可。摩特和我爭執達數小時，如今大夥已讀了傳眞文件也聽見我們對話，且容我發表己見。我們不該巴望這些訟棍會和解，我們不能不戰而屈。」

「雷妞，你講點道理。」薩發諾利坐在雷妞隔鄰，注意到她逐漸上升的怒氣，輕拍她的臂膀。「我也認為他們是訟棍，而且是訟棍中的翹楚。他們的訟案多半不是爲了保護持股人免受詐欺，但是和這些人纏鬥，從供詞、法院聽證會、陪審團審判，到上訴……不僅須花費百萬以上，更浪費寶貴的管理時間和人才。除了給他們一個教訓之外，你尙有更遠大的目標待完成，我敢拍胸脯保證，他們才沒興趣接受你的教訓呢。」

「摩特也說過同樣的話。」薩發諾利冷靜的語調已在雷妞身上發揮作用。「基本上他算說服了我，但我有些不喜歡。我指的不是拖延法律辯護程序，而是主動攻擊，立即行動。不要延宕提案，我建議我們提出加速審理的提案。」

除了薩發諾利，沒人看得到摩特連連搖頭。「最好解釋淸楚點，」薩發諾利說道。「我昨天未列席。」

雷妞奪過話筒直接對薩發諾利說話。「我主張立即控告他們意圖干預我們的營運——不管套用什麼法律術語都好。摩特解說過他們的策略：利用電腦追踪股市，搜尋受害者，一找到目標即刻下手殺戮。假設我們指稱他們乃是刻意且惡意干預營運，亦即殘害新公司，因爲我們初初成立，而且只有一個尙未推出的產品，訴訟案將妨礙產品上市，薩發諾利剛才已列舉過理由了。我們何不立即要求他們毫無保留地透露相關文件檔案？他們的檔案勢必比我們的豐富，因爲他們是開業數十年的老字號，相信其中必然藏汙納垢。立即控告對方並請求法院加速審理本案，可逼他們停止查閱我們的檔案，免得讓自己的檔案曝光。我相信成敗關鍵在於時間，務必使兩案同時進行。」

摩特雖明白當事人有權發言，但她的話卻沒什麼道理。他儘量冷靜平和地說：「雷妞，你的感受我相當同情，也感同身受，但他們已申請檔案豁免查閱，而且我們找不到願意駁回申請的法官。」

「試試無妨嘛。」雷妞緊咬不捨。「若遭拒絕，就專注在較具體的調閱內容上，例如他們的股市交易、與掮客之書信往來，是否持有被告公司之股份，是否找人頭來參加共同訴訟案？豁免權不應包含這些吧。」

「摩特，你知道嗎？」蓋斯樂的聲音自耶路撒冷傳來。「雷妞的提議不無道理，起碼教他們嘗嘗以其人之道還治其人之身的感覺。」

「當然有道理。」雷妞嚷道。「苗頭不對我們隨時可撤銷訴訟，證明我們不是俎上肉，任他們宰割！」

「你的意思是和他們打交道的是個復仇女王蜂。」

「總比坐以待斃強。」

「好了，好了。」薩發諾利喊道。「口舌之爭無益於本案。」

「說我是復仇女王蜂也無濟於事。」雷妞說道。

「沒錯。我提議一個折衷辦法。請雷妞和摩特平心靜氣地會面，擬定攻擊策略，估計需要耗費多久時間，請另一家事務所提出調閱檔案申請需付若干費用，以及本案到底能否成立。之後再請他們報告結果。給他們一個禮拜的時間去做。這是我的動議，可有人附議？」

「我附議。」曼那欽首先發難。

「全數通過？」蓋斯樂想起自己是主席，應有此一問。

「是的。」衆人如鳥般啁啾回應。

「可有人反對？」

「我和雷妞應該棄權。」摩特說道。

「同意。有人反對嗎？」蓋斯樂等了一會兒。「全數通過。耶路撒冷這兒已到晚餐時刻，散會，下週再開。」

摩特激怒他的當事人，這種做法並非公司律師的最高境界。他覺得禮讓雷妞發言顯得他風度，他能體會不實控訴中被告的憤懣、不惜一戰和報復的心情，換作短視的律師可能就會承辦此案，收錢了事。但摩特自認爲是公司一份子，不僅是公司顧問或代言人。他認爲謹愼保守地估計反控對方的成本，同時採取初步的小動作，是最佳策略，他甚至可小有斬獲；布萊克胡德檔案可是他個人收藏中的大戰利品，比把威爾·胡德的頭製成標本掛在牆上當裝飾還棒，然而當天下午和雷妞會面時，雷妞的反應出乎他意料。

「摩特，」她一落坐他的眞皮沙發便說：「今早我不該發火，我氣的其實不是你——」

「事情過了就別放在心上，我已經全忘了。我們來談反控對方的事。」

「其實最好不要談，至少現在還不要談。我是法律的大外行，你可是領三百五十元時薪的律師呢。別這樣。」她見摩特愕然不禁大笑。「我們付你的薪水每一分錢都很値得。但依此情形來看，我們要談的是六位數，所以趁你估計我們快逼近七位數前，我想先討價還價。」

「你用不著跟我討價還價。」

「不是跟你，只是談椿交易——和開始法律訴訟程序之費用相比，只是一筆小交易。你可知私家偵探的時薪多少？」

「問這個做什麼？」他大吃一驚。

「一件一件來。私下調查是否比較省錢？」

「當然。可是値得嗎？長期來看能省多少？我得查查看。你爲何要找私家偵探？」

「只是直覺使然罷了，機會幾乎是微乎其微。我昨天問你誰創立布萊克胡德公司，你說是兩兄弟和一位姊夫，威爾．胡德。」

「那又如何？」

「他們大約六十五歲或年近七十？」

「對，對，講重點。」

「好的。」她向後一靠。「告訴你女性的大膽猜測，其實我猜測兩件事。」

我們付摩特時薪三百五十元。我從沒想過這筆薪水花得值不值得，如今我已曉得。他大可嘲笑我想法幼稚或諷刺我是「復仇女王蜂」，或順水推舟等我自己忘懷此事，但他沒有這樣做。年關將屆，他確實有所貢獻，私家偵探也有出力，諾蘭也是出力的一份子，我的直覺成為事實，她的貢獻更具有關鍵性。回想起來道理很簡單。三個白人男性，兩位年近七十，一位已逾七十，三人中一人攝護腺有毛病的機率多高？我估計機率相當高。攝護腺癌呢？機率較低，但……根據最新統計，每年診斷出三萬個新病例，佔六十歲以上人口的百分之二。而且患者以富裕人士居多，每年做健康檢查的那些人，例如荷包飽飽的律師。如此情勢對我更有利，我只想知道藍迪．布萊克、赫曼．布萊克，或威爾胡德過去四年中曾否動過攝護腺手術，不需高科技跟監、竊聽電話、或施展私家偵探的手法。最後是聖地牙哥一位記者，其實是「八卦」專欄作家，提供線索給我們的私家偵探。他們三人在居住地聖地牙哥落海崖動的手術，如果是在約翰霍普金斯醫院或梅約私人診所開刀，就很難追查。我希望接受手術的是胡德，是赫曼也不錯。統計機率雖小，但發現寶貴線索即能因而扭轉乾坤：切除攝護腺的患者大都不舉，因為手術難免損及陰莖神經。聖地牙哥有三位泌尿學家參與我們第三階段臨床研究，其中一人負責我們南加州的長期研究，目前仍在進行。諾蘭能否藉醫學顧問董事會董事長職務之便，調查赫曼・布萊克是否爲臨床研究受試者之一？早在報告交給ＦＤＡ之前，一切規定都已打破，因此醫學道德的問題也很含糊。反正答案已於昨日揭曉：赫曼・布萊克曾爲「繆沙」使用者逾一年，但目前是否仍爲受試者，不得而知。

我迫不及待想見到明日的朝陽。

「我們會反控對方，而且全力以赴。我已等不及想看他們的檔案。」

「摩特，」雷妞故作恐怖狀，「我們負擔不起時薪三百五的資深律師來閱讀這些檔案，你得找助手來做初步審閱。」

他微笑道：「我會免費服務，呃，也不是完全免費啦……」

「我的第二個直覺如何？值得追查嗎？」

「當然值得，布氏兩兄弟天性善報復，胡德更不在二人之下，他們在公司內的對話可能透露出端倪。雖不易追查到離職員工和法律方面的合夥人，仍值得一試。」

第二十三章

「聽來你是玩眞的。」雷妞在電話那一頭笑開來。

「確實如此。」約夫德回答道。「上一次家裡開伙是什麼時候?今晚一家之主將大顯身手。我已通知瑪麗亞．卡門，我一到家她就可離開。你今天千萬別把工作帶回家。」

「那你的論文呢?」

「今晚不讀論文。你親愛的夫君要準備家庭餐會，然後再談正經事。」

「一言爲定。」她想不通爲什麼挑今晚，而約夫德說的正經事到底是非常正經還是普通正經?

「一家之主，謝謝你餵飽妻女。不過你的廚藝有待改進，吾愛。我明白加州現在時興燙青菜，可是你能不能常煮些花椰菜呢?」

「就知道埋怨。」約夫德一副好脾氣。「甜點如何？會不會太冰呀？」

雷妞捏捏他的頰，「冰淇淋的溫度恰到好處，現在輪流講故事給娜歐咪聽吧。」

「又講《小熊維尼》？」

「講到她聽厭為止。」

「好吧。不過等一下我們得好好談談。」

我壓根兒想不到約夫德的心事。談的事不是普通正經，是非常正經——從前爸爸叫我進他書房時總愛這麼形容——但這一回是再正經不過。我懷疑約夫德是否事先排練過還是完全出自父性，他先將娜歐咪哄睡。然後他說：「三個月後娜歐咪就滿三歲，」他若有所思。「而你已三十五歲。」我正想提醒他也快三十八歲，他忽然說：「我們若想生第二胎就不該等太久。和弟弟差四歲的話……」他始終沒把話說完，我終於發現他沒打算說完，便問：「弟弟？你似乎都計畫妥當了。」「好啦，好啦，」他說，「就說第二胎可以吧。再生一個好不好？」我不知如何回應。他提醒我八個月來舍揚的變化：通過FDA檢驗、「繆沙」上市、股價回穩——一因獲得FDA通過，二因股市情勢大好。既然如此，何必再等呢？「你的工作量不可能減少，你也不年輕了。」我笑他更年期快到了，但他只是一笑：「更年期、中年期……隨便什麼期，男性生理時鐘走得較慢，說眞的。」我不得不承認他有理：不該只生一個孩子，可是何時才算適當時機？

「那椿煩死人的訴訟案怎麼辦？」我提醒約夫德。打從我們送威爾・胡德一張傳票起，那群聖克萊蒙特的經濟恐怖分子便使出拖延戰術。他們處處阻撓，表示我們的反控策略引起注意。但是，另方面，八個月一晃而逝，舊金山法院連一個申請案也沒審理。「忘掉那椿官司吧。」約夫德說，「挺著大肚子上法庭作證，只會博得同情。誰會想騷擾一個有八個月身孕的婦女？」

「八個月身孕？」我奚落他，但他定定望著我，有點落寞，有點憂傷，一聲不吭。「好吧。何不再生一胎？」我好久不曾說希伯來語了。「可是生男孩這一套又是怎麼回事？」約夫德差點笑出來。然而後續的事情就變得比較嚴肅了。

「你同意兩個孩子比一個好？」

「不見得。不過就柯恩庫里希南股份有限公司而言是比較好。」

「你也同意一男一女比較好？」

「也不見得。不過我若可以選的話，這一胎我選男孩。」

「那就生個兒子吧。」

「我剛才說的是『如果可以選的話』。」

「我們可以選呀。」約夫德從口袋掏出他發明的「測卵魔法師」子宮頸感應器，「你這個個案的月事相當規則。」

「和你同床共枕的可不是個案！」雷妞喊道，「我是你老婆，正巧老天賜我規則的月事週期而已。」

「雷妞，」約夫德懇求道，「我明白。但即使月事不規則，『測卵魔法師』仍能在四天前即預測排卵日。你記得——」

「親愛的，你在開什麼玩笑？你真的想在排卵日前四日行房，好保證生個男孩？」

「呃……不是保證，但可以提升機率。」

「不過如此一來，我們一個月只能在恰當時機行房一次。」

「不盡然：月事前半周期僅能行房一次——」

「你打算貫徹到底？」

「如果能生兒子的話？只要你一懷孕我們就可彌補之前損失的時間。有你和『測卵魔法師』，我有把握一兩個月內即做人成功。」

雷妞驚奇地搖著頭。「你真了不起，吾愛。我佩服你在性事方面的自我節制。你該不會已經替八字還沒一撇的兒子命名了吧？」

「你覺得『約書亞』好不好聽？」

「還不錯。可別再逼我取什麼娜歐咪的。」

「你不喜歡『娜歐咪』這個名字？」

「我喜歡這個名字，也愛咱倆的女兒，可是多思索一會兒說不定還會想出其他的好名字。好的男孩名很多：威克拉姆、阿魯、奈拉德、馬達哈、阿克巴、拉維。」她每唸一個名字就輕戳他胸膛一下。「比方說，拉維‧柯恩—庫里希南，這個印度名字聽起來像猶太名字呢。」

「最好多考慮考慮。」他帶著懷疑的口吻，不確定她是否眞的想從那一串異國名字當中挑一個。

「難怪你今晚下廚作羹湯。」她開懷大笑。「果然軟化我的意志。這一番對談確實很正經。」

他躊躇著，「還有一件事。記得你提過認股權的事？」

「不記得。」

「你說認股權屬於我倆？」

「噢，那件事呀？我記得。怎麼啦？」

「我一直在想，我們已累積『測卵魔法師』兩百六十個周期案例，足以證明裝置有效，跟『繆沙』在耶路撒冷的初步研究不同。」

「這和認股權有什麼關連？」

「我和阿費多商量，他問我對『魔法師』有多認眞，想不想繼續研究。我給他肯定答覆後，他問我願不願拿五到十年的光陰投注在此一研究計畫。」

「你之前從沒提起。」

約夫德顯得靦覥。「我想把他最後一個問題考慮透徹。再說最後我才領悟到這好比舍揚的翻版，我和你一樣，必須決定是否將最初研究觀察所得探究到最後階段——一般應用。我想到認股權問題。我估計需花費兩百萬和兩三年時間才能達到舍揚兩年前的階段。」

「兩百萬？」她嗤之以鼻。「想做首次公開募集？我丈夫腦袋在打什麼算盤？你曉得要籌募幾百萬才能到達那個階段？從以色列的臨床研究到首次公開募集花了我們六年的時間。你實際一點吧。」

「我和阿費多討論過，額外的臨床研究不需要做動物毒性學分析，也沒有作用的問題。我們並未施打藥物，『測卵魔法師』僅是個新診斷裝置，應該很容易獲FDA通過。」

「那是你希望如此，實際時間總比預期長。」她語帶輕蔑。

「此言不虛。」他激動地答道。「所以我才想出一個折衷的解決方案，阿費多和馬丁．蓋斯樂都贊成——」

「你跟他們談過卻不露一絲口風給我？」

「雷妞，親愛的，這不過是數天前的事，先和他們討論自有其道理，我視他們爲外來的潛在投資人，沒當他們爲薩拉或舍揚的主管。假如他們反對，一切就只能懸在那兒。我的問題是：『他倆願不願各出七十五萬，如果我自資五十萬，最初的淨利我可保留百分之五十，他倆各得百分之二十。』」

「加起來還不到百分之百。」

「剩下的歸薩拉，因爲它提供第一階段的設備和經費。阿費多和馬丁認爲這樣分配很公平，畢竟是我構想出來的。」

「構想是你的沒錯，但經費呢？」

「昨天舍揚收盤股價爲十九元，表示你的認股權值二百三十萬。你說認股權共屬我倆，所以我想……」

「我是職員兼董事長，不能把兩萬五千股賣掉。賣掉這麼大的量會引起華爾街震撼。如果第一個產品行將上市時我便拋售股票，大衆會以爲我對產品缺乏信心。在記者和證券分析師等人面前做了那麼多次公開表示……我可不想再惹官司纏身。」雷妞不再說話。她發現自己因爲丈夫未先跟她討論而滿腔怒火，不過她剛才的論點全是馬丁和摩特一再耳提面命的，當時股票已逐漸回升，持股人訴訟造成的劇痛也漸漸減退成損益平衡表上的小痛。

「馬丁這麼想嗎？」她問道，「他必定明瞭除了薪津和存款，我們只有認股權這項資產。他知道舍揚給我的薪津總額，他是否認爲我們有五十萬銀行存款？」

約夫德非常不自在，雷妞不禁心生憐憫。「我無意潑你冷水，因爲你的發明裝置似乎前景看好——」

「『似乎』？它的確能奏效，就這麼簡單。目前我只需要累積更多數據：不同年齡層的婦女——少女、將停經的婦女、菸癮大者、服用多種藥物或維他命者、不同種族的婦女……你很清楚FDA會問那些問題，而且我需要個別測量排卵時間以證實『測卵魔法師』的準確性。用不著新式科技，只需時間和金錢。我請矽谷一位顧問設計『測卵魔卵師』的電腦化模式，你我就省下每日畫曲線圖的麻煩。」

「我會懷念那個『麻煩』的，吾愛。」

約夫德面露喜色，但有點心不在焉。「儲存數據可下載到個人電腦或醫師的診室，如此可累積數月甚至一年的數據。想想這背後的意涵，這已經超越了生育控制——」

「也超過兩年時間或兩百萬。我知道講這種話很討人嫌。」

「不會的，你講得好。我們需募集經費來做那部分的研究工作，但必須等到我們證明家畜身上也可行，屆時它就變成搖錢樹了，所以一百萬會先花在此處。」

雷妞搖頭，約夫德分不淸她是驚嘆還是發怒。「你說的是那種搖錢樹？」

「我想專注於牧農方面，因爲牧場的生育率和財務狀況息息相關？乳牛需懷孕才能產奶，而且牠們每日集中擠乳，不用追著牛隻到處跑。」

「你指望農夫每天早上拿著巨大的『測卵魔法師』置入……」雷妞皺起鼻子。「請你務實一點。連毗溼奴神主要化身之一的黑天神牧牛時，也不肯做這種事。」

他聳肩表示不以爲然。「我才懶得管印度神的問題。我只關心而且打算花錢研究陰道永久置入裝置，也許是子宮環，我稱之爲『戴樂歐』（Tele-Ov，遙控測卵器），農夫們可用標準遙測裝置『讀取』數據，判定母牛排卵時間，於適當時機使母牛受孕。如此他可知母牛是否懷孕，還可預測母牛分娩日期，想想他可以省下多少錢，最棒的是根本用不著ＦＤＡ通過，和『繆沙』一比不知省多少工夫！」

「我早知你不是池中物，吾愛，你那裡得來的靈感？接下來你是不是要到集體農場放牛？」

約夫德得意地咧嘴而笑。「我交遊廣闊呀。但認股權怎麼辦？我懂你的意思，我不要你賣掉，只希望你拿去抵押，借個五十萬。」

「嗯。」

「什麼意思？願意還是要考慮考慮？」

她嘆一口氣。「介於兩者之間，基本上我答應，畢竟認股權爲我倆共有，但我得請教法律諮詢。如果摩特贊成，我就贊成。」

中止訴訟申請的大師摩特說：「贊成，可是……」法律並未禁止，而且目前尚未限制交易。但舍揚股票漲跌變化極大，銀行爲了謹愼起見，會要求貸款金額兩倍的抵押品，雷妞至少會有七萬五千股被「套牢」。「你願不願意？」

「爲了我的丈夫，我願意。」

「那麼出發到銀行去吧。」雷妞正要掛斷電話，忽然聽見摩特發出潛意識的摩斯電碼——清兩下喉嚨，停一下，再大聲深咳一下——表示還有下文。

「我感謝你不考慮賣那五萬股，因爲法律無法阻止你出售。」

「眞的賣掉那麼多不太好吧？」

「是的，多謝你有心設想。但是有位董事已將認股權全數售罄，換成現金，亦即十月三日期限一滿他便賣掉。」

「哇！是誰呀？」

摩特略遲疑一下。「告訴你無妨，反正消息很快就會傳開。是曼那欽。」

「我怎麼也猜不到。你知道他爲何挑那一天？」

「他需要用錢，做何用途我就不得而知。」

「他大可抵押認股權，跟我一樣向銀行借貸。」

「你倆情況不盡相同，他在每股二十二元最高點時賣出，賣得六十萬元。抵押只能貸到三十萬。如我剛才所說，銀行近來相當保守、道瓊指數停在二千七百點，所以我說他很聰明。股市和舍揚都不可能永遠上揚。」

「此話不假。呃……還有事嗎？」

「還有一件事，雷妞，這事不會公開，所以是機密，但我認爲你該知情，還有一位內部人士通知我，他考慮賣掉所有認股權。我不得不告訴他，他不受任何法律限制，是你科技顧問董事會的董事長。」

「康特？」雷妞受到驚嚇。「他可曾說明原因？」

「我無權過問，何況他只是說考慮看看。科技顧問董事會有問題嗎？他是否考慮辭職？」

「我不知道，」雷妞結結巴巴的，「我問問看。」

「今晚將是特別的一夜。」話筒中約夫德的聲音欣喜若狂。「不只因爲安息日開始，更因爲今天，一九八七年十月十六日，爲『測卵魔法師』正式誕生日，阿費多、馬丁和你加起來的兩百萬已經撥下來。我已正式辭去薩拉職務。而且……」他頓了一頓，製造戲劇效果。「我剛簽約，租下帕洛奧圖廣場一間辦公室，那裡風水好，帶給舍揚好運，我很迷信的。」

「恭喜你，吾愛，眞想今晚快點聽你詳述內情。」

「今晚不在家吃飯，你丈夫要帶你到半島上最豪華的飯店用餐，只有你跟我，舍揚總經理庫里希南博士，以及歐復股份有限公司執行長約夫德．柯恩爾博士。」

當晚，帕洛奧圖以東兩千哩外，密歇根湖畔，菠娜．柯里打開一個包裝精美的包裹，寫著「賴恩和希利」字樣的標籤小心地擺在一邊。「雷納多，親愛的，」她大叫道，「我眞不敢相信。」

她小心翼翼闔上蓋子，張臂擁抱康特。長長一吻後，她手臂仍環著他，在他耳畔喃喃說道：「這是眞品對不對?你怎麼找到的?你怎能……」

「噓，親愛的，別問太多，盡情享受吧。」康特覺得沒必要告訴她，兩天前他將舍揚三千股全數售出，一股二十三元，淨賺六十七萬。

一九八七年十月十九日星期一將是紐約證券交易史上的「黑色星期一」——單日跌幅最高的一天。十月二十日紐約時報以橫貫全頁的標題大字寫著：「股市慘跌五百零八點，下跌百分之二十二點六。」不吉利的副標題：「一九八七年是一九二九年再現？」三十家績優股公司令道瓊指數損失近二十三個百分點，場外交易的小公司則受到重創。舍揚股票跌到十元五角，不到六小時下跌五十四個百分點。

當雷妞和約夫德於週五晚間舉起香檳互相慶賀，五萬股的股票尚值一百一十五萬，借貸五十萬綽綽有餘，到了下週一，抵押品價值跌至五十二萬五千，銀行差點打電話給他們。

第二十四章

「明天下午是固定陪亞當的日子，我想留下來晚餐，方便嗎？」

「當然。」米蘭妮回答。

「之後有要事和你商量。」

「要事？聽來很嚴肅。」她故作輕鬆，卻不討好。

「是很嚴肅。」曼那欽說道。

「談起舍揚的股票，我覺得有點尷尬。」曼那欽提起話頭。

「噢，那件事呀。」米蘭妮舒了一口氣，以爲他要談亞當的事，「你不能怪公司股票跌到十元五角。」她微微顫抖：「那只是帳面上如此，我說得好像挺灑脫不羈的。兩星期來報紙天天刊登黑色星期一和其效應，但我把眼光放得很長遠。與瑞普康投資委員會的主席一席談，我信心大增，他認爲股市早該盤整，而且正在緩慢恢復當中。不過眼巴巴看著認股權一天之內跌得只剩一半價值，還是很大的打擊。幸好只是帳面上的。」

「對我而言可是眞的紙鈔，我已將認股權全數換成現鈔。」

「眞的嗎？」米蘭妮詫異地望著他。他想談的就是這件事：「太遺憾了，要是早點把我和銀行家的對話告訴你就好了。你應該留著股票不賣。舍揚的條件一流，試想董事們上次收到的報告：『繆沙』上市不到三個月，已經沒有現貨可供應。」

「這些我全明白。」曼那欽嘟囔著。

「呃……造化弄人哪，曼那欽，不過三十萬元也不是小數目。身爲董事就得扛起法律義務——那樁官司還未解決——即使股價低，我們也不能埋怨當初的認股權。今天收盤價多少？十一元還有零頭吧？」

曼那欽心不在焉的點點頭，「我不太在意股市，我生平只擁有過舍揚的股票，不過你不必替我感到遺憾；我十月初就賣掉了。」

米蘭妮低低吹了一聲口哨。「恭喜。」口吻又羨又妒。「你果然不需要銀行家的忠告。或者你現在需要專家替你規劃理財？」

「用不著，我把錢花光了，我就是想和你商量這件事。」他指著前門，「我帶你去看。」

米蘭妮正打算取下衣帽架上的外套，曼那欽阻止了她。「不用穿外套，搭電梯上幾層樓就可以了。」

「怎麼回事？」米蘭妮見著空蕩蕩的客廳不禁喊道：「你該不會……」

「搬進來？」曼那欽替她把話講完。「賣股票所得多半用來買這間公寓，餘款支付裝潢費用，這是我帶你上來的原因之一，你可願意幫忙裝潢？」

「呃……好是好，」她支吾道，「但裝潢不是個人品味問題嗎？」

「也要兼顧便利性。比方說，我很樂意和你一起裝潢亞當的房間。」

「亞當的房間？」米蘭妮杏眼圓睜，「那另一個原因呢？」

「到他房間來，該談談亞當和我的事，好好地談。」

他倆走進寬敞、通風、剛粉刷過的房間，地上躺著一個蒲團，角落立著一盞落地燈，燈旁坐著一個小公事包。

「你在這兒過夜？」米蘭妮嚇了一跳。

「只有昨晚而已，我想熟悉一下這裡的感覺。明天我會回到舊家，直到這裡能住人爲止。你能不能擠得下？」曼那欽指指那個蒲團，兩人緊貼著擠坐在一起，蒲團發出一陣牢騷。

「已經快兩年了，」他繼續說著。「我從未逼你或亞當。表面上我是全家人的朋友。」

「如今你已名副其實，沒有必要停止……」她尷尬地笑了一聲，「我本想說『約會』，可是聽起來太古板了。」她扮個鬼臉。

曼那欽狡詐一笑。「是個美式字眼，對現代人而言，過於奢侈。依個人愚見，不約會的原因是我倆都有曾經滄海難爲水之慨，是不是？因爲亞當的關係我們成爲某種朋友：進退有禮，友善親切，但流於浮面，從不深入談個人問題——」

「我以爲你希望如此。」

曼那欽一直在把玩蒲團的流蘇，他抬起眼，「也許從前如此，但我現在改變了。在紐約初見面時，你問我能否長居美國，當時我說不能。如今情勢改觀，主要是因爲亞當，也因爲鰥夫的罪惡感逐漸減輕。何況我很喜歡聯合國代表團的工作，在紐約爲本古里昂募款也比較有效率。」他又玩起流蘇，拇指和食指穿過一條條細線，像數唸珠似的。

米蘭妮將手覆在他手背上。「亞當帶領我們走到這一步，接下來有何打算？」

「我想和亞當父子相認。」

米蘭妮縮回手，雙手抱膝，雙眼低垂。「你本來就是他的生父——」

「沒錯。」他話鋒犀利。「你始終知情，而我後知後覺。亞當早該認祖歸宗，所以我才決定遷入這幢大樓。我倆沒辦法共同生活，米蘭妮，我的情感火花已熄滅，但我如果搬進來，他便可隨意和我倆一起住。差兩層樓不遠，又能保持距離。我一定分擔育兒費用，該我負擔的時候到了，曼哈頓的私立學校一定貴得嚇人。而且他該更改名姓。」

「什麼？把亞當改掉？」

「不是改名，是改姓。我是他的父親呵。」

「別這麼……像利凡得人……傳統……父權獨大。」米蘭妮非常憤慨，每說一句音量便提高一次。「你將權利和義務混爲一談。」她的話在肅然的牆間迴盪。

曼那欽搖頭。「父系社會不一定就不道德或反傳統。」

「當然不一定啦，」米蘭妮插嘴。「正好相反，父系社會根本就是太傳統了。」

「米蘭妮，我盡量做到公平，你也應該努力。當初你毫無阻礙地宣稱你是單親，不承認狄維爾的姓，也否認狄維爾存在，亞當自然從母姓。如今你公開承認我爲亞當生父，菲力‧弗蘭肯塔勒和他的妻子都知情，我敢說雷妞‧庫里希南也猜到了。

「現在我請問你，你做猶太人的意義何在?由於你改變宗教信仰，亞當出生即爲猶太人，這點令我開懷。我們猶太人總認可母親的權利，更甚於其他民族。但猶太人也認可父權，換作過去的話，亞當該稱爲『亞當‧班‧曼那欽』。」

「你不會建議他改成這個名字吧？」

「不會。但也不建議他繼續從母姓。何不改成『亞當‧狄維爾─連德蘿』？」

「何不改成『連德蘿─狄維爾』？」話一出口，米蘭妮才發覺自己已同意亞當改姓。

「我可以爲『狄維爾─連德蘿』提出有力的理由，但『連德蘿─狄維爾』也能接受。」

兩人靜默好長一段時間，因短暫的情緒爆發而疲憊，因問題倏忽解決而驚訝。

「什麼時候告訴亞當！」她柔聲問道。

「此刻，今晚就告訴他。」

「可是他已入睡。」

「那又怎樣？把他喚醒。現在他應該知道父親是誰才去睡覺。」

我開始懷疑自己當初眞不該受工業誘惑，應留在實驗室研究才對。若我身爲有終身聘的副教授——甚至沒有終身聘的助理教授，而不是一個沒有保障的舍揚總裁，我對黑色星期一將如何舉措？不過又是平凡的一天罷了。反觀現在呢？幾乎成了趣談。我把馬丁警告我們的話說出來了：「什麼叫做一百萬？」約夫德和我的生活以及舉止並不像百萬富翁，也不自認爲百萬富翁。但我們跟銀行借了五十萬，而且一週以來提心吊膽，擔心銀行隨時會打電話來要求抵押更多股票，否則取消貸款。我們的股價在十元左右徘徊，但始終未跌破十元關卡，現在已逐漸回升。昨天升至十二點二五，但十月十九日的狂跌萬一再現，我們就完了。馬丁還在耶路撒冷，最艱鉅的工作是向每一個人擔保，舍揚不會一蹶不振。我們還有三千萬左右，但未來兩年現金週轉必然不順利，我們必須看緊荷包——雖然「繆沙」依然熱賣，其實我正擔心這件事：我們需要招募更多業務代表，擴充設備，需要加強促銷，需要昂貴的行銷後臨床追踪研究。千頭萬緒，忙也忙不完。

還有那椿未了的官司！此時布萊克胡德事務所的策略是拖延戰術，害我們耗費不少成本，這當然是他們的陰謀之一。法院尚未裁決那一方或雙方應提供文件調閱。摩特想出大膽的一招：請求法院不先警告便傳審布萊克胡德與股票交易有關的一切電腦磁碟片拷貝，以免電腦資料遭刪除。他主動提議舍揚也將全部磁碟片拷貝封存，直到法庭做出裁決爲止。這一招應可使聖克萊蒙特那幫人急得跳腳。

康特捎來一封秘信，既未提及股市也未說明他如何處置認股權，只問及他能否於芝加哥召開科技顧問董事特別會議，強調我們都得在芝加哥過夜。我不知道怎麼回事，也不知道是不是討厭他那神秘兮兮的樣子，還是忌妒他在黑色星期一之前便賣光股票。他和曼那欽好似有預感似的。

我告訴他我們十一月二十日無法成行，必須等到二十一日以後，他爲什麼火冒三丈？「爲什麼？」他不停逼問。我怎能告訴他，如今我的性生活全受金屬感應器控制，而感應器是不講人情的。測卵魔法師約夫德．柯恩決心要生個男孩，因此規定老婆非在二十日那天行房不可。

每一個都在談論科技顧問董事會喜氣洋洋的氣氛，這是有原因的，馬勒塔引薦的三位候選人中，康乃爾大學的卡爾．奈森，哈佛公共衛生學院的黛安．渥斯這兩人都已接受，他們相當符合董事會的需要。兩人引進了寄生蟲學和熱帶疾病的新觀點，雷妞對此存著潛在的興趣，同事們也日益感受到其重要性。舍揚會不會視之爲另一商機，目前尙未明朗。當急要務是建立陰莖勃起方面的地位，別讓競爭對手在科技和市場銷售兩方面都領先。

舍揚已在FDA奠下根基，舍揚因而明白，舍揚的競爭對手更明白，下一次FDA會較快通過舍揚的申請案，如果申請案與經尿道傳送藥物的原理相關，則通過的腳步會更快。塞麗絲汀・布勒斯的一氧化氮釋放劑新系列順利獲得專利。廣泛的藥物人體相互作用研究清楚地證明她的四氮烯四醇鹽系列——四個一氧化氮分子串連在一起，尾端接上一個脂溶性的化學官能基所組成——成爲「繆沙」第二代的主要候選者。人人都同意這是最優先的發展目標，因此討論全集中於NONONONO鹽類化合物的可能用途。

第一個小時內，雷妞說明康特不會辭職，消除了大家的憂慮。四週前的股市狂瀉只換來韋斯的嘲弄，而康特則未予置評。午餐很清淡，因爲康特邀請大家參加晚上的是正式晚宴。雖說清淡卻也極盡奢華：俄式薄煎餅夾魚子醬、辣根燻鱒魚、黑茶藨子果汁冰。他神秘地宣布：「全由康特作東，以示對舍揚的感激之情。」

菠娜・柯里之前從未現身過科技顧問董事會議，如今穿梭賓客間，宛如女主人一般。「通常我都離科學會議遠遠的，可是這一回不同。」她對邁可・馬勒塔說道，馬勒塔站在窗邊，手中端著一個盤子，正在和塞麗絲汀說話。菠娜環住她姪女塞麗的肩。「起碼你們的會議給我最疼愛的姪女一個好理由大駕光臨，否則難得看到她，也好久沒看到傑利。」塞麗警示性地短咳一聲，菠娜趕緊改變話題。「你們倆個在聊些什麼?」

「無非一些應酬話罷了。」馬勒塔說道。他用叉子指指塞麗。「布勒斯教授已獲終身聘。」他假裝正經地說：「她已開始公開批評我們的弱點了。」

菠娜揚起彎如新月的眉。「再多說一些，我對諸位的弱點相當有興趣。」

塞麗掙開阿姨的環抱：「我沒有評斷人家的缺點，不過做些觀察罷了。你看這一群人。」她以頭示意阿姨看這個大房間。「他們，不，是我們，全都熱中發表論文，不光是傳播科學資訊，也在推銷我們的姓名。但我們的作風大相逕庭。麥克斯．韋斯和邁可總把自己的名字擺在最後，他們有能耐如此，因為衆人盡知他們是資深作者，不論掛名的作者有幾個。」

菠娜正想說雷納多，忽然改口說：「康特也是這樣嗎？」

「不是！他按字母順序排名，只有A、B、C開頭的少數姓氏能排在他前面。」塞麗的諷刺相當明顯。「那我自己呢？說實話，沒把握獲得終身聘之前，我總是頭一個掛名，我沒有大方讓賢的空間。」

「好了，好了。」馬勒塔勸她。

「現在沒事啦。」塞麗說道。「你加入之前，」她轉向菠娜，「我們正談到如何分配功勞給共同掛名的作者。最近有四五位作者共同研究化學或生物學，解決了誰的名字放在最後以後，卻無法決定誰的名字放第一。」

「眞的啊？」菠娜說，「我還以為出力最多者放第一。」

「你以為眞有這麼簡單嗎？我們剛才就在談這件事。最近波特蘭的約翰．史考特在《科學》期刊上眞的排第一位發表了論文。他和五位同事合作，全爲女性，但他之所以掛頭名是因爲前兩個姓氏前打了星號。你知道附註怎麼說？『兩位作者於此論文具有同等貢獻』。」

「高招啊！」菠娜讚嘆道。

「你明白了吧？」馬勒塔笑了。

「高招？」塞麗用鼻子哼了一聲。「換作是我的姓名前打上星號，我一定會去找史考特，告訴他，今後別人引用這篇論文時，書目註明的作者會是『約翰等人』或『史考特等人』。我認爲『等人』不能代表平等。」

「那你希望史考特怎麼做？」

「啊，」塞麗咧嘴而笑，「首先我會叫他用等號分隔我倆姓名，而不要用逗號。不過編輯不可能答應，所以我會要求他按照字母順序。」

「採用康特的作法？如此一來你的姓會排在他前面，你憑什麼認爲他會答應？」

「言之有理，邁可也這麼說。所以我建議何不拋硬幣決定？你猜滿腦子正義公理的馬教授怎麼說？」塞麗用食指輕戳他一下。「你自己講給菠娜聽。」

「在我的實驗室，作主的是我，不是硬幣。」

「換作你會怎麼辦，塞麗？」菠娜問道。

「我會拋硬幣。而這，在我看來，正是男教授與女教授的差異之一。」

馬勒塔說：「若果如此，即是唯一差異。五年後你再來告訴我，你有那些地方與我相異。」

晚宴的請柬郵寄至每一位科技顧問的董事手中。親手寫上地址的信封、信的內容、敬請賜覆的卡片，以及裝卡片的小信封，全部都是喜帖才會選用的高級紙質。賓客雖著一般外出服，卻也都是盛裝。平常開會都穿襯衫或毛衣的馬勒塔和奈森，今晚打上了領結。連塞麗也將水瓶留在家，穿上墨綠褲裝和高跟鞋，顯得耀眼迷人。雷妞則決定穿著黃色「紗麗」赴宴。

「天哪！」一位穿著燕尾服的侍者替她們取走外套時，塞麗低聲問道，「今晚倒底是什麼特別場合？」

侍者領她們進入空無一人的客廳。

「我們一定是最早抵達的。」雷妞說道，一邊慶幸自己行李中帶了「紗麗」。此時，菠娜和康特出現，兩人皆全副盛裝，風度翩翩。

「你們好。」康特喊道。「和平常一樣，最年輕的總是最準時。你們一定滿腹疑問，與其個別解釋，不如等候大夥到齊。」他向後面穿梭的侍者招手，「請先盡情享用冷飲和開胃菜，要再等一個小時才會上菜。」

雷妞從沒看過如此開心幽默的康特，親切微笑地挽著菠娜周旋於衆賓客間，雷妞這才發現康特善於僞裝，今晚他若不是拿下本來的面具，便是戴上了另一張新面具。

康特持銀匙敲敲手中的玻璃杯。「朋友們，」他微笑道：「現在倒香檳，準備敬酒。」他等侍者將每位賓客的杯子注滿。「菠娜和我感謝你們六位大駕光臨。」他舉起酒杯。「現在敬酒，祝賀新出爐的康特夫人！」衆人嚇得大氣不敢喘，康特則和菠娜碰杯，並且親吻她的粉頰。「飲酒前大家先碰杯吧！」他旋即說道。

「這是什麼時候的事？」康特自問自答，「兩天前，在完全隱私的情況下我們結婚了。我們本打算昨晚宣布，但我希望大夥到齊。由於昨晚有位賓客不克前來，」康特未帶責難的眼神拂過雷妞，「便延至今晚宣布喜訊。爲什麼只邀請你們六位？因爲飯桌坐十個人太擠了——以今晚晚宴的形式而言，樂室也稍嫌容納不下。還有一個理由直接與全場有關，所以我希望你們保密。本週末我們將在校園舉辦眞正的鬧洞房，由於我的學生和同事尚未得知我倆已結婚，請你們在此之前暫時三緘其口。」

菠娜彎腰在康特耳邊小聲地說了些話。他點點頭。「請再將杯子注滿，到樂室找張椅子坐下。我們在晚宴前將爲你們安排短短的一段音樂插曲。」他指著身後的法式門，「我和菠娜馬上就來。」

樂室內座椅排列略呈弧形，全面對著兩張皮面赫波懷特式椅，椅前各立一個樂譜架。賓客入座不久，康特進來，腋下夾著中提琴。

「今晚唯一的樂曲長達四分鐘，你們多半不熟悉，是保羅・辛德密作的中提琴和大提琴二重奏，辛德密本身是中提琴家。中提琴和大提琴的組合相當罕見，我可大膽地說，菠娜和康特的結合也很難得。選擇這首曲子原因有三：第一，菠娜以候補大提琴家身分加入業餘四重奏樂團時與我邂逅，結出美麗的果實。此外，二重奏是最親密的音樂結合，我們今晚要慶祝的正是『親密』。但這首曲子也代表我倆對舍揚的感謝。現在請新任康特夫人出場。」他正式一鞠躬，以琴弓指著等在賓客身後的菠娜。

雷妞偏頭過去看著塞麗，佩服她在專業領域多表現出天生的毅力，也經常奇怪她和康特對話為何總夾刀夾棍的。現在強悍和尖酸刻薄都消失無踪了，是否因為康特公開表示對菠娜的感情，正式且羞怯地示愛，還是兩人已正式結合的事實影響了塞麗？

菠娜身著黑色絲緞禮服，未佩戴珠寶以強調那露得稍嫌大膽的禮服。她先將調弦的木栓擺在地毯上，再將大提琴置於兩腿間。她閉著雙眼，頭略低垂，左鬢幾乎碰貼住琴軫。菠娜的手撫著大提琴頸上閃亮的金釉，最後停在共鳴板上，雷妞不禁心旌蕩漾。此時菠娜睜開眼睛，望著康特略一頷首，兩人便開始演奏。

掌聲停歇，康特熱切近乎稚氣地詢問：「菠娜，你想不想講講你那把大提琴的故事？」

「當然想。」她說道，站起身來，猶如高塔矗立於聽衆面前。她提著大提琴琴頸道：「這是瓜爾內里名琴——」

雷妞詫異地倒抽一口氣，聲音之大，令菠娜停頓了一下。「一點兒也不假。」她向雷妞保證。「大提琴演奏者從琴的反應和音質即可判斷是否爲克雷莫納優質樂器，瓜爾內里家族中，以吉司比・吉凡尼・巴提斯塔——一稱『安德雷之子』——爲製大提琴之第一把交椅，幾與義大利提琴製造家斯特拉迪瓦里齊名，這把琴便出自他手。請看它的大膽、聲孔之平衡……」她對康特微笑。「這是我的結婚賀禮。」她頓了一頓。「你們這些科學家一定覺得我傻氣，可是……」她轉向康特，抽出他西裝口袋內的手帕。

那一幕相當感人。亞馬遜女戰士一手抓著琴，一手拭淚，矮她三吋的新任丈夫正輕拍她的肩膀。「朋友們，如今你們應已明白我爲什麼要先與你們一同慶賀。一把大提琴促成我倆的良緣。就是這一把，我們將稱它爲舍揚大提琴，永遠將我們拉在一起。」

雷妞想起自己得知康特賣掉認股權時的反應，幾乎內疚起來。她站起身走向這對新人，在康特臉頰獻上一個吻。

她低聲道：「有你出任科技顧問董事會的董事長眞好。」

「相當精采的一晚。」雷妞在計程車內說道：「我注意到你雖最年輕，卻坐在康特右側的上座。」

「他並非因爲我年輕才讓我坐上位。」塞麗答道，臉龐因過往車燈而忽明忽暗。「自我和傑利結婚起便與他結下樑子，如今他想講和，這點我不能怪他。而且從今夜起，我願意幫他倆重修舊好，因爲他和菠娜阿姨結婚，算起來也是我的家人，而且他結婚後似乎比較有人味。」她傾身和雷妞對望，「你不也有同感？」

雷妞點點頭。「我很高興他對舍揚懷有感激之情。他承認若非他與弗教授有交情，加上我拿認股權作釣餌，他絕不會接受這個職位。他毫不掩飾他之前看輕製藥工業，但他現在看法已然改觀，因爲他已明白從研究發現到享受成果之間，需要付出多少心血。」

「我猜他將認股權兌成現金是爲了買瓜爾內里名琴，因而才對製藥工業和顏悅色。」塞麗沉思道，「不過他把錢花在該花的地方，換成我不知會怎麼處置那筆錢——」

「且慢，」雷妞打岔道。「我們即將成爲大公司，妳可別現在賣股權。如果你現在缺錢——」

「缺錢？我們的生活極簡約：除了工作就是照顧兒子華倫泰。別忘了傑利和康特爲諾貝爾獎的共同得主，我們將那半數獎金作保守投資：我們不動資本，只花用薪水所得。我說不定會用舍揚的認股權爲兒子設立信託基金，或充作冷門研究的經費。」

「請恕我多管閒事，」雷妞說道：「你們之前結下哪門冤仇？」

塞麗一嘆。「說起來並不光彩。傑利景仰康特，康特賞識傑利，但他倆合作而且獲得諾貝爾獎的實驗有些問題。起初康特的最強競爭對手哈佛大學的庫爾特·克羅斯無法重複這個實驗，等到克羅斯終於重複實驗成功，康特卻已不再信任傑利。」她搖頭。「內情其實可能還更複雜，但此時此地不宜翻舊帳。康特和我今晚已談過此事——他第一次提起這件事。他問起傑利是否後悔棄研究而就醫學。我告訴他，傑利並不後悔，他骨子裡並不那麼好勝。」

「跟你相反?」

塞麗奇怪地瞅雷妞一眼。「他也這樣問我。『你患了諾貝爾熱呀?』他是這麼說的。當我承認自己的確實患了諾貝爾熱，他就眞的敞開心扉了。『前衛、精采、有生產力的科學確實高貴(noble)，但是在沒有諾貝爾獎(Nobel)的慾望下，它很少成功。』他說道。康特顯然意指欠缺獲獎慾望的高貴科學根本是矛盾不可能存在的。他其實還是肯定諾貝爾獎的，不是嗎?」她短短的笑聲似乎透著幾分懷疑。「但他並未點到爲止。他說:『慾望永遠高貴不起來，那學術界人士該如何自處?』沒有一個人像我們所假裝的那樣純眞的，既然如此，大家又何必大驚小怪?世間並非黑白分明，而是深淺層次不同的灰色。我們只能盡力成爲保持淺灰，力斥汙穢的深灰。』」

計程車越城而過，兩人靜默了一會兒。

「雷妞，你看來滿腹心事。」

「是啊，我開始反省自己是那一種灰色。」

第二十五章

律師泰半喜歡拖延；一小時收費二百至四百美元，對他們而言，時間果然就是金錢。被告的辯護律師更視拖延爲良策：目擊證人可能搬遷或死亡，熱情會冷卻，記憶會模糊，法院案件堆積如山而「塞車」……原告的法律顧問雖亦明白「拖得越久，賺得越多」的道理，卻常採用進攻性策略，腎上腺素一時戰勝了利慾。但是舍揚對布萊克胡德案之情況遠較此複雜。

雷妞的本能反應——告垮這一幫混球——一開始出於憤慨，但後來憤慨漸轉爲單純的情緒抒發。雷妞本能地猜對老年男性易罹患攝護腺毛病，促使已過盛年的摩特・哈特史東反變成一位潛在的檢查官，一流的公司法律顧問應冷靜、深謀遠慮及鎮定，鮮少扮演此種角色。他對布萊克胡德事務所的反感日益加深，他曾在多件布萊克胡德事務所策動的共同訴訟案中擔任辯護律師；他認爲對手經常提出此種輕率的訴訟，無疑助長了一般人認爲律師即爲痛擊對方的這種形象，使得摩特和胡德他們沒什麼兩樣。如今訴訟成了個人恩怨：摩特身爲舍揚董事，因而成爲此案被告，兼舍揚外聘律師事務所之當事人——是位能言善道且隨時掌握最新消息的當事人。然而身爲舍揚之主要顧問，摩特的法律事務所負責規劃及執行原告之法律策略。他投入不少情感，以致有時忘了計算他服務多少小時，該收費若干。

反觀布萊克胡德事務所最資深、最積極的合夥人威爾·胡德，他則遵循熟悉的模式。他以俠盜羅賓漢自詡，宣稱其法律事務所專門保護小投資人和靠退休金維生的人，免受公司主管、內線交易者、會計師、及股票掮客之詐騙。雖然這些圈子的人確曾有過詐欺和執業不當的行爲，通常他們再富裕也得不到媒體、大衆、甚至陪審團的同情，但是另一事實卻很少人注意到——那就是某些法律事務所一向專從事一些致命與自吹自擂的角色。胡德堅稱他和事務所其他合夥人只關心小投資人之利益，雖然他們的行動有時的確會徹底擊垮對手，所採取的手段卻不甚正當，因爲他們的案件極少進入訴訟程序，即使進入訴訟程序，原告也極少勝訴，多半都是庭外和解，而半數的和解金額則進了他們事務所的口袋。

他的策略很簡單：絕不控告荷包乾癟的人，專挑有投保的被告下手，張著「毫無保留透露事實眞相及相關文件」的大網，等著被告荷包大失血。此類訴訟案數量極大，實際出庭時間卻很短，已經證明是財源廣進的良方。依法律層面上看，他們好像是在盡法律顧問之本分，實際上他們是躲在小額持股人背後的眞正原告。

布萊克胡德事務所低估了舍揚反控的威力：他們沒將舍揚這間年輕公司看在眼裡，雖然冒著自作自受的風險，他們依然願意自己已成爲被告之餘，再身兼被告的顧問。威爾・胡德與兩位小舅子皆爲頂尖的原告兼掠食者，他們三人貪慾薰心，不肯另聘律師爲他們自己辯護。他們一邊拖延舍揚調閱他們檔案的申請，一邊進行申請調閱舍揚的檔案，想損耗舍揚的作戰力。他們估計這種你來我往式的申請案與反申請案，必然會令舍揚損失較多法律成本，而舍揚沒本錢把錢浪費在這種花招上面。但布萊克胡德事務所低估了摩特・哈特史東賭博的本領——他平常不輕易施展，只用在公司法律事務方面。

布萊克胡德法律事務所的策略奏效了十五個月，導致舍揚損失三十萬元。「摩特，」雷妞哀鳴道，「還要拖多久？我終於明瞭保險公司爲何選擇和解，另覓沃土——」

「就像收保費一樣，終歸不是他們的錢。不過你說得對，時機已成熟……」他若有所思地瞧著雷妞。

「什麼時機？」

「賭博的時機。我們不能太早下賭注，因爲必須先證明對手只是在拖延。十五個月應該夠久了。我的計畫如下。」摩特通常坐著說話，但今天早上他太激動，一直在地毯上踱步。看他龐大的身軀來回走動，雷妞只好坐直身子。摩特的辦公室不同於其他同僚，地板上未曾散堆著檔案，一般律師皆故意以此製造超時工作的印象。摩特的房內空間極寬敞，足供他漫遊。

「我已告訴你我們的絕招：封存所有相關電腦檔案拷貝。我們自願先封存自己的檔案拷貝可以堵住他們的嘴，但威爾·胡德很難捉摸。我的策略之一是向佩鐸法官陳情。我們的訴訟案送交加州北區地方法院，而佩鐸女士即住在舊金山。」

「女士？她是位印度女性？」

「瑪莉蓮·霍爾·佩鐸不是印度人，」他在雷妞面前停住腳。「但她嫁給印度人。這些都造成不了多少影響，告訴她舍揚的總裁兼主要科學家爲印度女性並無害處，尤其法官自己也有兩名子女，曾任『國家婦女組織ＮＯＷ』的董事。」

他若有所思地望著她：「你的預產期在什麼時候？」

「九月。」她瞧著小腹，「看得出來嗎？」

「我不該談你的小腹，可是……」他淘氣地笑著。「你的大腹便便能派上用場。我在想證詞的事。」他坐入雷妞面前的椅子。「我們得聽赫曼·布萊克親口說他切除攝護腺，這條線索才能用，我隨即向佩鐸法官申請裁決，請她下令開始錄取口供和證詞。」

「差別何在？」

「一個是在證詞速記員前提出口頭證詞，另一個是以書面回答書面問題。我打算兩種都請求。同理，我們自願先接受訊問，以防止他們反對。但我們與對方的訴訟申請相距極近，由於我們不斷強調兩者之關聯，我將要求雙方隔周輪流接受訊問，一周他們訊問我們，下周換我們盤詰他們。程序一旦開始進行，由於你是他們最重要的目標，我們以你懷孕爲由，阻撓對方拖延，此時育有子女的女性法官便於我們有利。」

假如一九八一年十月，我和約夫德初抵薩拉時，有人說我未來將任新公司之總經理，我一定笑掉大牙。如果有人預測不出七年內，我也會牽扯入數百萬的官司，而且樂在其中，我一定會認爲那個人神經有毛病。然而接受完第一次訊問自聖克萊蒙特歸來，我已迫不及待下一周快些到來。

布萊克胡德的會議室猶如電影或電視情境裡的喜劇布景：光滑發亮的桃花心木桌，長度足以容納二十四個跟摩特一樣的胖子；棕色皮椅也寬敞得容得下一個摩特；一面長牆滿是書架，陳列著皮面的美國最高法院和加州最高法院紀錄；對面那面牆內有個巨大書櫃，嵌著樹脂玻璃的櫃內陳列著一艘帆船模型，兩側掛著精美鑲框的英國海景畫。我開始懷疑闊氣的法律事務所乃是整組向中央舞台道具供應商訂購而來，那些大部頭的書也只是做做樣子，嚇唬客戶用的。

從沒見摩特這麼興高采烈過，他當然開心了，一切全照著他的如意算盤進行。雖然我們是被告，摩特依然主動提議南飛至聖克萊蒙特接受第一回合訊問。威爾・胡德負責訊問，但摩特希望藍迪・布萊克和赫曼・布萊克也在場。摩特讓他們視我爲主要罪嫌，也是最易聯絡到的最高級主管。幸好舍揚執行長人在國外，摩特下禁令，要馬丁待在耶路撒冷，讓胡德找不到他。摩特想將我塑造成象牙塔內的科學家，被迫加入高級管理階層，不知股市變化無常，也不識財務分析師與記者之厲害。我挺著六個月的肚子在椅上坐立難安，語調輕柔又遲疑，活像威爾．胡德的甕中鼈。

三位合夥人和爪牙們大踏步走進來，其中胡德最不起眼，他就像狄更斯小說中的學徒，穿著南加州風味的服裝。我不禁盯著他的頭頂看，一時未注意他的身高體型。六十開外的人除非戴假髮，否則怎會一頭又鬈又濃密的紅髮？他戴飛行員眼鏡，閃閃發亮的絲質西裝，顯然花了重金添購行頭，但品味極傖俗！若不是如此奇裝異服，我還以爲他故意作此裝扮，好令對手分心呢，他的嗓音尖高刺耳，但非常跋扈，從而證明他是老闆，不是學徒。

摩特教我要吞吞吐吐，不時攏攏頭髮，並且儘可能專注於科學方面，多談科學無害的一面以及科學如何造福社會，遠離攝護腺切除和陽萎之主題，讓胡德盡情發表意見，從中抓到話柄，隔週他接受訊問時，用來反制。如此陷阱堪稱絕妙，根據胡德當天表現觀之，他無疑將鑄成大錯：他忘了自己也是被告。

坐在證人席上，面對胡德嚴厲的質問，我承認——爲何不該承認？——我告訴華爾街日報記長，我對臨床數據之充分懷有極大信心，當時我不知道FDA接著會要求更多數據，也沒料到股市因此隨之慘跌。畢竟我和其他內部人士於那數週內皆未買賣股票。胡德此時發表了他第一個意見。他才不關心我們有無獲利，但受他保護的持股人卻因爲我那未附帶保證的樂觀而損失慘重。我抗辯說我們可以在FDA決定延緩通過的數週內，說服FDA我的樂觀有理，但胡德告訴我，這點與本案無關。當我埋怨我們無法事先爲FDA委員會提出的每一種最壞的可能來提供答案時，他咆哮道：「那是你的問題，與我不相干。」他不知道將「繆沙」引進市場是醫學方面的突破？「與本案無關。」他辯稱道。

我以最膽怯的聲音說：「我可否再問一個問題？」

我表現得像個天眞的女科學家，因此未能讓他警覺到接受審訊的其實是他。也許我杞人憂天：他深信我已在他股掌之間，任他玩弄。他哼了一聲表示同意，我遂問他是否了解公司的損失——一千兩百萬賠償金加上訴訟費用和耗費的時間，以及因此延誤「繆沙」上市的時機——如果還能上市的話。「這也不關我的事。」他幾乎洋洋得意起來。

原本靜坐一旁觀察的赫曼・布萊克覺得該出手干預。「不必吹噓『繆沙』的神效，舍揚該多用點心造福人群或解決舍揚已經造成的問題。」

我看看布萊克（他與胡德恰恰相反：頎長、健壯、穩重、英俊），又看看胡德，不知該針對誰發言。「但是，」我問他倆，把兩個問題當一個來答：「你們可知道『繆沙』能造福那一種男性？」

「管他那麼多——刪除這一句。」胡德嚷道，轉向證詞速記員。「我到此是爲了權益受損的持股人辯護，不是那些不舉的人，這一句刪除。」他又說：「現在回到我的問題。」

他問我不下數十次我對FDA事件的公開反應，追問微枝末節，以及我們事前該做而未做的研究。摩特在桌底下輕踢我一腳，示意我再度做個純眞坦率的科學家，「我可否提出一個問題？」我問道，「當時我該怎麼辦？掛記者電話？假裝我們的數據不完整？」

「那是你的問題，或你顧問的問題。」他用下巴指指摩特，連正眼也沒瞧他一眼。「你的計畫書內應該提到這一點。」他指著面前大幅改寫過的文件。

「但文件當時尚未更新。」我抗議，他卻打斷我的話。

「推我爲代表的持股人有權了解一切相關事實，才能下定決心保留股票或出售。」

「好吧，好吧。」我開始講述事前和摩特演練過的故事。

「自我們發表的文件可知，」我指指計畫書，「一氧化氮是勃起和其他多種生理現象的原因，也可能是副作用之源。」我做手勢向赫曼・布萊克致意，讓他知道我沒忘記他。「一氧化氮也可做其他重要臨床應用，我們正致力研究，以拓展舍揚的醫療貢獻，因爲我們不想永遠只製造一項產品。」

「這和本案有何關連？」他懷疑道。

「舍揚的新研究可能產生新產品，難道與此無關？」

「那又如何？」

「一氧化氮規範了哺乳動物的性行爲。」

「我們早曉得了。」他無禮地打斷我的話。「所以才跟這個有關。」他舉起計畫書，不屑地摔在桌面上。

「抱歉，先生，」我喃喃道：「我指的不是勃起或股票價值，而是說一氧化氮與腦部功能有關。」

「那又怎樣？」

「哈！」我喊道，忘了自己不該幸災樂禍。「缺乏神經元製造一氧化氮的雄鼠會產生攻擊性行爲，包括強暴『性趣』缺缺的雌鼠。你不認爲研究高等哺乳類體內神經元一氧化氮濃度，尤其是男性人類，很有意思？」

「想必如此，但這和本案——」

冷靜、老謀深算的赫曼打斷他那紅髮小舅子的話。「威爾，讓他講完。」我心知有人上鉤了。

「後續研究證明下視丘的神經元也能製造一氧化氮，來控制雌鼠的下視丘所釋放的荷爾蒙。」我舉起一隻手，阻止他們問我在說些什麼。「其中一種荷爾蒙稱爲LHRH——黃體激素釋放荷爾蒙——能誘發排卵，促進雌鼠性行爲。」我等不及告訴約夫德，我將一氧化氮的深奧學問走私入我的證詞，同時侵犯了「測卵魔法師」的領域。誰知道？假使歐復公司生意興隆，有朝一日他也可能坐在此地，與聖克萊蒙特的流氓律師對簿公堂。此時我們已視共同訴訟案爲新公司的勳章了。「不但如此，最新研究顯示，一氧化氮也能影響蠑螈（newts）的性行爲。」

「裸體（nudes音近newts）？那一種裸體？」赫曼似乎一時又恢復了咄咄逼人的氣勢。

「是蠑螈，一種爬蟲類。一氧化氮控制雄蠑螈的求偶行爲，但雌蠑螈不受一氧化氮控制，牠們的行爲較複雜。我猜你們對蠑螈所知不多吧？」我故作無邪狀。

「對你的裸體也所知不多。」他似狼一般咧嘴而笑，我不予理睬。

「起初雄蠑螈接近雌蠑螈並且嗅她的頭部，接下來雄蠑螈左右搖動尾巴，鞭打她頭部附近的地面。獲得她注意後，他展示尾巴尖端，產下精子包囊，雌蠑螈以共泄腔拾起精子包囊。」我不知自己能否忍住不笑，但我不得不問：「我不必解釋什麼叫『共泄腔』吧？」

「往下講。」威爾・胡德說道。

連始終面無表情，專心打字的證詞速記員也抬起臉來。我差點問她有沒有將胡德說的那三個字也記錄下來。「講述蠑螈求偶過程目的何在?由於不同組織產生的一氧化氮對性行爲影響至廣，因此舍揚正在研究可否運用於人體。不但如此，假使一氧化氮果眞能奏效，那麼舍揚擁有專利權的一氧化氮釋放劑應該也行，對吧？」

「應該是。」一向不喃喃說話的布萊克也開始呢喃。

「我不該把這些全告訴華爾街日報記者嗎？」我隨即說道，「假如一氧化氮釋放劑之一能改善男人或女人的性行爲，甚至男女雙方皆改善，你能想像這個商機多難得?持股人買或賣之前不該曉得這些資訊嗎？」

胡德與布萊克面面相覷，一聲不吭。「如果我說了，你們會不會控告我爲自己的股票吹牛？」

「精彩絕倫！確實無與倫比！」一上租來的轎車，摩特便讚不絕口。「全部列入紀錄，蠑螈與本案無關，但我一定會將精子包囊那一段列入摘要，呈交佩鐸法官。我敢說她一定沒看過這種摘要。蠑螈的求偶行爲。」他小聲地笑著，「蠑螈！」

「你想證詞速記員曉得『共泄腔』三個字怎麼寫嗎？」

「我會將草稿交給你校訂。順便一問，」他靦腆地問道：「『精子包囊』是什麼？」

雷妞笑了。「你眞的知道『共泄腔』爲何物？還是太愛面子，不敢一次問兩個辭彙？」

「我是後者。」

「你的個性眞奇特：誠實加虛榮。精子包囊是內存精液的囊，雄性低等動物排出精子後，由雌性拾起而受精。記住，蠑螈不沉迷於肉慾關係。雌性的共泄腔則相當於人類肛門、尿道、陰道三者結合，十分經濟。」

「你的證詞內應該添上這一句。總之，我欣賞你拋餌和拉線的方式。」他止住笑，說道：「我們也建立了一個十分管用的前例：我們可以強調科學及對社會之益處，不單著重在操縱股票上頭。下週再回來，但下一次換我發問。」

威爾・胡德的訊問草草了事，因爲重頭戲在赫曼・布萊克身上。摩特負責訊問，因此我好整以暇地隔桌觀察其他人。不知胡德是否發現我外表改變。我坐得挺直，不再玩頭髮，現在只挽成緊緊一個髻，而且眼神好比眼鏡蛇直視鬣狗。我仍有孕在身，但我管不了什麼胎教，心情也未因懷孕而改變。

胡德或許毫無所覺，布萊克卻注意到了，他警戒的眼神時而飄向我這裡。有一次他肯定我會注意他，於是他緩緩打量我，用舌頭潤潤唇。他已六十開外，卻有種氣質惹人嫌惡。

摩特很懂得應付布萊克，他把我問過胡德的問題重複詢問布萊克，例如研究工作如何造福社會，無法預期FDA將提出什麼問題，不負責任地公開透露資訊和公司機密間的灰色地帶。布萊克的答覆不出所料，但較胡德有教養。摩特緊跟著問：他了解「繆沙」多少，是否了解其效用及潛在問題。

「我的了解僅限於計畫書內提及者。」

「是嗎？別忘你宣誓要說眞話。再問兩個問題。」他慢條斯理地說。「你認識本地的泌尿學家提摩西・史皮菲克醫師嗎？可否說明前雇員辛蒂・芬頓爲何離職？」

赫曼的手很有力，我心想和他握手不知是何感覺，他的指甲修得很整齊，平靜地擺在桌上，忽然間他兩手緊握成拳。「這和本案有何關係？」

「換他們訊問了。」摩特在電話中宣布，「這一回我要他們到我們地盤上，可是昨天赫曼打電話來要求延期，不是正式透過法庭，而是出於禮貌性知會。」

雷妞呵呵大笑：「禮貌性知會？相信你已告訴他到舍揚的路怎麼走。」

「那倒沒有，因爲他要求延三個禮拜，我已應允了。」

「你答應了？不是要利用我的大腹便便扳倒他們嗎？我懷孕已進入第八個月了。」

「別擔心，我保證不會再要你作證。辛蒂．芬頓的事嚇壞他了，他不希望我再追問下去。他需要三週時間調查我知道多少內情，等他調查清楚，我們的案子就會和解。」

「你只說過芬頓本是赫曼的秘書，後來匆促間離職。到底怎麼回事？」

他遲疑半晌，「不能告訴你我們如何打探得知，你只消明白三件事實並且三緘其口。第一：赫曼的老婆現年七十一歲，大丈夫四歲。第二：辛蒂．芬頓三十多歲，自照片中看來風姿綽約。第三：根據你的臨床試驗報告，『繆沙』受試者於試驗期間應攜性伴侶出席。你比我清楚為什麼你們要以夫妻為研究對象，而非單單針對男性。」

「這些我都懂，」她很不耐煩：「重點何在？」

「試驗初期陪赫曼出現在史皮菲克診所的女性只有三十出頭。」

第二十六章

米蘭妮的眼神跟著喬治．里基的雙L在微風中移動。她轉向雷妞，雷妞靠著欄杆，雙手捧著隆起腹部。

米蘭妮微笑道：「雷妞，你氣色眞好。卻如此……」她用手在空中劃了個大圈。

「腫脹？我就是這麼感覺，現在我隨時都會生產。」

「你的預產期似乎挺配合董事會議，或者該說董事會議配合你呀？」

「誰知道？」她笑了。「目前只有兩個數據，我以後也不會再提供新數據。何況如果事先安排這場會議，舍揚的會議室也不會挑這個節骨眼裝修。能再度造訪薩拉眞好，雖然感覺已經不同了。」

「我願意隨時參加這種臨時會議。」米蘭妮咯咯笑道，「你聽到那個佳音一定很開心，還有摩特，我從沒見他精神如此振奮過。他像減肥成功似的四處昂首闊步。」

雷妞轉身望著下方的雕塑，「舞動的L，舞動的律師，還有『訴訟無效』。你覺得和解條件如何？」

「讓聖克萊蒙特那些傢伙支付我們的法律費用是場大勝利。你估計費用約多少？」

「將近八十五萬美元，」雷妞說，「不含我們花費的時間和心底的惱怒。」

「幸虧摩特堅持對方支付額外現金，雖然只有六萬五千元而已。他認爲額外賠償事關面子問題，而且對方顯然也是第一次支付這類款項。不過六萬五千元這個金額頗有蹊蹺，而且這麼小的數目。」

「除了我的帳面財富之外，我認爲六萬五千元可並非小數目。」

米蘭妮抓住雷妞肩膀，跟她握手道賀。「你說得對，我太失禮了。董事會投票決定全數給你當作紅利，眞是太好了，你受之無愧。沒有你，我們今天就不能在此地慶功。告訴我，雄蠑螈的求偶行爲眞的是如此嗎？我自認具備最新生殖學知識，怎麼從沒聽過這一段。」

「我發誓是眞的。」雷妞說道，「義大利的塞拉尼和哥比堤（Zerani and Gobbetti）已將論文發表於《自然》期刊。論文結尾敘述道：『一氧化氮或許因腦部受到刺激而產生，意指脊椎動物演化可能保留了一氧化氮與生殖行爲的關係。』所以我們現在認眞研究神經元製造的一氧化氮。假使我們能發現如何在適當時刻將一氧化氮送到腦部正確的部位，舍揚將會一步登天！」

「他們在召我們進去了。」米蘭妮頭朝會議室方向點一下。「說到交配，你知道胎兒的性別嗎？」

雷妞猛烈搖頭，「我不想知道，我做過一般的羊膜穿刺和超音波，但我告訴他們別告訴我。我可以等，反正只剩幾天了。」

「你的丈夫呢？他不好奇嗎？」

「要說好奇未免太含蓄了，他早就算準是個男孩。」

米蘭妮假裝蹙眉地點點頭。「典型的男人。還是該說典型的以色列人皆如此？」

「就說『典型的男人』好了。」

兩位女性朝室內走。走近門口，米蘭妮一手摟住雷妞的腰。「我會待在舊金山幾天。亞當沒到過西岸，我相信學校會准他假，讓他慶祝九歲生日。如果你在我回紐約前分娩，請打電話到費爾蒙飯店給我，我喜歡聽好消息。」

「雷妞，親愛的，我覺得糟透了，可是好快樂。」約夫德坐在雷妞病床邊看她給寶寶餵奶。他本早已安排在她預產期前自威斯康辛州趕回，但他還是遲了十一個小時。

「賴威比一般寶寶壯，媽媽不好生，而且食量很大。」雷妞朝下望著懷中的嬰兒。「你看他，他一邊吸奶一邊還在研究你。我敢說他長大一定會變成一心二用，跟他爸爸一樣。」她握住約夫德的手。「快告訴我麥迪遜威大那邊的情形，然後快回家陪娜歐咪，她一定很嫉妒，把她帶來這兒吧。」

「我的好消息可以等。我們先談兒子的事。」他伸手撫摸兒子蓬亂的黑髮。「你瞧，我早告訴過你，節制性生活加上『測卵魔法師』，保證一舉得男。」

「節制性事次數或許有效，但『測卵魔法師』尚需重複驗證六或八次，才能證明它在統計學上有意義。你想再爲六個兒子的命名起爭執嗎？你應該連想都沒想過吧？」

約夫德心不在焉地拍拍妻子的手，似在思索：「『測卵魔法師』是有效，但實驗規模須擴大。不是一對夫妻試六到八次，而是八對夫妻各試一次，再擴充至數百對夫妻。等你出院回家再談。」

「請接連德蘿博士的房間。」雷妞對費爾蒙飯店的接線生說道。時間爲早晨九點三十分，雷妞的兒子睡在她床畔的壓克力盒子槽內，她頓覺心滿意足，精神飽滿，心想，何不向米蘭妮報告好消息。

她已想好台詞：「是個兒子。」一個年輕男聲接起電話，令她一時說不出話，遂問道：「請問你是哪位？」

「我是亞當。」

「噢，亞當，對不起，我沒認出你的聲音。我是雷妞．庫里希南，你可能不記得，我們在紐約見過一面。媽媽在嗎？不，等一下，先祝你生日快樂，亞當。」

「我生日是昨天。」他老實說道。

「遲來的祝賀總比沒有好。有沒有特別慶祝呀？」

「有，我們去聽歌劇。」

「天啊，你眞的長大了。歌劇院的外觀很美吧？」

「不見得。」

雷妞感到錯愕，她是否說錯話了？「你不喜歡呀？」

「還好啦，舞台很小，跟大都會劇院不同。我和媽媽去過大都會劇院。」

雷妞不是歌劇迷，但她到過舊金山歌劇院。舞台很小？她抗議道：「可是舞台並不小。」

「你在開玩笑吧？舞台比我家客廳大不了多少。」

「亞當，你去哪一歌劇院？」雷妞熱中和亞當對談，忘了她打電話的目的。

「袖珍歌劇院，其實那地方眞不賴。」他的聲音第一次散發出熱情。「樂隊不過是幾把絃樂器演奏，還有一個名叫當勞・皮皮的人，他好酷，又指揮又彈鋼琴的，偶爾還叫歌者停下來，解釋劇情。」

「你看哪一齣？」

「韓德爾，媽說那是皮皮的拿手。」

「我不是問作曲者，是問你聽韓德爾哪一齣歌劇？」

「亞歷山大大帝和亞馬遜女戰士的故事，我忘了她的名字。」

「你喜不喜歡？」

「還好啦，不過他們很喜歡。我們很晚才回家。」

「他們是……」

「媽媽和爸爸。」

「噢。」雷妞再度錯愕，她不知道曼那欽開完董事會議後還逗留此地。「可不可以和媽媽講話？」

「他們吩咐我今天早晨不要吵他們起床。他們應該還在隔壁房間睡覺吧。」

昨晚約夫德和我談正經事，夫妻間應該常常進行這類摘要報告型的對話。近來生活庸碌異常，我倆都沒時間反省。也許因爲七個月來我倆長期睡眠不足。賴威不像娜歐咪那樣好帶，我倆都不得好睡。約夫德非常寬容賴威的夜啼，但白天他的工作比我還忙。

他省著花用歐復的兩百萬經費，好像再也得不到一毛經費似的。他身兼執行長、總經理、主談判者、主操縱者、主接線生，一切全攬在身上。如果再多點睡眠，不知他會再搞什麼花樣。

舍揚已上軌道，我也成爲授權專家。大衛・華普勒當然成爲我的守護天使，尤其他已擢升爲執行副總經理，表示我能多點時間研究科學，最近我才領悟到自己多懷念科學研究。

這一回換我宣布須進行非常正經的對談。賴威已斷母奶，改用奶瓶，我請瑪麗亞・卡門代爲照顧，和約夫德到舊金山的費爾蒙飯店住一夜。爲何挑上費爾蒙？應與去年秋天那通終於找到米蘭妮的電話有關。

睡足十一個小時，約夫德和我在床上共進早餐，兩人這才發現生活已經失調。我倆是工作狂而且樂此不疲。但我們尚有兩名子女，生活應該不僅是例行公事而已。根據最新估計，我的認股權已値四百萬，但從我們的生活看不出來：房子太小，兩部車老灰撲撲地，從來沒空度假……

我宣布，第一步：買幢新宅；第二步：找位可住在家裡的保母，我們才能多睡一點，我強調保母一定要中年以上；第三步：度個眞正的假——夏天至少兩星期，冬天至少一星期。

「第四步：」丈夫補充道：「除了新宅和新車的費用，你再多賣五十萬的認股權。」

「要買富豪汽車——安全的家庭房車。」

「一部富豪，一部——」我用手掩住他的唇。

「車子談夠了。另外那五十萬作何用途？」

「支持『拉達』（Radha）」他露齒而笑，見我茫然不解，更加得意。「以色列人勝你一籌！你已忘了拉達．克里希南——牧牛人的養子，擠奶女工的最愛？」我的以色列丈夫不必提醒我神的擠奶女工是何人，但我已徹底忘記拉達是克里希南最愛的擠奶女工。

誰是約夫德的拉達？他到威斯康辛州——害他錯過賴威的出生——旨在安排首次大規模試驗在母牛陰道置入戴樂歐感應器。不到半年，威斯康辛最大的牧場之一便想入股歐復股份有限公司，開發此一產品並行銷上市。他以「拉達」爲產品命名，聲稱乃是爲了感念印度籍妻子。我不知他是否眞心誠意，但他們都相信了，於是「拉達」於焉誕生。約夫德深信產品一定大發利市，因而不再向外籌募經費，稀釋他的所得——「我們的」所得，他糾正我。他希望我們有所變化，自舍揚轉投入拉達和歐復。

「有何不可？」我說道。睡足十一個小時，與夫君在床上共進早餐後，重大決策竟如此輕易做成。

「摩特，」雷妞坐進他桌前的椅子，「別打開計時器，我來此乃是爲了請教私人建言。」

他抬起雙手，掌心朝著她。「看到沒?我沒拿計時器。」他讚許地點頭，「你容光煥發啊，雷妞。但願我的肚腩能縮得跟你一樣小。」

「我們各有長處。」她這話說得唐突。「且容我說明來此目的。我的認股權價值四百萬，我想出售二分之一。」

摩特低低吹了聲口哨。「賣掉這麼多啊?」

「談數量前先談時機吧。目前並無法律限制，對不對?也不必顧忌會影響營運，目前舍揚一帆風順，除非再來一次黑色星期一，否則股票應會持續上漲。」

「正確。」他同意。「但總經理賣掉他公司股票總是不利。」

「是『她』的公司。」雷妞進門時即已易怒，每回他倆談話總令她光火。

「恕我失言。」他低頭賠禮。「是『她』的公司。」

「假使我聽從你的忠告，我的帳面利潤永遠變不了現金。認股權是我用血汗掙來的，當中不少是用來抵薪水的。」

摩特舉起一隻手撫慰她的情緒。「我沒說你不能賣，也沒說不該賣，我僅僅預期大衆心理罷了。若你打定主意要賣，隨時請便。其實此刻賣出算是合理時機。何況大衆很健忘，尤其當股票未隨之下跌的時候。但股票若下跌，就得小心！」

「好吧。」她鬆了一口氣。「現在說明賣掉半數股權的理由。」

他又舉起一隻手調停。「不關我的事。我只建議你，若想拋售，量越少越佳。」

雷妞情緒恢復平靜，但仍覺得該爲自己的決定辯護。「我不介意透露理由，又不是什麼秘密：我們需要換幢大點、好點的房子。我們夫妻工作時間長，兩個孩子還小，需要保母住在家裡照顧。我倆都需要書房，客房不算，至少需要六個房間。」

他頻頻頷首，「本區房地產相當昂貴，但一般人多向銀行申請貸款，富豪人家也不例外，正好用來扣稅。」

「我們不打算全部付現，但我倆理財態度都極謹慎，新宅將成爲我倆最大資產，我們想賣掉至少二分之一的認股權。」

摩特開始坐立難安。「我說過這不關我的事，但除非你們想在雅瑟頓買幢大宅，」他用拇指指著身後，彷彿南灣郊區最富有者全躲在他沙發背後，「否則不需賣掉價值兩百萬的認股權。光稅就扣掉三分之一——」。

「我們尚需五十萬做多樣化經營，目前我們全數資產皆爲舍揚認股權，其中一部分還抵押給銀行貸款，供約夫德投資自創公司。」

「對了，歐復公司，我已聽說。阿費多與馬丁似乎相當看好你丈夫的事業。首次公開募集時記得通知我。我很信任薩發諾利的生意眼光，如果他和馬丁投資，我也想插一腳。」他奇怪地瞧著她。「任誰都不會批評多樣化經營的不是；然而人家指控你拋售自己公司股票時，你撈不到好處。」他聳聳肩。「你無法令人皆大歡喜。希望你挑一位優秀的財務顧問。」

「我已經有顧問了。」

賴威滿週歲了！這一天將永遠記憶鮮明。奇怪，我記不清娜歐咪滿週歲那天，反正不過是女兒出生滿一年的慶祝日。今天呢？保證是人生的分水嶺。我說的是一個人裹著毯子坐在暗無光明的客廳裡。

很熱鬧的生日。我們當成家庭大事，只允許一家四口參加。我們很幸運，有娜歐咪做我們的女兒。她將滿六歲，而賴威喚起她的母性本能。她幫忙烘焙蛋糕，跟弟弟一起吹熄蛋糕上的蠟燭，甚至講睡前故事給弟弟聽。謝天謝地，他終於一覺到天亮。此刻他們三人已熟睡。

我睡不著。數天來我跡近失眠，感到些微不滿，甚至脾氣乖戾。今晚，看著約夫德開心地和孩子們一起嬉戲，我忽地頓悟。我三十八歲，似乎擁有現代職業婦女渴望的一切：地位、權力、財富、家庭，我卻開始感到不滿足。長我幾歲的丈夫似乎再稱心滿意不過。差異何在。剎那間我開了竅：我條列其他女性艷羨我的一切：地位、權力、財富……家庭列在最後一項。

我喜歡現階段生活，我們一兩年前即已到達此階段。我不缺錢；地位僅次於馬丁，而他計畫一年後將執行長之寶座讓給我。想一想，他眞是個有趣的範例：任薩拉執行長多年，不到五十歲即通勤於耶路撒冷與帕洛奧圖間。所以把地位這一項劃掉。權力？權力極誘人，尤能誘惑現代職業女性。除了控制個人命運（其實僅限經濟上自給自足），我並不貪求權力。我喜歡待在舍揚，因爲它以研究爲基礎，創造一個新公司，而我居功厥偉。孩子長得很快，馬上就進入青春期。一等孩子成爲青少年，保育的角色立即轉換成監督及支持，令此刻的我些許不滿足。

我從未將這些感受告訴約夫德。近來我倆在事業上隱約在競爭，而我似乎占上風。多少男性——尤其是拿九十七分的男人，能坦然接受？由於他發明「測卵魔法師」，情況已改觀。我在陰莖勃起此一領域領先，丈夫卻在女性排卵週期領域瞬間開花結果，豈不諷刺？更令人印象深刻的是約夫德乃是自學成功：他是生物機械工程師，在貝爾旭巴累積了電子工程學背景，至加州研究藉皮膚傳導電流，自此跳至子宮頸電流變化和母牛陰道植入感應器。但他未以戴樂歐自滿，這棵搖錢樹目的乃在資助供人類使用的「測卵魔法師」的研究。

我倆對於「測卵魔法師」應否讓女性使用各執己見，話雖然如此，我依然佩服約夫德不只是科技主義者。他想證明受精時間能影響性別——我認爲這種知識具危險性，尤其在印度這種重男輕女的國家——他的主要目標並不在此，也不在避孕，因爲他認爲「測卵魔法師」能影響生育率。就人口分布而言，我同意，但身爲女人的我仍希望能開放所有選擇，不論是爲了有效人口分布（可怕的字眼）或僅僅爲了個人便利。

但我倆一致同意，如果能找多位女性試驗，證明女性月事週期前半段的電流改變呈M型曲線圖，「測卵魔法師」對女性之衝擊遠超過生育控制，甚而影響了個人受精意識，以及女性因此獲得生育期之主宰權。約夫德絕非女性主義者，但他能爲女性主義者的目標做出重大貢獻。

我這麼告訴他，他只苦著一張臉問我，什麼叫女性主義。我沒把字典的定義丟給他：「代表女性權益的組織性活動」，只說四個字：「權力關係」。不管女性排不排卵、何時排卵，給她高深知識就是賦予她最基本的權力。她愛怎麼運用知識隨她高興：此即個人行使權力之自由。如此又回到原點：雷妞・庫里希南與權力。

依傳統來行使行政權力令我生厭，我已將部分權力授與華普勒，起初爲無心，後來則爲有意。他胃口越來越大，我的胃口則越來越小。目前我的權力只剩舍揚研發部門一切責任。

但我今夜徹悟到這部分責任也該結束，重生的時刻已經到來。如果我僥倖成功，即能獲得我目前渴望的權力。

林邊，加州，十二月二十三日，一九八九年

最親愛的亞秀克：

自新家寄出第一封光明節兼耶誕節賀信給你。我們於感恩節遷至新居，屋內仍嫌凌亂，因爲我和約夫德工作超級忙碌。但我們清理了一週，終於眞的安頓下來，意即所有的書都自箱中取出，歸至書架，紙箱和包裝物也多已清運。車庫內停著一輛嶄新富豪廂型車，一輛車齡兩年的跑車（我不能透露廠牌，但你一定猜得到誰開哪部車），餘下空間則堆著廢物。

車庫連著林邊這地區一間相當寬敞的屋子，林邊是個富庶、「愛馬」的小鎮，馬道極多。新居離位於史丹福工業園區的舍揚車程約十五分鐘，距舊金山機場約三十分鐘車程，這點很重要，因爲約夫德目前經常搭機出差。他尚未學會有效授權給妻子，他說歐復公司及其子公司——名喚「拉達」（你可記得她是誰？）請不起行政專才。於是約夫德幾乎事必躬親，而且因此日益幹練。

新居佔地兩畝（在本區是小意思），包括一個小畜欄和馬廄，乃是前任屋主爲愛馬所建，現在裡面住著一匹小馬，小馬是我們送娜歐咪的光明節禮物，分八期送達：（約夫德主張將馬的照片剪成八塊，一天送她一塊，八塊拼齊時，她也見到眞馬。）我預期新鮮感將逐漸消褪，但她現在經常在户外騎馬，而賴威特別活潑好動，需全天候在室內看顧。感謝上帝派遣瑪麗亞・卡門前來我們家，她極富母性，成爲我生活的左右手。我還爲哥哥永久保留一間客房，如果你肯賞光，到加州寒舍一遊的話。

國內消息報導到此爲止，現在報導財經新聞：上週舍揚總經理雷妞・庫里希南提出辭呈！你若參加上一次董事會議，勢必更加驚訝。某些同事猜測我爲了重金而跳槽，令我錯愕又心痛。當我解釋辭職原因（比信中詳盡），同仁們隨即理解，我僅辭去總經理一職，並未離開公司或辭去董事主席，除非下次股東會議他們不要我競選連任。此時馬丁・蓋斯勒立即提議投信任票，米蘭妮・連德蘿隨即附議。我很感激馬丁主動提議，因爲我事先並未知會他，他大可發一頓脾氣。但我怎能告訴他？爲了這個決定我已內心交戰好幾個月，和約夫德討論了無數次，他打從一開始即了解我的處境，最後我還跟帕薩迪納一位學術界朋友商量。我猜你一定又在嘟囔：講重點，雷妞。以下就是我做的總結：

我下定決心後很開心，原因不可勝數。舍揚因「繆沙」銷路佳而蒸蒸日上，年銷售額超過一億，而且迅速攀升。位於貝爾旭巴的工廠再度擴建，工人一日三班不停生產。歐洲配銷網路將近完成，即將進軍亞洲市場。目前研發成本達到一千四百萬，並朝著三個方向謹慎進行：NONO二號的臨床應用擴大範圍至陰莖勃起之外；發展第二代一氧化氮釋放劑，按一些學術顧問的傑出構想來進行；發展一氧化氮抑制劑，以對付敗血症引起的血壓遽降，這才是眞正的致命原因。若初步研究成功，我們即擁有新的神奇藥物，股市一定爲之瘋狂。

既然一切順遂，爲什麼要抽身？約夫德和我手頭很寬裕（若約夫德的公司成功，更不用爲經濟發愁）。將經濟因素排除，剩下的即爲行政權力，提起這個，眞的罄竹難書，且按下不表。誠如家鄉話所說，行政權力未能如科學般令我「亢奮」。於是我又回到多年前的老問題。

學術界睥睨製藥工業之研究，然而在生化醫學領域內，資源充裕的話，工業比學術界效率高，只要研究人員志在實用性目標的話，我便是如此。依我個人淺見，大財團效率不彰，舍揚的小規模和階段發展反而有效率，我想在公司變得太龐大、笨重、死板之前抓住機會。一氧化氮生物學著實令我著迷，嘗過權勢和財富的滋味後，我想回歸我的根，做個科學家。我希望再度自基礎科學觀察開始，一路研究到人體應用的最終階段，在大學裡是不可能辦到的。如果我能研發出新產品，讓舍揚獲利，就不必再沒完沒了地爲著經費申請研究計劃，用不著周旋於學術政治之間，最重要的是（我費了好長時間才終於體會），我的地位容我以社會需要爲目的而訂定研究計畫。的確一般製藥工業往往無法辦到這點，但我在舍揚則可發揮。希望你爲我的計畫感到高興，因爲我的計畫證明我沒有忘本。

我認爲一氧化氮最戲劇化的可能運用首推寄生蟲學和熱帶疾病，學術界研究人員已做了不少令人振奮的研究，但大藥廠尚未有動靜，他們認爲貧窮的第三世界所代表的市場無利可圖，因此不感興趣。但部分寄生蟲病對一氧化氮極無耐受力，例如：住血吸蟲病、萊什曼病、毒漿體原蟲病弓蟲症、錐蟲病等等。我不是在賣弄自己記得住這些病名，但我也可以用較簡單的名稱，例如卻格司氏病，亦即南美錐蟲病。提及這幾種病乃是因爲數百萬計的南美、非洲、亞洲，和印度人爲這些疾病所苦，瘧疾尤爲頭號殺手，死亡率高居首位，可是你向大製藥廠建議撥大筆經費來研究寄生蟲病時，他們全當成馬耳東風，我憑什麼認爲舍揚會聽我的？其實我已經說服他們了。

我相當擅長誇大一氧化氮的效用。最近，我想證明一氧化氮對性行爲之影響作爲法律證詞，竟挑了雄蠑螈的求偶行爲作例證，大家興趣可濃厚著呢。

在瘧疾方面，我舉的是賺人熱淚的例子：腦型瘧疾，最致命的一種瘧疾，也是非洲與亞洲孩童的最大殺手。杜克大學的研究人員證明腦部製造的一氧化氮能產生保護作用：健康孩童的一氧化氮濃度高，病童的一氧化氮濃度低。你或許會與其他門外漢一樣問道：如果一氧化氮屬於天然防禦機制，何不給予病童一氧化氮？答案是：我們還未了解給予的方法。腦部產生的一氧化氮半衰期很短，僅有數秒，自身體之立場觀之，這是優點，因爲如此一來，一氧化氮只能送達目標處——寄生蟲——不致損及宿主其他細胞。

亞秀克，我不會講得興起，長篇大論地演講一氧化氮這個極簡單的分子如何產生保護作用，我只想告訴你，最大的障礙在於找出適當的劑量，我們便精於此道，你妹妹的NONO鹽類化合物，尤其是NONO二號是良好的工具，但我們也開始研究其他化合物——西那尼胺——簡稱爲SIN。NO與SIN兩個英文字在日常生活中的意義與它們在化學中代表的意義相差千萬里，不是很奇怪嗎？

於是我說服董事會提撥研發部門十分之一的經費來研究以NO治療寄生蟲病的方法，並由我指導。即使令人心痛的腦型瘧疾也不容易，我得有充分的經濟理由。各國製藥界對上億或上兆的銷售量才有興趣？第三世界的患者上億上兆，但銷售量相形之下，卻遠不及此，購藥的金錢須來自窮困的政府或救助機構，因此銷售量只有數千萬或數億，對製藥界巨人而言是九牛一毛，對渺小的我們卻有如「嗎哪」（精神食糧）。只要舍揚保持目前規模，我們即可辯解說，具高度社會價值但受疏忽的療法研究，仍為我們之宗旨。我請求他們給我五年的時間研究，所以祝我有五年的好運道吧。

獻上所有的愛

雷妞上

「我好羨慕你。」塞麗的敬佩之情溢於言表。「我們學術界願意交換條件，但要拿什麼才能交換五年的研究經費？而且不用寫研究計劃。」

「用靈魂交換？」雷妞開玩笑道。

「這樣太便宜了，我願以五年壽命交換。不過，說眞的，我羨慕你。你已爬上最高地位，接下來呢？不但未曾以地位驕人，還獻身寄生蟲療法。」

「羨慕？為什麼羨慕？」

「因為我對你的作為的詮釋不同於你的同事。你現在的作為像學術界人士——起碼像我這樣的學術界人士——但你是在製藥工業內研究。你的前途一片光明，舍揚的同仁也看重你，你不用拿靈魂或五年的壽命作交換，他們便贊同你的作法。」

「得了吧，塞麗，說得好像我不費吹灰之力似的。我的確不用寫研究計劃，但過程相差無幾，仍然得說明研究理由。以此次為例，我得證明值得投資經費做此項研究，但我也說清楚研究的附帶結果可能造成免疫或神經化學問題。說清楚這些並不會危及公司前途。」

「我同意。」塞麗說道，她不想觸怒雷妞。「我眞正的意思是：你已證明自己能在男性的世界中生存，並且不必妥協即平步青雲。」

雷妞搖搖頭，「我不敢這麼說。」

「我敢。」塞麗語氣堅定。「從我的角度觀之，確實如此。你賣掉認股權賺了不少錢——你已忘啦？我收到年度委託書，所以曉得你持多少股，甚至曉得你最近賣掉多少。」

雷妞面紅耳赤，但塞麗還說個不休。「我不是批評，只是陳述事實，加上一絲嫉妒。我並非埋怨我的認股權比你少，這是兩碼子事，我嫉妒的是別的。」她思索了一會兒。「我嫉妒你有勇氣，以及你爭取到的時間。功成名就後，你斷然捨棄一切，回歸科學，全心投入研究。天哪，雷妞，我在加州理工無法全心全意研究。我得教課、加入種種委員會、還有——」

「夠了。」雷妞大笑，怒氣已煙消雲散。「我曉得你日子不好過。」

「不行，我還要說下去。」塞麗也笑。「我得四處籌措研究經費，就算經費有著落，也撐不了五年。」

「好吧。請繼續，你還嫉妒什麼？」

「你看得見研究終點，而且跑完全程。」

雷妞蹙眉，「你不也相同？」

「我們的經費多得自國家衛生研究院，所以必須證明研究與生化醫學相關，我們也很擅長證明這一點。我們都宣稱能治療癌症或老年癡呆症什麼的，有些人還眞的相信的。但大學裡的研究人員無人能一路研究到實際應用，這當然不是大學的功能，但你似乎挑中了極佳的安身立命處：一家日益茁壯的公司，規模大得足以提供一年一百萬支持你的研究計畫，卻又夠小得能懂得欣賞你的成就。我想問你一件事，還記得康特和菠娜宣布婚訊的那場晚宴嗎？」

「我怎麼會忘記？」

「可記得我們討論到爭取諾貝爾獎的慾望？康特的說法？以及你問我是否感染到諾貝爾熱？」

「你當時回答：『是的。』」

「你呢？既然你已回歸實驗室，你渴望獲獎嗎？」

雷妞開始玩她的秀髮。「沒有人問過我。」

「我問啦。」

「我想有吧。康特說得對，高貴的科學通常與獲得肯定的慾望並肩而行。他提到了科學灰色的一面。你爲何用那種眼神看我？感到大失所望？」

「失望？」塞麗搖搖頭。「正好相反，我放下心中一塊大石。歡迎加入慾望一族。」

國家圖書館出版品預行編目資料

NO／翟若適（Carl Djerassi）著；邱紫穎譯.
-- 初版. -- 臺北市：
聯合文學. 1999〔民88〕
面：　公分. --（聯合譯叢；26）
譯自：NO
ISBN 957-522-261-X（平裝）

874.57　　　　88014504

聯合譯叢 026

NO

作　　者／翟若適（Carl Djerassi）
發 行 人／張寶琴

總 編 輯／初安民
主　　編／江一鯉
編　　輯／余淑宜
美術編輯／周玉卿 張薰方
校　　對／辜輝龍

出 版 者／聯合文學出版社有限公司
地　　址／台北市基隆路一段180號10樓
電　　話／27666759．27634300轉5107
郵撥帳號／17623526聯合文學出版社有限公司
登 記 證／行政院新聞局局版臺業字第6109號

印 刷 廠／成陽印刷股份有限公司
總 經 銷／聯經出版事業公司
地　　址／台北縣汐止鎮大同路一段367號三樓
電　　話／（02）26422629

出版日期／1999年11月 初版
定　　價／280元

ISBN 957-522-261-X（平裝）　　Printed in Taiwan